D0794997

JULES VERNE

Jules Verne est l'inventeur de la science-fiction. Né en 1828, il fit d'abord des études de droit, mais il songeait à une carrière littéraire. Sa passion pour l'astronomie, la géographie, les mathématiques lui offrit des thèmes nouveaux. Ses œuvres sont faites d'informations illuminées par l'imagination. Ses œuvres sont des classiques de la littérature mondiale: Vingt mille lieues sous les mers, De la terre à la lune, Michel Strogoff. Il fut le précurseur de la fusée interplanétaire, du sous-marin, de l'hélicoptère, du radar, de la télévision, du satellite. Un cratère de la face cachée de la lune a été nommé Jules Verne.

FAMILLE-SANS-NOM

Cette grande fresque historique de Jules Verne se déroule au Québec dans des lieux comme Rivière-du-Loup, Rimouski, Montréal, Saint-Charles-sur-Richelieu, etc. Il raconte la vie idyllique des Français en Amérique, puis la venue des Anglais, la Rébellion de 1837 et la répression, les exécutions, la clandestinité, l'exil, châtiments infligés aux personnes qui marchent vers leur liberté. Parmi des personnages historiques comme Papineau, le féroce Colborne ou les Fils de la Liberté, Jean-sans-nom, un personnage fictif, devient le symbole des aspirations de tout un peuple et un héros inoubliable. Ce récit visionnaire proclame le vouloir-vivre des Patriotes et leur appartenance à l'Amérique libre.

Jules Verne

Famille-sans-nom

Stanké

roman

JULES VERNE – COLLECTION JETZEL.

JULES VERNE

FAMILLE-SANS-NOM

Les voyages extraordinaires

82 dessins de G. Tiret-Bognet
et une carte

Stanké

Données de catalogage avant publication (Canada)

Verne, Jules, 1826-1905

Famille-sans-nom

ISBN 2-7604-0662-8

1. Canada - Histoire - 1837-1838 (Rébellion) - Romans, nouvelles, etc.
I. Titre.

PQ2469.F3 1999 843'.8 C99-940303-6

Couverture: Les Éditions Stanké (Daniel Bertrand)

Infographie: Composition Monika, Québec

© Les Éditions internationales Alain Stanké, 1999

Dépôt légal: Bibliothèque nationale du Québec, 1999

ISBN 2-7604-0662-8

Les Éditions internationales Alain Stanké remercient le Conseil des Arts, le ministère du Patrimoine canadien et la Société de développement des entreprises culturelles pour leur soutien financier.

Tous droits de traduction et d'adaptation réservés; toute reproduction d'un extrait quelconque de ce livre par quelque procédé que ce soit, et notamment par photocopie ou microfilm, est strictement interdite sans l'autorisation écrite de l'éditeur.

Les Éditions Internationales Alain Stanké
615, boul. René-Lévesque, bureau 1100
Montréal, Qc H3B 1P5

IMPRIMÉ AU QUÉBEC (CANADA)

PREMIÈRE PARTIE

I

QUELQUES FAITS, QUELQUES DATES

«On plaint ce pauvre genre humain qui s'égorge à propos de quelques arpents de glace» disaient les philosophes à la fin du XVIIIe siècle – et ce n'est pas ce qu'ils ont dit de mieux, puisqu'il s'agissait du Canada, dont les Français disputaient alors la possession aux soldats de l'Angleterre.

Deux cents ans avant eux, au sujet de ces territoires américains, revendiqués par les rois d'Espagne et de Portugal, François 1er s'était écrié: «Je voudrais bien voir l'article du testament d'Adam, qui leur lègue ce vaste héritage!» Le roi avait d'autant plus raison d'y prétendre, qu'une partie de ces territoires devait bientôt prendre le nom de Nouvelle-France.

Les Français, il est vrai, n'ont pu conserver cette magnifique colonie américaine; mais sa population, en grande majorité, n'en est pas moins restée française, et elle se rattache à l'ancienne Gaule par ces liens du sang, cette identité de race, ces instincts naturels que la politique internationale ne parvient jamais à briser.

En réalité, les «quelques arpents de glace», si dédaigneusement qualifiés, forment un royaume dont la superficie égale celle de l'Europe.

Un Français avait pris possession de ces vastes territoires dès l'année 1534.

C'est au cœur même de cette contrée que Jacques Cartier, originaire de Saint-Malo, poussa sa marche audacieuse, en remontant le cours du fleuve, auquel fut donné le nom de Saint-Laurent. L'année suivante, le hardi Malouin, portant plus avant son exploration vers l'ouest, arriva devant un groupe de cabanes – Canada en langue indienne – d'où est sortie Québec, puis, atteignit cette bourgade d'Hochelaga, d'où est sortie Montréal. Deux siècles plus tard, ces deux cités allaient successivement prendre le titre de capitales, concurremment avec Kingston et Toronto, en attendant que, dans le but de mettre fin à leurs rivalités politiques, la ville d'Ottawa fût déclarée siège du gouvernement de cette colonie américaine, que l'Angleterre appelle actuellement *Dominion of Canada*.

Quelques faits, quelques dates, suffiront à faire connaître les progrès de cet important état depuis sa fondation jusqu'à la période de 1830 à 1840, pendant laquelle se sont déroulés les événements relatifs à cette histoire.

Sous Henri IV, en 1595, Champlain, un des bons marins de l'époque, revient en Europe après un premier voyage, pendant lequel il a choisi l'emplacement où sera fondé Québec. Il prend part alors à l'expédition de M. de Mons, porteur de lettres patentes pour le commerce exclusif des pelleteries, qui lui accordent le droit de concéder des terres dans le Canada. Champlain, dont le caractère aventureux ne s'accommode guère des choses du négoce, tire de son côté, remonte de nouveau le cours du Saint-Laurent, bâtit Québec en 1606. Depuis deux ans déjà, les Anglais avaient jeté les bases de leur premier établissement d'Amérique sur les rivages de la Virginie. De là, les germes d'une jalousie de nationalité; et même, dès cette époque, se manifestent les prodromes de cette lutte que l'Angleterre et la France se livreront sur le théâtre du nouveau monde.

Au début, les indigènes sont nécessairement mêlés aux diverses phases de cet antagonisme. Les Algonquins et les Hurons se déclarent pour Champlain contre les Iroquois, qui viennent en aide aux soldats du Royaume-Uni. En 1609, ceux-ci sont battus sur les bords du lac, auquel on a conservé le nom du marin français.

Deux autres voyages – 1613 et 1615 – conduisent Champlain jusque dans les régions presque inconnues de l'ouest, sur les bords du lac Huron. Puis, il quitte l'Amérique et revient une troisième fois au

Canada. Enfin, après avoir donné de tête et de bras contre des intrigues de toutes sortes, il reçoit, en 1620, le titre de gouverneur de la Nouvelle-France.

Sous ce nom se crée alors une compagnie, dont la constitution est approuvée par Louis XIII en 1628. Cette compagnie s'engage à faire passer en Canada, dans l'espace de quinze ans, quatre mille Français catholiques. Des quelques vaisseaux expédiés à travers l'Océan, les premiers tombent aux mains des Anglais, qui s'avancent à travers la vallée du Saint-Laurent et somment Champlain de se rendre. Refus de l'intrépide marin, auquel le manque de ressources et de secours impose bientôt une capitulation – honorable d'ailleurs – qui, en 1629, donne Québec aux Anglais. En 1632, Champlain repart de Dieppe avec trois vaisseaux, reprend possession du Canada, restitué à la France par le traité du 13 juillet de la même année, jette les fondements de villes nouvelles, établit le premier collège canadien sous la direction des Jésuites, et meurt le jour de Noël – en 1635 – dans le pays conquis à force de volonté et d'audace.

Pendant quelque temps, des relations commerciales se nouent entre les colons français et les colons de la Nouvelle-Angleterre. Mais les premiers ont à lutter contre les Iroquois, qui sont devenus redoutables par leur nombre, car la population européenne n'est encore que de deux mille cinq cents âmes. Aussi la compagnie, dont les affaires périclitent, s'adresse-t-elle tout d'abord à Colbert, qui envoie le marquis de Tracy à la tête d'une escadre. Les Iroquois repoussés reviennent bientôt à la charge, se sentant soutenus par les Anglais, et un horrible massacre de colons s'accomplit dans le voisinage de Montréal.

Cependant, si, en 1665, la population s'est accrue du double, ainsi que le domaine superficiel de la colonie, il n'y a encore que treize mille Français en Canada, tandis que les Anglais comptent déjà deux cent mille habitants de race saxonne dans la Nouvelle-Angleterre. La guerre recommence. Elle prend pour théâtre cette Acadie, qui forme actuellement la Nouvelle-Écosse, puis, s'étend jusqu'à Québec, d'où les Anglais sont repoussés en 1690. Enfin le traité de Ryswick – 1697 – assure à la France la possession de tous les territoires que la hardiesse de ses découvreurs, le courage de ses enfants, avaient faits siens dans le Nord-Amérique. En même temps, les tribus insoumises,

Iroquois, Hurons et autres, se mettent sous la protection française par la convention de Montréal.

En 1703, le marquis de Vaudreuil, fils d'un premier gouverneur de ce nom, est nommé au gouvernement général du Canada, que la neutralité des Iroquois rend plus aisé à défendre contre les agressions des colons de la Grande-Bretagne. La lutte reprend dans les établissements de Terre-Neuve, qui sont anglais, et dans l'Acadie, qui, en 1711, échappe aux mains du marquis de Vaudreuil. Cet abandon va permettre aux forces anglo-américaines de se concentrer pour la conquête du domaine canadien, où les Iroquois, travaillés en dessous, redeviennent douteux. C'est alors que le traité d'Utrecht – 1713 – consomme la perte de l'Acadie, après avoir assuré pour trente ans la paix avec l'Angleterre.

Durant cette période de calme, la colonie fait de réels progrès. Les Français construisent quelques nouveaux forts, afin d'en assurer la possession à leurs descendants. En 1721, la population est de vingt-cinq mille âmes, et de cinquante mille en 1744. On peut croire que les temps difficiles sont passés. Il n'en est rien. Avec la guerre de la succession d'Autriche, l'Angleterre et la France se retrouvent aux prises en Europe, et, par suite, en Amérique. Il y a des alternatives de succès et de revers. Enfin le traité d'Aix-la-Chapelle – 1747 – remet les choses dans l'état où elles étaient au traité d'Utrecht.

Mais, si l'Acadie est désormais possession britannique, elle est demeurée bien française par les tendances générales de sa population. Aussi, le Royaume-Uni provoque-t-il l'immigration anglo-saxonne, afin d'assurer sa prépondérance de race dans les provinces conquises. La France veut en faire autant pour le Canada; elle y réussit mal, et, sur ces entrefaites, l'occupation des territoires de l'Ohio rejette les rivaux en présence.

C'est alors, devant le fort Duquesne, récemment élevé par les compatriotes du marquis de Vaudreuil, que Washington apparaît à la tête d'une forte colonne anglo-américaine. Franklin ne venait-il pas de déclarer que le Canada ne pouvait appartenir aux Français? Deux escadres partent d'Europe – l'une de France, l'autre d'Angleterre. Après d'épouvantables massacres, qui ensanglantent l'Acadie et les territoires de l'Ohio, la guerre est officiellement déclarée par la Grande-Bretagne à la date du 18 mai 1756.

En ce même mois, sur une pressante demande de renforts faite par M. de Vaudreuil, le marquis de Montcalm vient prendre le commandement de l'armée régulière du Canada – quatre mille hommes en tout. Le ministre n'avait pu disposer d'un effectif plus considérable, car la guerre d'Amérique n'était pas populaire en France, si elle l'était à un rare degré dans le Royaume-Uni.

Dès le début de la campagne, premiers succès au profit de Montcalm. Prise du fort William-Henry, bâti au sud de ce lac George, qui forme le prolongement du lac Champlain. Défaite des troupes anglo-américaines à la journée de Carillon. Mais, malgré ces brillants faits d'armes, évacuation du fort Duquesne par les Français, et perte du fort Niagara, rendu par une garnison trop faible, que la trahison des Indiens empêche de secourir en temps utile. Enfin, prise de Québec, en septembre 1759, par le général Wolfe à la tête de huit mille hommes de débarquement. Les Français, malgré la bataille qu'ils gagnent à Montmorency, ne peuvent éviter une défaite définitive. Montcalm est tué, Wolfe est tué. Les Anglais sont en partie maîtres des provinces canadiennes.

L'année suivante, une tentative est faite pour reprendre Québec, cette clef du Saint-Laurent. Elle échoue, et, peu de temps après, Montréal est contraint de capituler.

Enfin, le 10 février 1763, un traité intervient. Louis XV renonce à ses prétentions sur l'Acadie au profit de l'Angleterre. Il lui cède en toute propriété le Canada et ses dépendances. La Nouvelle-France n'existe plus que dans le cœur de ses enfants. Mais les Anglais n'ont jamais su s'adjoindre les peuples qu'ils ont soumis; ils ne savent que les détruire. Or, on ne détruit pas une nationalité, lorsque la majorité des habitants a gardé l'amour de son ancienne patrie et ses aspirations d'autrefois. En vain la Grande-Bretagne organise-t-elle trois gouvernements, Québec, Montréal et Trois-Rivières. En vain veut-elle imposer la loi anglaise aux Canadiens, les astreindre à prêter un serment de fidélité. À la suite d'énergiques réclamations, en 1774, un bill est adopté, qui remet la colonie sous l'empire de la législation française.

D'ailleurs, s'il n'a plus rien à redouter de la France, le Royaume-Uni va se trouver en face des Américains. Ceux-ci, en effet, traversant le lac Champlain, prennent Carillon, les forts Saint-Jean et

Frédérik, marchent avec le général Montgomery sur Montréal dont ils s'emparent, puis sur Québec qu'ils ne parviennent pas à prendre d'assaut.

L'année suivante – 4 juillet 1776 – est proclamée la déclaration d'indépendance des États-Unis d'Amérique.

Vient alors une période lamentable pour les Franco-Canadiens. Les Anglais sont dominés par une crainte : c'est que cette colonie leur échappe en entrant dans la grande fédération et se réfugie sous le pavillon étoilé que les Américains déploient à l'horizon. Mais il n'en fut rien – ce qu'il est permis de regretter dans l'intérêt des vrais patriotes.

En 1791, une nouvelle constitution divise le pays en deux provinces : le Haut-Canada, à l'ouest, le Bas-Canada à l'est, avec Québec pour capitale. Chaque province possède un Conseil législatif, nommé par la Couronne, et une Chambre d'assemblée, élue pour quatre ans par les francs tenanciers des villes. La population est alors de cent trente-cinq mille habitants, parmi lesquels on n'en compte que quinze mille d'origine anglaise.

Ce que doivent être les aspirations des colons, violentés par la Grande-Bretagne, se résume dans la devise du journal *le Canadien*, fondé à Québec en 1806 : *Nos institutions, notre langue et nos lois*. Ils se battent pour conquérir ce triple desideratum, et la paix, signée à Gand, en 1841, termine cette guerre, où les succès et les revers se compensèrent de part et d'autre.

La lutte recommence encore entre les deux races, qui occupent le Canada de façon si inégale. C'est d'abord sur le terrain purement politique qu'elle s'engage. Les députés réformistes, à la suite de leur collègue, l'héroïque Papineau, ne cessent d'attaquer l'autorité de la métropole dans toutes les questions – questions électorales, questions de terres qui sont concédées dans une proportion énorme aux colons de sang anglais, etc. Les gouverneurs ont beau proroger ou dissoudre la Chambre, rien n'y fait. Les opposants ne se laissent point décourager un instant. Les royaux – les loyalistes – comme ils s'appellent, ont l'idée d'abroger la constitution de 1791, de réunir le Canada en une seule province, afin de donner plus d'influence à l'élément anglais, de proscrire l'usage de la langue française qui est restée la langue parlementaire et judiciaire. Mais Papineau et ses amis réclament avec une

Les élections amènent des collisions sérieuses.

telle énergie que la Couronne renonce à mettre en œuvre ce détestable projet.

Cependant, la discussion s'accentue. Les élections amènent des collisions sérieuses. En mai 1831, à Montréal, une émeute éclate, qui coûte la vie à trois patriotes franco-canadiens. Des meetings rassemblent la population des villes et des campagnes. Une active propagande se poursuit à travers toute la province. Enfin un manifeste énumère dans «quatre-vingt-douze résolutions» les griefs de la race canadienne contre la race anglo-saxonne, et demande la mise en ac-

Sir John Colborne Gilbert Argall
Colonel Gore Lord Gosford

cusation du gouverneur général, lord Aylmer. Le manifeste est adopté par la Chambre, malgré l'opposition de quelques réformistes qui le trouvent insuffisant. En 1834, il y a lieu de procéder à de nouvelles élections. Papineau et ses partisans sont réélus. Fidèles aux réclamations de la précédente législature, ils insistent pour la mise en accusation du gouverneur général. Mais la chambre est prorogée en mars 1835, et le ministère remplace lord Aylmer par le commissaire royal lord Gosford, auquel sont adjoints deux commissaires, chargés d'étudier les causes de l'agitation actuelle. Lord Gosford proteste des dispositions conciliantes de la Couronne envers ses sujets d'outre-mer, sans obtenir que les députés veuillent reconnaître les pouvoirs de la commission d'enquête.

Entre temps, grâce à l'immigration, le parti anglais s'est peu à peu renforcé – même dans le Bas-Canada. À Montréal, à Québec, des associations constitutionnelles sont formées, afin de comprimer les réformistes. Si le gouverneur est obligé de dissoudre ces associations, créées contrairement à la loi, elles n'en restent pas moins prêtes à l'action. On sent que l'attaque sera très vive des deux côtés. L'élément anglo-américain est plus audacieux que jamais. Il n'est question que d'angliciser le Bas-Canada par tous les moyens. Les patriotes sont décidés à la résistance légale ou extra-légale. De cette situation si tendue, il ne peut sortir que de terribles heurts. Le sang des deux races va couler sur le sol conquis autrefois par l'audace des découvreurs français.

Telle était la situation du Canada en l'année 1837, au début de cette histoire. Il importait de mettre en lumière l'antagonisme d'origine des éléments français et anglais, la vitalité de l'un, la ténacité de l'autre.

Et d'ailleurs, cette Nouvelle-France, n'était-elle pas un morceau de la patrie, comme cette Alsace-Lorraine que l'invasion brutale allait arracher trente ans plus tard? Et les efforts tentés par les Franco-Canadiens pour lui rendre au moins son autonomie, n'est-ce pas là un exemple que les Français de l'Alsace et de la Lorraine ne doivent jamais oublier?

C'était précisément pour arrêter leurs dispositions en prévision d'une insurrection probable, que le gouverneur, lord Gosford, le commandant général, sir John Colborne, le colonel Gore et le ministre de la police, Gilbert Argall, avaient pris rendez-vous dans la soirée du 23 août.

Les Indiens désignent par le mot «kébec» tout rétrécissement de fleuve produit par un brusque rapprochement des rives. De là, le nom de la capitale, qui est bâtie sur un promontoire, sorte de Gibraltar, élevé en amont de l'endroit où le Saint-Laurent s'évase comme un bras de mer. Ville haute sur la colline abrupte, qui domine le cours du fleuve, ville basse étendue sur la rive, où sont construits les entrepôts et les docks, rues étroites avec des trottoirs de planches, maisons de bois pour la plupart, quelques édifices sans grand style, palais du gouverneur, hôtels de la poste et de la marine, cathédrales anglaise et française, une esplanade très fréquentée des promeneurs, une citadelle occupée par une garnison assez importante, telle était alors la vieille cité de Champlain, plus pittoresque, en somme, que les villes modernes du Nord-Amérique.

Du jardin du gouverneur, la vue s'étendait au loin sur le superbe fleuve dont les eaux se séparent, en aval, à la fourche de l'île d'Orléans. La soirée était magnifique. L'atmosphère attiédie ne se troublait point sous l'âpre souffle du nord-ouest, si pernicieux en toutes saisons, quand il se propage à travers la vallée du Saint-Laurent. Dans l'ombre d'un square, une de ses faces éclairée par la lumière de la lune, se dressait la pyramide quadrangulaire, élevée à la mémoire de Wolfe et de Montcalm, réunis le même jour par la mort.

Depuis une heure déjà, le gouverneur général et les trois autres hauts personnages s'entretenaient de la gravité d'une situation qui les obligeait à se tenir incessamment sur le qui-vive. Les symptômes d'un soulèvement prochain n'apparaissaient que trop clairement. Il convenait d'être prêt à toute éventualité.

«De combien d'hommes pouvez-vous disposer? venait de demander lord Gosford à sir John Colborne.

– D'un nombre malheureusement trop restreint, répondit le général, et encore devrai-je dégarnir le comté d'une partie des troupes qui l'occupent.

– Précisez, commandant.

– Je ne pourrai mettre en avant que quatre bataillons et sept compagnies d'infanterie, car il est impossible de ne rien prendre sur les garnisons des citadelles de Québec et de Montréal.

– Qu'avez-vous en artillerie?...

– Trois ou quatre pièces de campagne.

– Et en cavalerie?

– Un piquet seulement.

– S'il faut disperser cet effectif dans les comtés limitrophes, fit observer le colonel Gore, il sera insuffisant! Peut-être est-il regrettable, monsieur le gouverneur, que Votre Seigneurie ait dissous les associations constitutionnelles, formées par les loyalistes ! Nous aurions là plusieurs centaines de carabiniers volontaires, dont le secours ne serait point à dédaigner.

– Je ne pouvais laisser ces associations s'organiser, répondit lord Gosford. Leur contact avec la population aurait engendré des collisions quotidiennes. Évitons tout ce qui pourrait provoquer une explosion. Nous sommes dans une soute à poudre, et il n'y faut marcher qu'avec des chaussons de lisière ! »

Le gouverneur général n'exagérait pas. C'était un homme de grand sens et d'esprit conciliant. Dès son arrivée dans la colonie, il avait montré beaucoup de prévenances envers les colons français, ayant – ainsi que l'a fait observer l'historien Garneau – « une pointe de gaieté irlandaise qui s'accommodait bien de la gaieté canadienne ». Si la rébellion n'avait pas éclaté encore, on le devait à la circonspection, à la douceur, à l'esprit de justice que lord Gosford apportait dans ses rapports avec ses administrés. Par nature comme par raison, il répugnait aux mesures violentes.

« La force, répétait-il, comprime, mais ne réprime pas. En Angleterre, on oublie trop que le Canada est voisin des États-Unis, et que les États-Unis ont fini par conquérir leur indépendance ! Je vois bien qu'à Londres, le ministère veut une politique militante. Aussi, sur le conseil des commissaires, la Chambre des lords et la Chambre des communes ont-elles adopté à une grande majorité. Une proposition qui tend à mettre en accusation les députés de l'opposition, à employer les deniers publics sans contrôle, à modifier la constitution de manière à doubler dans les districts le nombre des électeurs d'origine anglaise ! Mais cela n'est point faire montre de sagesse. Il y aura du sang versé de part et d'autre ! »

C'était à craindre, réellement. Les dernières mesures, adoptées par le Parlement anglais, avaient produit une agitation qui ne demandait qu'à se manifester à tout propos. Conciliabules secrets, meetings publics, surexcitaient l'opinion. Des faits, on passerait bientôt aux actes. Les provocations s'échangeaient à Montréal comme à Québec entre les réformistes et les partisans de la domination anglo-saxonne – surtout les anciens membres des associations constitutionnelles. La police n'ignorait pas qu'un appel aux armes avait été répandu à travers les districts, les comtés, les paroisses. On avait été jusqu'à pendre en effigie le gouverneur général. Il y avait donc à prendre des dispositions.

«M. de Vaudreuil a-t-il été vu à Montréal? demanda lord Gosford.

– Il ne paraît point avoir quitté son habitation de Montcalm, répondit Gilbert Argall. Mais ses amis Farran, Clerc, Vincent Hodge, le visitent assidûment et sont en rapport quotidien avec les députés libéraux, et plus particulièrement avec l'avocat Gramont, de Québec.

– Si un mouvement éclate, dit sir John Colborne, nul doute qu'il ait été préparé par eux.

– Aussi, en les faisant arrêter, ajouta le colonel Gore, peut-être Votre Seigneurie écraserait-elle le complot dans l'œuf?...

– À moins qu'on ne le fît éclore plus tôt!» répondit le gouverneur général.

Puis, se retournant vers le ministre de la police:

«Si je ne me trompe, demanda-t-il, M. de Vaudreuil et ses amis ont déjà figuré dans les insurrections de 1832 et de 1835?

– En effet, répondit sir Gilbert Argall, ou, du moins, on a eu lieu de le supposer; mais les preuves directes ont manqué, et il a été impossible de les poursuivre, ainsi qu'on l'avait fait lors du complot de 1825.

– Ce sont ces preuves qu'il importe de se procurer à tout prix, dit sir John Colborne, et, afin d'en finir, une fois pour toutes, avec les menées des réformistes, laissons-les s'engager plus avant. Rien d'abominable comme une guerre civile, je le sais! Mais, s'il faut en arriver là, qu'on le fasse sans merci, et que la lutte se termine au profit de l'Angleterre!»

Parler en ces termes était bien dans le rôle du commandant en chef des forces britanniques en Canada. Toutefois, si John Colborne était homme à réprimer une insurrection avec la dernière rigueur, s'immiscer dans ces surveillances occultes, qui sont du domaine spécial de la police, eût révolté son esprit militaire. Il suit de là que, depuis plusieurs mois, c'était uniquement aux agents de Gilbert Argall qu'était dévolu le soin d'observer sans répit les agissements du parti franco-canadien. Les villes, les paroisses de la vallée du Saint-Laurent, et plus particulièrement celles du comté de Verchères, de Chambly, de Laprairie, de l'Acadie, de Terrebonne, des Deux-Montagnes, étaient incessamment parcourues par les nombreux détectives du ministre. À Montréal, à défaut de ces associations constitutionnelles, dont le colonel Gore regrettait la dissolution, le *Doric Club* – ses membres comptaient parmi les plus acharnés loyalistes – se donnait mission de réduire les insurgés par tous les moyens possibles. Aussi lord Gosford pouvait-il craindre qu'à tout instant, de jour ou de nuit, le choc vint à se produire.

On comprend que, malgré ses tendances personnelles, l'entourage du gouverneur général le poussait à soutenir les bureaucrates – ainsi appelait-on les partisans de l'autorité de la Couronne – contre les partisans de la cause nationale. D'ailleurs, sir John Colborne n'était point pour les demi-mesures, comme il le prouva plus tard, lorsqu'il succéda à lord Gosford dans le gouvernement de la colonie. Quant au colonel Gore, vieux militaire, décoré de Waterloo, il fallait, à l'entendre, agir militairement et sans retard.

Le 7 mai de la présente année, une assemblée avait réuni à Saint-Ours, petite bourgade du comté de Richelieu, les chefs réformistes. Là furent prises des résolutions, qui devinrent le programme politique de l'opposition franco-canadienne.

Entre autres, il convient de citer celle-ci:

«Le Canada, comme l'Irlande, doit se rallier autour d'un homme, doué d'une haine de l'oppression et d'un amour de sa patrie, que rien, ni promesses, ni menaces, ne pourront jamais ébranler.»

Cet homme, c'était le député Papineau, dont le sentiment populaire faisait à juste titre un O'Connell.

En même temps, l'assemblée décidait «de s'abstenir autant que possible de consommer les articles importés et de ne faire usage que des produits fabriqués dans le pays, afin de priver le gouvernement des revenus provenant des droits imposés sur les marchandises étrangères.»

À ces déclarations, lord Gosford dut répondre, le 15 juin, par une proclamation défendant toute réunion séditieuse, et ordonnant aux magistrats et officiers de la milice de les dissoudre.

La police manœuvrait donc avec une insistance qui ne se lassait plus, employant ses agents les plus déliés, ne reculant même pas à provoquer des trahisons – ainsi que cela s'était fait déjà – par l'appât de sommes considérables.

Mais, bien que Papineau fût l'homme en vue, il en était un autre qui travaillait dans l'ombre et si mystérieusement que les principaux réformistes ne l'avaient jamais aperçu qu'en de rares circonstances. Autour de ce personnage s'était créée une véritable légende, qui lui donnait une influence extraordinaire sur l'esprit des masses: Jean-Sans-Nom – on ne le connaissait que sous cette appellation énigmatique. Comment s'étonner dès lors qu'il fût question de lui dans l'entretien du gouverneur général et de ses hôtes?

«Et ce Jean-Sans-Nom, demanda sir John Colborne, a-t-on retrouvé ses traces?

– Pas encore, répondit le ministre de la police. J'ai lieu de croire, pourtant, qu'il a reparu dans les comtés du Bas-Canada, et même qu'il est venu récemment à Québec!

– Quoi! Vos agents n'ont pu lui mettre la main dessus? S'écria le colonel Gore.

– Ce n'est pas facile, général.

– Cet homme a-t-il donc l'influence qu'on lui prête? reprit lord Gosford.

– Assurément, répondit le ministre, et je puis affirmer à Votre Seigneurie que cette influence est très grande.

– Quel est cet homme?

– Voilà ce qu'on n'a jamais pu découvrir, dit sir John Colborne. N'est-ce pas, mon cher Argall?

– C'est vrai, général! On ne sait quel est ce personnage, ni d'où il vient, ni où il va. C'est ainsi qu'il a figuré, presque invisiblement, dans les dernières insurrections. Aussi n'est-il pas douteux que les Papineau, les Viger, les Lacoste, les Vaudreuil, les Farran, les Gramont, tous les chefs enfin, comptent sur son intervention au moment voulu. Ce Jean-Sans-Nom est passé à l'état d'être quasi surnaturel dans les districts du Saint-Laurent, en amont de Montréal, comme en aval de Québec. Si l'on en croit la légende, il a tout ce qu'il faut

On avait été jusqu'à pendre en effigie le gouverneur.

pour entraîner les villes et les campagnes, une audace extraordinaire, un courage à toute épreuve. Et puis, je vous l'ai dit, c'est le mystère, c'est l'inconnu!

– Vous pensez qu'il est venu dernièrement à Québec? demanda lord Gosford.

– Les rapports de police, du moins, permettent de le supposer, répondit Gilbert Argall. Aussi ai-je mis en campagne un homme des plus actifs et des plus fins, de Rip, qui a déployé tant d'intelligence dans l'affaire Simon Morgaz.

Rip, de la maison Rip and Co.

– Simon Morgaz, dit sir John Colborne, celui qui, en 1825, a si opportunément livré, à prix d'or, ses complices de la conspiration de Chambly?...

– Lui-même!

– Et sait-on où il est?

– On ne sait qu'une chose, répondit Gilbert Argall, c'est que, repoussé de tous ceux de sa race, de tous ces Franco-Canadiens qu'il avait trahis, il a disparu. Peut-être a-t-il quitté le nouveau contienent?... Peut-être est-il mort?...

– Eh bien, le moyen qui a réussi près de Simon Morgaz, demanda sir John Colborne, ne pourrait-il réussir de nouveau près de l'un des chefs réformistes ?

– N'ayez pas cette idée, général ! répondit lord Gosford. De tels patriotes, il faut le reconnaître, sont au-dessus de toute atteinte. Qu'ils se posent en ennemis de l'influence anglaise et rêvent pour le Canada l'indépendance que les États-Unis ont conquise sur l'Angleterre, ce n'est malheureusement que trop vrai ! Mais espérer qu'on pourra les acheter, les décider à trahir par des promesses d'argent ou d'honneurs, jamais ! J'en ai la conviction, vous ne trouverez point un traître parmi eux !

– On en disait autant de Simon Morgaz, répondit ironiquement sir John Colborne ; or, il n'en a pas moins livré ses compagnons ! Et, précisément, ce Jean-Sans-Nom, dont vous parliez, qui sait s'il n'est pas à vendre ?...

– Je ne le crois pas, général, répliqua vivement le ministre de la police.

– En tout cas, ajouta le colonel Gore, que ce soit pour l'acheter ou pour le pendre, la première condition est de s'en emparer ; et, puisqu'il a été signalé à Québec... »

En ce moment, un homme apparut au tournant de l'une des allées du jardin, et s'arrêta à une dizaine de pas.

Le ministre reconnut le policier, ou plutôt l'entrepreneur de police – qualification qu'il méritait à tous égards.

Cet homme, en effet, n'appartenait pas à la brigade régulière de Comeau, le chef des agents anglo-canadiens.

Gilbert Argall lui fit signe de s'approcher.

« C'est Rip, de la maison Rip and Co., dit-il, en s'adressant à lord Gosford. Votre Seigneurie veut-elle lui permettre de nous faire son rapport ? »

Lord Gosford acquiesça d'un signe de tête. Rip s'approcha respectueusement et attendit qu'il convînt à Gilbert Argall de l'interroger – ce qu'il fit en ces termes :

« Avez-vous acquis la certitude que Jean-Sans-Nom ait été vu à Québec ?

– Je crois pouvoir l'affirmer à votre Honneur!

– Et comment se fait-il qu'il ne soit pas arrêté? demanda lord Gosford.

– Votre Seigneurie voudra bien excuser mes associés et moi, répondit Rip, mais nous avons été prévenus trop tard. Avant-hier, Jean-Sans-Nom avait été indiqué comme ayant visité une des maisons de la rue du Petit-Champlain, celle qui est contiguë à la boutique du tailleur Émotard, à gauche, en montant les premières marches de ladite rue. J'ai donc fait cerner cette maison, qui est habitée par un sieur Sébastien Gramont, avocat et député, très lancé dans le parti réformiste. Mais Jean-Sans-Nom ne s'y était même pas présenté, bien que le député Gramont ait certainement eu des relations avec lui. Nos perquisitions ont été inutiles.

– Croyez-vous que cet homme soit encore à Québec? demanda sir John Colborne.

– Je ne saurais répondre affirmativement à Votre Excellence, répondit Rip.

– Vous ne le connaissez pas?

– Je ne l'ai jamais vu, et, en réalité, il est bien peu de gens qui le connaissent!

– Sait-on, du moins, quelle direction il a prise en sortant de Québec?

– Je l'ignore, répondit Rip.

– Et quelle est votre idée à ce sujet? demanda le ministre de la police.

– Mon idée est que cet homme a dû se diriger vers le comté de Montréal, où les agitateurs paraissent se concentrer de préférence. Si une sédition se prépare, c'est dans cette partie du Bas-Canada qu'elle éclatera vraisemblablement. J'en conclus que Jean-Sans-Nom doit être caché dans quelque village voisin des rives du Saint-Laurent...

– Justement, répondit Gilbert Argall, et c'est de ce côté qu'il convient de poursuivre les recherches.

– Eh bien, donnez des ordres en conséquence, dit le gouverneur général.

– Votre Seigneurie va être satisfaite. Rip, dès demain, vous quitterez Québec avec les meilleurs employés de votre agence. De mon côté, je ferai particulièrement surveiller M. de Vaudreuil et ses amis, avec lesquels ce Jean-Sans-Nom a certainement des entrevues plus ou moins fréquentes. Tâchez de retrouver ses traces, n'importe par quel moyen. C'est le mandat dont le gouverneur général vous charge spécialement.

– Et il sera fidèlement rempli, répondit le chef de la maison Rip and Co. Je partirai dès demain.

– Nous approuvons d'avance, ajouta Gilbert Argall, tout ce que vous croirez devoir faire pour opérer la capture de ce dangereux partisan. Il nous le faut mort ou vif, avant qu'il puisse soulever la population franco-canadienne par sa présence. Vous êtes intelligent et zélé, Rip, vous l'avez prouvé, il y a une douzaine d'années, dans l'affaire Morgaz. Nous comptons de nouveau sur votre zèle et votre intelligence. Allez.»

Rip se préparait à partir, et il avait déjà fait quelques pas en arrière, lorsqu'il se ravisa.

«Puis-je soumettre une question à Votre Honneur? dit-il en s'adressant au ministre.

– Une question?...

– Oui, Votre Honneur, et il est nécessaire qu'elle soit résolue pour la régularité des écritures, la bonne tenue des livres de la maison Rip and Co.

– Parlez, dit Gilbert Argall.

– La tête de Jean-Sans-Nom est-elle mise à prix?

– Pas encore!

– Il faut qu'elle le soit, dit sir John Colborne.

– Elle l'est, répondit lord Gosford.

– Et à quel prix?... demanda Rip.

– Quatre mille piastres[1].

1. La piastre ou dollar vaut 5 francs 25 en Canada, et elle se subdivise en 100 cents, le cent équivalant à peu près à un sou de la monnaie française.

– Elle en vaut six mille, répondit Rip. J'aurai des frais de déplacement, des débours pour renseignements spéciaux.

– Soit, dit lord Gosford.

– Ce sera de l'argent que Votre Seigneurie n'aura point à regretter...

– S'il est gagné... ajouta le ministre.

– Il le sera, Votre Honneur! »

Et, sur cette affirmation, un peu hasardée peut-être, le chef de la maison Rip and Co. se retira.

« Un homme qui paraît sûr de lui, ce Rip! fit observer le colonel Gore.

– Et qui doit inspirer toute confiance, répondit Gilbert Argall. D'ailleurs, cette prime de six mille piastres est bien faite pour exciter sa finesse et son zèle. Déjà, l'affaire de la conspiration de Chambly lui a valu des sommes importantes, et, s'il aime son métier, il n'aime pas moins l'argent qu'il lui rapporte. Il faut prendre cet original comme il est, et je ne connais personne plus capable que lui pour s'emparer de Jean-Sans-Nom, si Jean-Sans-Nom est homme à se laisser prendre! »

Le général, le ministre et le colonel prirent alors congé de lord Gosford. Puis, sir John Colborne donna ordre au colonel Gore de partir immédiatement pour Montréal, où l'attendait son collègue, le colonel Witherall, chargé de prévenir ou d'enrayer dans les paroisses du comté tout mouvement insurrectionnel.

II

DOUZE ANNÉES AVANT

Simon Morgaz! Nom abhorré jusque dans les plus humbles hameaux des provinces canadiennes! Nom voué depuis de longues années à l'exécration publique! Un Simon Morgaz, c'est le traître qui a livré ses frères et vendu son pays.

Et on le comprendra, surtout dans cette France, qui n'ignore plus «maintenant» combien sont implacables les haines que mérite le crime de lèse-patrie.

En 1825 – douze ans avant l'insurrection de 1837 – quelques Franco-Canadiens avaient jeté les bases d'une conspiration, dont le but était de soustraire le Canada à la domination anglaise, qui lui pesait si lourdement. Hommes audacieux, actifs, énergiques, de grande situation, issus pour la plupart des premiers émigrants qui avaient fondé la Nouvelle-France, ils ne pouvaient se faire à cette pensée que l'abandon de leur colonie au profit de l'Angleterre fût définitif. En admettant même que le pays ne dût pas revenir aux petits-fils des Cartier et des Champlain, qui l'avaient découvert au XVIe siècle, n'avait-il pas le droit d'être indépendant? Sans doute, et c'était pour lui conquérir son indépendance que ces patriotes allaient jouer leur tête.

Parmi eux se trouvait M. de Vaudreuil, descendant des anciens gouverneurs du Canada sous Louis XIV – une de ces familles dont les noms français sont devenus pour la plupart les noms géographiques de la cartographie canadienne.

À cette époque, M. de Vaudreuil avait trente-cinq ans, étant né en 1790, dans le comté de Vaudreuil, situé entre le Saint-Laurent au

M. de Vaudreuil.

sud, et la rivière Outaouais au nord, sur les confins de la province de l'Ontario.

Les amis de M. de Vaudreuil étaient, comme lui, d'origine française, bien que des alliances successives avec les familles anglo-américaines eussent altéré leurs noms patronymiques. Tels le professeur Robert Farran, de Montréal, François Clerc, un riche propriétaire de Châteauguay, et quelques autres, auxquels leur naissance ou leur fortune assuraient une réelle influence sur la population des bourgades et des campagnes.

Les patriotes conduits à la prison de Montréal.

Le véritable chef du complot était Walter Hodge, de nationalité américaine. Bien qu'il eût soixante ans alors, l'âge n'avait point attiédi la chaleur de son sang. Pendant la guerre de l'Indépendance, il avait fait partie de ces hardis volontaires, de ces «skinners», dont Washington dut tolérer les violences par trop sauvages, car leurs compagnies franches harcelèrent vivement l'armée royale. On le sait, dès la fin du dix-huitième siècle, les États-Unis avaient excité le Canada à venir prendre place dans la fédération américaine. C'est ce qui explique comment un Américain tel que Walter Hodge était entré dans cette conjuration, et en fut même devenu le chef. N'était-il pas de ceux qui avaient adopté pour devise ces trois mots, qui résument toute la doctrine de Munroe: «L'Amérique aux Américains!»

Aussi, Walter Hodge et ses compagnons n'avaient-ils cessé de protester contre les exactions de l'administration anglaise, qui devenaient de plus en plus intolérables. En 1822, leurs noms figuraient dans la protestation contre l'union du Haut et du Bas-Canada avec ceux des deux frères Sanguinet, qui, dix-huit ans plus tard, entre tant d'autres victimes, devaient payer de leur vie cet attachement au parti national. Ils combattirent également par la plume et par la parole, lorsqu'il fut question de réclamer contre l'inique partage des terres, uniquement concédées aux bureaucrates, afin de renforcer l'élément anglais. Personnellement encore, ils luttèrent contre les gouverneurs Sherbrooke, Richmond, Monk et Maitland, prirent part à l'administration de la colonie, et s'associèrent à tous les actes des députés de l'opposition.

Toutefois, en 1825, la conspiration, ayant un objectif déterminé, s'était organisée en dehors des libéraux de la Chambre canadienne. Si Papineau et ses collègues, Cuvillier, Bédard, Viger, Quesnel et autres, ne la connurent même pas, Walter Hodge pouvait compter sur eux pour en assurer les conséquences, si elle réussissait. Et, tout d'abord, il s'agissait de s'emparer de la personne de Lord Dalhousie, qui, en 1820, avait été nommé aux fonctions de gouverneur général des colonies anglaises de l'Amérique du Nord.

À son arrivée, lord Dalhousie semblait s'être décidé pour une politique de concession. Sans doute, grâce à lui, l'évêque romain de Québec fut reconnu officiellement, et Montréal, Rose, Régiopolis, devinrent les sièges de trois nouveaux évêchés. Mais, en fait, le cabinet britannique refusait au Canada le droit de se gouverner par lui-même. Les membres du conseil législatif, nommés à vie par la Couronne, étaient tous anglais de naissance et annihilaient complètement la Chambre d'assemblée élue par le peuple. Sur une population de six cent mille habitants, qui comptait alors cinq cent vingt-cinq mille Franco-Canadiens, les emplois appartenaient pour les trois quarts à des fonctionnaires d'origine saxonne. Enfin, il était de nouveau question de proscrire l'usage légal de la langue française dans toute la colonie.

Pour enrayer ces dispositions, il ne fallait rien moins qu'un acte de violence. S'emparer de lord Dalhousie et des principaux membres du conseil législatif, puis, ce coup d'État accompli, provoquer un mouvement populaire dans les comtés du Saint-Laurent, installer un gouvernement provisoire en attendant que l'élection eût constitué le gouvernement national, enfin jeter les milices canadiennes contre l'armée régulière, tel avait été l'objectif de Walter Hodge, de Robert Farran, de François Clerc, de Vaudreuil.

La conspiration aurait réussi peut-être, si la trahison de l'un de leurs complices ne l'eût fait avorter.

À Walter Hodge et à ses partisans franco-canadiens s'était joint un certain Simon Morgaz, dont il convient de faire connaître la situation et l'origine.

En 1825, Simon Morgaz était âgé de quarante-six ans. Avocat dans un pays où l'on compte encore plus d'avocats que de clients, comme aussi plus de médecins que de malades, il vivait assez péniblement à Chambly, petite bourgade, sur la rive gauche du Richelieu, à une dizaine de lieues de Montréal, de l'autre côté du Saint-Laurent.

Simon Morgaz était un homme résolu, dont l'énergie avait été remarquée, lorsque les réformistes protestèrent contre les agissements du cabinet britannique. Ses manières franches, sa physionomie prévenante, le rendaient sympathique à tous. Nul n'eût jamais pu soupçonner que la personnalité d'un traître se dégagerait un jour de ces dehors séduisants.

Simon Morgaz était marié. Sa femme, de huit années moins âgée que lui, avait alors trente-huit ans. Bridget Morgaz, d'origine américaine, était la fille du major Allen, dont on avait pu apprécier le courage pendant la guerre de l'Indépendance, alors qu'il comptait parmi les aides de camp de Washington. Véritable type de la loyauté dans ce qu'elle a de plus absolu, il eût sacrifié sa vie à la parole donnée avec la tranquillité d'un Régulus.

Ce fut à Albany, État de New-York, que Simon Morgaz et Bridget se rencontrèrent et se connurent. Le jeune avocat était franco-canadien de naissance, circonstance dont le major Allen devait tenir compte – il n'eût jamais donné sa fille au descendant d'une famille anglaise. Bien que Simon Morgaz ne possédât aucune fortune personnelle, avec ce qui revenait à Bridget de l'héritage de sa mère, c'était, sinon la richesse, du moins une certaine aisance assurée au jeune ménage. Le mariage fut conclu à Albany en 1806.

L'existence des nouveaux mariés aurait pu être heureuse ; elle ne le fut pas. Non point que Simon Morgaz manquât d'égards envers sa femme, car il éprouva toujours pour elle une affection sincère ; mais une passion le dévorait – la passion du jeu. Le patrimoine de Bridget s'y dissipa en peu d'années, et, bien que Simon Morgaz eût la réputation d'un avocat de talent, son travail ne suffit plus à réparer les brèches faites à sa fortune. Et, si ce ne fut pas la misère, ce fut la gêne, dont sa femme supporta dignement les conséquences. Bridget ne fit aucun reproche à son mari. Ses conseils ayant été inefficaces, elle accepta cette épreuve avec résignation, avec courage aussi, et, cependant, l'avenir était gros d'inquiétudes.

En effet, ce n'était plus pour elle seule que Bridget devait le redouter. Pendant les premières années de son mariage, elle avait eu deux enfants, auxquels on donna le même nom de baptême, légèrement modifié, ce qui rappelait à la fois leur origine française et américaine. L'aîné, Joann, était né en 1807, le cadet, Jean, en 1808. Bridget se consacra tout entière à l'éducation de ses fils. Joann était d'un caractère doux, Jean d'un tempérament vif, tous deux énergiques sous leur douceur et leur vivacité. Ils tenaient visiblement de leur mère, ayant l'esprit sérieux, le goût du travail, cette façon nette et droite d'envisager les choses qui manquait à Simon Morgaz. De là, envers leur père, une attitude respectueuse toujours, mais rien de cet abandon naturel, de cette confiance sans réserve, qui est l'essence même de l'attraction du sang. Pour leur mère, en revanche, un dévouement sans bornes, une affection, qui ne débordait de leur cœur que pour aller emplir le sien. Bridget et ses fils étaient unis par ce double lien de l'amour filial et de l'amour maternel que rien ne pourrait jamais rompre.

Après la période de la première enfance, Joann et Jean entrèrent au collège de Chambly, dans lequel ils se suivirent à une classe de distance. On les citait justement parmi les meilleurs élèves des divisions supérieures. Puis, lorsqu'ils eurent douze et treize ans, ils furent mis au collège de Montréal, où ils ne cessèrent d'occuper les meilleurs rangs. Deux années encore, et ils allaient avoir achevé leurs études, lorsque se produisirent les événements de 1825.

Si, le plus souvent, Simon Morgaz et sa femme demeuraient à Montréal, où le cabinet de l'avocat périclitait de jour en jour, ils avaient conservé une modeste maison à Chambly. C'est là que se réunirent Walter Hodge et ses amis, lorsque Simon Morgaz fut entré dans cette conspiration, dont le premier acte, après l'arrestation du gouverneur général, devait être de procéder à l'installation d'un gouvernement provisoire à Québec.

Dans cette bourgade de Chambly, sous l'abri de cette modeste demeure, les conspirateurs pouvaient se croire plus en sûreté qu'ils ne l'eussent été à Montréal, où la surveillance de la police s'exerçait avec une extrême rigueur. Néanmoins, ils agissaient toujours très prudemment, de manière à dépister toutes tentatives d'espionnage. Aussi, armes et munitions avaient-elles été déposées chez Simon Morgaz, sans que leur transport eût jamais éveillé le moindre soupçon. C'était donc de la maison de Chambly, où se reliaient les fils du complot, que devait partir le signal du soulèvement.

Cependant, le gouverneur et son entourage avaient eu vent du coup d'État préparé contre la Couronne, et ils faisaient plus spécialement surveiller ceux des députés que désignait leur opposition permanente.

Mais, il est à propos de le redire, Papineau et ses collègues ignoraient les projets de Walter Hodge et de ses partisans. Ceux-ci avaient fixé au 26 août la prise d'armes, qui allait à la fois surprendre leurs amis et leurs ennemis.

Or, la veille, dans la soirée, la maison de Simon Morgaz fut envahie par les agents de la police, dirigés par Rip, au moment où les conspirateurs s'y trouvaient rassemblés. Ils n'eurent pas le temps de détruire leur correspondance secrète, de brûler les listes de leurs affidés. Les agents saisirent aussi les armes cachées dans les caves de la maison. Le complot était découvert. Furent arrêtés et conduits à la prison de Montréal sous bonne escorte, Walter Hodge, Robert Farran, François Clerc, Simon Morgaz, Vaudreuil, et une dizaine d'autres patriotes.

Voici ce qui s'était passé.

Il y avait alors à Québec un certain Rip, Anglo-Canadien d'origine, qui dirigeait une maison de renseignements et d'enquêtes à l'usage des particuliers, et dont le gouvernement avait maintes fois utilisé, non sans profit, les qualités spéciales. Son officine privée fonctionnait sous la raison sociale: Rip and Co. Une affaire de police n'était pour lui qu'une affaire d'argent, et il la passait sur ses livres comme un négociant, traitant même à forfait – tant pour une perquisition, tant pour une arrestation, tant pour un espionnage. C'était un homme très fin, très délié, très audacieux aussi, avec quelque entregent, ayant la main ou, pour mieux dire, le nez dans bien des affaires particulières. Absolument dépourvu de scrupules, d'ailleurs, et n'ayant pas l'ombre de sens moral.

En 1825, Rip, qui venait de fonder son agence, était âgé de trente-trois ans. Déjà sa physionomie très mobile, son habileté aux déguisements, lui avaient permis d'intervenir en mainte circonstance sous des noms différents. Depuis quelques années, il connaissait Simon Morgaz, avec lequel il avait été en relation à propos de causes judiciaires. Certaines particularités, qui eussent paru insignifiantes à tout autre, lui donnèrent à penser que l'avocat de Montréal devait être affilié à la conspiration de Chambly.

Il le serra de près, il l'épia jusque dans les secrets de sa vie privée, il fréquenta sa maison, bien que Bridget Morgaz ne dissimulât point l'antipathie qu'il lui inspirait.

Une lettre, saisie au post-office, démontra bientôt la complicité de l'avocat avec une quasi-certitude. Le ministre de la police, informé par Rip du résultat de ses démarches, lui recommanda d'agir adroitement sur Simon Morgaz que l'on savait aux prises avec de grosses difficultés pécuniaires. Et, un jour, Rip mit brusquement le malheureux entre ces deux alternatives: ou d'être poursuivi pour crime de haute trahison, ou de recevoir l'énorme somme de cent mille piastres, s'il consentait à livrer le nom de ses complices et les détails du complot de Chambly.

L'avocat fut atterré!... Trahir ses compagnons!... Les vendre à prix d'or!... Les livrer à l'échafaud!... Et, cependant, il succomba, il accepta le prix de sa trahison, il dévoila les secrets de la conspiration, après avoir reçu la promesse que son marché infâme ne serait jamais divulgué. Il fut de plus convenu que les agents l'arrêteraient en même temps que Walter Hodge et ses amis, qu'il serait jugé par les mêmes juges, que la condamnation qui les frapperait – et ce ne pouvait être qu'une condamnation capitale – le frapperait aussi. Puis, une évasion lui permettrait de s'enfuir avant l'exécution du jugement.

Cette abominable machination resterait donc entre le ministre de la police, le chef de la maison Rip and Co et Simon Morgaz.

Les choses se passèrent ainsi qu'il avait été convenu. Au jour indiqué par le traître, les conspirateurs furent surpris inopinément dans la maison de Chambly. Walter Hodge, Robert Farran, François Clerc, Vaudreuil, quelques-uns de leurs complices ainsi que Simon Morgaz, comparurent à la date du 25 septembre 1825 sur le banc de la cour de justice.

Aux accusations que porta contre eux l'avocat de la Couronne – le juge-avocat, ainsi qu'on l'appelait alors – les accusés ne répondirent que par de justes et directes attaques contre le cabinet britannique. Aux arguments légaux, ils ne voulurent opposer que des arguments tirés du plus pur patriotisme. Ne savaient-ils pas qu'ils étaient condamnés d'avance, que rien ne pouvait les sauver?

Les débats duraient déjà depuis quelques heures, et l'affaire suivait régulièrement son cours, lorsqu'un incident d'audience vient mettre en lumière la conduite de Simon Morgaz.

Un des témoins à charge, le sieur Turner, de Chambly, déclara que, plusieurs fois, l'avocat avait été vu avec le chef de la maison Rip and Co. Ce fut là comme un éclair de révélation. Walter Hodge et Vaudreuil qui, depuis un certain temps, avaient eu des soupçons motivés par les allures singulières de Simon Morgaz, les virent confirmés par la déclaration du témoin Turner. Pour que la conspiration, si secrètement organisée, eût été si facilement découverte, il fallait qu'un traître en eût dénoncé les auteurs. Rip fut pressé de questions, auxquelles il ne put répondre sans embarras. À son tour, Simon Morgaz essaya de se défendre; mais il se lança dans de telles invraisemblances, il donna des explications si singulières, que l'opinion des conjurés et aussi celle des juges fut bientôt faite à ce sujet. Un misérable avait trahi ses complices, et le traître, c'était Simon Morgaz.

Alors un irrésistible mouvement de répulsion se produisit sur le banc des accusés, et se propagea parmi le public, qui se pressait dans le prétoire.

«Président de la cour, dit Walter Hodge, nous demandons que Simon Morgaz soit chassé de ce banc, honoré par notre présence, déshonoré par la sienne!... Nous ne voulons pas être souillés plus longtemps du contact de cet homme!»

Vaudreuil, Clerc, Farran, tous se joignirent à Walter Hodge, qui, ne se possédant plus, s'était précipité sur Simon Morgaz, auquel il fallut que les gardes vinssent en aide. L'assistance prit violemment parti contre le traître et exigea que l'on fit droit aux réclamations des accusés. Le président de la cour dut donner l'ordre d'emmener Simon Morgaz et de le reconduire à la prison. Les huées qui l'accompagnèrent, les menaces dont il fut l'objet, démontrèrent qu'on le tenait pour un infâme, dont la trahison allait coûter la vie aux plus ardents apôtres de l'indépendance canadienne.

Et, en effet, Walter Hodge, François Clerc, Robert Farran, considérés comme les chefs principaux de la conspiration de Chambly, furent condamnés à mort. Le surlendemain, 27 septembre, après avoir une dernière fois fait appel au patriotisme de leurs frères, ils moururent sur l'échafaud.

Quant aux autres accusés, parmi lesquels se trouvait M. de Vaudreuil, soit qu'ils eussent paru moins compromis, soit que le gouvernement n'eût voulu frapper d'une peine capitale que les chefs les plus en vue, on leur fit grâce de la vie. Condamnés à la prison perpétuelle, ils ne recouvrèrent leur liberté qu'en 1829, lorsqu'une amnistie fut prononcée en faveur des condamnés politiques.

Que devint Simon Morgaz, après l'exécution? Un ordre d'élargissement lui avait permis de quitter la prison de Montréal, et il se hâta de disparaître.

Mais une universelle réprobation allait peser sur son nom et, par suite, frapper de pauvres êtres, qui n'étaient pourtant pas responsables de cette trahison. Bridget Morgaz fut brutalement chassée du domicile qu'elle occupait à Montréal, chassée de la maison de Chambly, où elle s'était retirée pendant l'instruction de l'affaire. Elle dut reprendre

Walter Hodge s'était précipité sur Simon Morgaz.

ses deux fils qui, à leur tour, venaient d'être chassés du collège, comme leur père l'avait été du banc des accusés en cour de justice.

Où Simon Morgaz se décida-t-il à cacher son indigne existence, lorsque sa femme et ses enfants l'eurent rejoint, quelques jours après ? Ce fut dans une bourgade éloignée, d'abord, puis, bientôt, hors du district de Montréal.

Cependant Bridget n'avait pu croire au crime de son mari, ni Joann et Jean au crime de leur père. Tous quatre s'étaient retirés au village de Verchères, dans le comté de ce nom, sur la rive droite du Saint-Laurent. Ils espéraient que nul soupçon ne les dénoncerait à l'animadversion publique. Ces malheureux vécurent alors des dernières ressources qui leur restaient, car Simon Morgaz, quoiqu'il eût reçu le prix de sa trahison par l'entremise de la maison Rip, se gardait bien d'en rien distraire devant sa femme et ses fils. En leur présence, il protestait toujours de son innocence, il maudissait l'injustice humaine qui s'appesantissait sur sa famille et sur lui. Est-ce que, s'il avait trahi, il n'aurait pas eu à sa disposition des sommes considérables? Est-ce qu'il en serait réduit à cette gêne excessive, en attendant la misère qui venait à grands pas?

Bridget Morgaz se laissait aller à cette pensée que son mari n'était point coupable. Elle se réjouissait d'être dans ce dénuement, qui donnait tord à ses accusateurs. Les apparences avaient été contre lui... On ne lui avait pas permis de s'expliquer... Il était victime d'un horrible concours de circonstances... Il se justifierait un jour... Il était innocent!

Quant aux deux fils, peut-être eût-on pu observer quelque différence dans leur attitude vis-à-vis du chef de la famille. L'aîné, Joann, se tenait le plus souvent à l'écart, n'osant même pas penser à l'opprobre, infligé désormais au nom de Morgaz. Les arguments pour ou contre qui se présentaient à son esprit, il les repoussait pour ne point avoir à les approfondir. Il ne voulait pas juger son père, tant il craignait que son jugement fût contre lui. Il fermait les yeux, il se taisait, il s'éloignait lorsque sa mère et son frère plaidaient en sa faveur... Évidemment, le malheureux enfant redoutait de trouver coupable l'homme dont il était le fils.

Jean, au contraire, avait une attitude toute différente. Il croyait à l'innocence du complice de Walter Hodge, de Farran et de Clerc, bien que tant de présomptions s'élevassent pour l'accabler. Plus impétueux que Joann, moins maître de son jugement, il se laissait emporter à ses instincts d'affection filiale. Il se retenait à ce lien du sang que la nature rend si difficile à rompre. Il voulait défendre son père publiquement. Lorsqu'il entendait les propos tenus sur le compte de Simon Morgaz, il sentait son cœur bondir, et il fallait que sa mère l'empêchât de se livrer à quelque éclat. L'infortunée famille vivait ainsi à Verchères, sous un nom supposé, dans une profonde misère matérielle et morale.

Et on ne sait à quels excès la population de cette bourgade se fût livrée contre elle, si son passé eût été divulgué par hasard.

Ainsi donc, en tout le Canada, dans les villes comme dans les infimes villages, le nom de Simon Morgaz était devenu la plus infamante des qualifications. On l'accolait couramment à celui de Judas, et plus spécialement aux noms de Black et de Denis de Vitré, depuis longtemps déjà les équivalents du mot traître dans la langue franco-canadienne.

Oui! En 1759, ce Denis de Vitré, un Français, avait eu l'infamie de piloter la flotte anglaise devant Québec et d'arracher cette capitale à la France! Oui! En 1797, ce Black, un Anglais, avait livré le proscrit qui s'était confié à lui, l'Américain Mac Lane, mêlé aux projets insurrectionnels des Canadiens! Et ce généreux patriote avait été pendu, après quoi, on lui avait tranché la tête et brûlé les entrailles, arrachées à son cadavre!

Et maintenant, comme on avait dit Black et Vitré, on disait Simon Morgaz, trois noms voués à l'exécration publique.

Cependant, à Verchères, la population s'était bientôt inquiétée de la présence de cette famille, dont elle ne connaissait pas l'origine, de sa vie mystérieuse, de l'incognito dans lequel elle ne cessait de se renfermer. Des soupçons ne tardèrent pas à s'amasser contre elle. Une nuit, le nom de Black fut écrit sur la porte de la maison de Simon Morgaz.

Le lendemain, sa femme, ses deux fils et lui avaient quitté Verchères. Après avoir franchi le Saint-Laurent, ils allèrent s'établir pendant quelques jours dans un des villages de la rive gauche; puis, l'attention étant appelée sur eux, ils l'abandonnèrent pour un autre. Ce n'était plus qu'une famille errante, à laquelle s'attachait la réprobation universelle. On eût dit que la Vengeance, une torche enflammée à la main, la poursuivait, comme, dans les légendes bibliques, elle fait du meurtrier d'Abel. Simon Morgaz et les siens, ne pouvant se fixer nulle part, traversèrent les comtés de l'Assomption, de Terrebonne, des Deux-Montagnes, de Vaudreuil, gagnant ainsi vers l'est, du côté des paroisses moins habitées, mais où leur nom finissait toujours par leur être jeté à la face.

Deux mois après le jugement du 27 septembre, le père, la mère, Jean et Joann avaient dû s'enfuir jusqu'aux territoires de l'Ontario. De Kingston, où ils furent reconnus dans l'auberge qui leur donnait asile, ils durent partir presque aussitôt. Simon Morgaz n'eut que le temps de s'échapper pendant la nuit. En vain Bridget et Jean avaient-ils voulu le défendre! C'est à peine s'ils purent se soustraire eux-mêmes aux mauvais traitements, et Joann faillit être tué en protégeant leur retraite.

Tous quatre se rejoignirent sur la rive du lac, à quelques milles au delà de Kingston. Ils résolurent dès lors de suivre la rive septentrionale, afin d'atteindre les États-Unis, puisqu'ils ne trouvaient plus refuge même dans ce pays du Haut-Canada, qui échappait encore à l'influence des idées réformistes. Et pourtant, ne serait-ce pas le même accueil qu'ils devaient attendre de l'autre côté de la frontière, en ce pays où l'on exécrait la trahison de Black envers un citoyen de la fédération américaine?

Mieux valait donc gagner quelque pays perdu, se fixer même au milieu d'une tribu indienne, où le nom de Simon Morgaz ne serait peut-être pas parvenu encore. Ce fut en vain. Le misérable était repoussé de partout. Partout on le reconnaissait, comme s'il eût porté au front quelque signe infamant, qui le désignait à la vindicte universelle.

On était à la fin de novembre. Quel cheminement pénible, lorsqu'il fait affronter ces mauvais temps, cette brise glaciale, ces froids rigoureux, qui accompagnent l'hiver dans le pays des lacs! En traversant les villages, les fils achetaient quelques provisions, tandis que le père se tenait en dehors. Ils couchaient, lorsqu'ils le pouvaient, au fond de cahutes abandonnées; lorsqu'ils ne le pouvaient pas, dans des anfractuosités de roches ou sous les arbres de ces interminables forêts qui couvrent le territoire.

Simon Morgaz devenait de plus en plus sombre et farouche. Il ne cessait de se disculper devant les siens, comme si quelque invisible accusateur, acharné sur ses pas, lui eût crié: traître!... traître!... Et maintenant il semblait qu'il n'osait plus regarder sa femme en face et ses enfants. Bridget le réconfortait cependant par d'affectueuses paroles, et, si Joann continuait à garder le silence, Jean ne cessait de protester.

« Père !... père !... répétait-il, ne te laisse pas abattre !... Le temps fera justice des calomniateurs !... On reconnaîtra que l'on s'est trompé... qu'il n'y avait contre toi que des apparences ! Toi, père, avoir trahi tes compagnons, avoir vendu ton pays !...

– Non !... non !... » répondait Simon Morgaz, mais d'une voix si faible qu'on avait peine à l'entendre.

La famille, errant de village en village, arriva ainsi vers l'extrémité occidentale du lac, à quelques milles du fort de Toronto. En contournant le littoral, il suffirait de descendre jusqu'à la rivière de Niagara, de la traverser à l'endroit où elle se jette dans le lac pour être enfin sur la rive américaine.

Était-ce donc là que Simon Morgaz voulait s'arrêter ? Ne valait-il pas mieux, au contraire, s'enfoncer plus profondément vers l'ouest, afin d'atteindre une contrée si lointaine que la renommée d'infamie n'y fût point arrivée encore ? Mais quel lieu cherchait-il ? Sa femme ni ses fils ne pouvaient le savoir, car il allait toujours devant lui, et ils ne faisaient que le suivre.

Le 3 décembre, vers le soir, ces infortunés, exténués de fatigue et de besoin, firent halte dans une caverne, à demi obstruée de broussailles et de ronces – quelque repaire de bête fauve, abandonné en ce moment. Le peu de provisions qui leur restaient avait été déposé sur le sable. Bridget succombait sous le poids des lassitudes physiques et morales. À tout prix, il faudrait que la famille Morgaz, au plus prochain village, obtînt d'une tribu indienne quelques jours de cette hospitalité que les Canadiens lui refusaient sans pitié.

Joann et Jean, torturés par la faim, mangèrent un peu de venaison froide. Mais, ce soir-là, Simon Morgaz et Bridget ne voulurent ou ne purent rien prendre.

« Père, il faut refaire tes forces ! » dit Jean.

Simon Morgaz ne répondit pas.

« Mon père, dit alors Joann – et ce fut la seule fois qu'il lui adressa la parole depuis le départ de Chambly –, mon père, nous ne pouvons aller plus loin !... Notre mère ne résisterait pas à de nouvelles fatigues !... Nous voici presque à la frontière américaine !... Comptez-vous passer au delà ? »

Simon Morgaz regardait son fils aîné, et ses yeux s'abaissèrent presque aussitôt. Joann insista.

«Voyez dans quel état est notre mère! reprit-il. Elle ne peut plus faire un mouvement!... Cette torpeur va lui enlever le peu d'énergie qui lui reste!... Demain, il lui sera impossible de se lever! Sans doute, mon frère et moi, nous la porterons!... Mais encore faut-il que nous sachions où vous voulez aller, et que ce ne soit pas loin!... Qu'avez-vous décidé, mon père?»

Simon Morgaz ne répondit pas, il courba la tête et se retira au fond de la caverne.

La nuit était venue. Aucun bruit ne troublait cette solitude. D'épais nuages couvraient le ciel et menaçaient de se fondre en une brume uniforme. Pas un souffle ne traversait l'atmosphère. Quelques hurlements éloignés rompaient seuls le silence de ce désert. Une neige morne et dense commençait à tomber.

Le froid étant vif, Jean alla ramasser du bois mort qu'il alluma dans un angle, près de l'entrée, afin que la fumée pût trouver une issue au dehors.

Bridget, étendue sur une litière d'herbe que Joann avait apportée, était toujours immobile. Le peu de vie qui demeurait en elle ne se trahissait que par une respiration pénible entrecoupée de longs et douloureux soupirs. Tandis que Joann lui tenait la main, Jean s'occupait d'alimenter le foyer, afin de maintenir la température à un degré supportable.

Simon Morgaz, blotti au fond, à demi couché, dans une attitude de désespoir, comme s'il eût horreur de lui-même, ne faisait pas un mouvement, tandis que les reflets de la flamme éclairaient sa figure convulsée.

La lueur du foyer tomba peu à peu, et Jean sentit ses yeux se fermer malgré lui.

Combien d'heures resta-t-il dans cet assoupissement? Il ne l'aurait pu dire. Mais lorsqu'il s'éveilla, il vit que les derniers charbons allaient s'éteindre.

Jean se releva, jeta une brassée de branches sur le foyer qu'il raviva de son souffle, et la caverne s'éclaira.

Bridget et Joann, l'un près de l'autre, gardaient toujours la même immobilité. Quant à Simon Morgaz, il n'était plus là. Pourquoi avait-il quitté l'endroit où reposaient sa femme et ses fils?...

Jean, pris d'un affreux pressentiment, allait s'élancer hors de la caverne lorsqu'une détonation retentit.

Bridget et Joann se redressèrent brusquement. Tous deux avaient entendu le coup de feu, qui avait été tiré à très courte distance.

Bridget jeta un cri d'épouvante, elle se releva, et traînée par ses fils, sortit de la caverne.

Bridget, Joann et Jean n'avaient pas fait vingt pas qu'ils aperçurent un corps étendu sur la neige.

C'était le corps de Simon Morgaz. Le misérable venait de se tirer un coup de pistolet dans le cœur.

Il était mort.

Joann et Jean, reculèrent, atterrés. Le passé se dressait devant eux! Était-il donc vrai que leur père fût coupable? Ou bien, dans une crise de désespoir, avait-il voulu en finir avec cette existence trop dure à supporter?...

Bridget s'était jetée sur le corps de son mari. Elle le serrait dans ses bras... Elle ne voulait croire à l'infamie de l'homme dont elle portait le nom.

Joann releva sa mère et la ramena dans la caverne, où son frère et lui revinrent déposer le cadavre de leur père à la place qu'il occupait quelques heures avant.

Un portefeuille était tombé de sa poche. Joann le ramassa, et lorsqu'il l'ouvrit, un paquet de bank-notes s'en échappa.

C'était le prix auquel Simon Morgaz avait livré les chefs de la conspiration de Chambly!... La mère et les deux fils ne pouvaient plus douter maintenant!

Joann et Jean s'agenouillèrent près de Bridget.

Et maintenant, devant le cadavre du traître qui s'était fait justice, il n'y avait plus qu'une famille flétrie, dont le nom allait disparaître avec celui qui l'avait déshonoré!

La rue du Petit-Champlain, à Québec.

III

UN NOTAIRE HURON

Ce n'était pas sans graves motifs que le gouverneur général, sir John Colborne, le ministre de la justice et le colonel Gore avaient conféré au palais de Québec, en vue de mesures à prendre pour réprimer les menées des patriotes. En effet, une redoutable insurrection allait prochainement soulever la population d'origine franco-canadienne.

Mais si lord Gosford et son entourage s'en préoccupaient à bon droit, ce n'était pas pour inquiéter, semblait-il, un jeune garçon qui, dans la matinée du 3 septembre, grossoyait en l'étude de maître Nick, place du marché Bon-Secours, à Montréal.

«Grossoyer» n'est peut-être pas le mot qui convenait à cet absorbant travail, auquel le second clerc, Lionel Restigouche, s'adonnait en ce moment – neuf heures du matin. Une colonne, de lignes inégales et de fine écriture, s'allongeait sur une belle feuille de papier bleuâtre, qui ne ressemblait en rien au rude parchemin des actes. Par instants, lorsque la main de Lionel s'arrêtait pour fixer quelque idée indécise. Ses yeux se portaient vaguement, à travers la fenêtre entr'ouverte, vers le monument élevé sur la place Jacques-Cartier, en l'honneur de l'amiral Nelson. Son regard s'animait alors, son front rayonnait, et sa plume se reprenait à courir, tandis qu'il balançait légèrement la tête, comme s'il eut battu la mesure sous l'influence d'un rythme régulier.

Lionel avait à peine dix-sept ans. Sa figure, presque féminine encore, de type très français, était charmante, avec des cheveux blonds, un peu longs peut-être, et des yeux bleus rappelant l'eau des grands lacs canadiens. S'il n'avait plus ni père ni mère, on peut dire que maître Nick lui servait de l'un et de l'autre, car cet estimable notaire l'aimait comme s'il eut été son fils.

Lionel était seul dans l'étude. À cette heure, personne. Pas un des autres clercs, occupés alors aux courses du dehors, pas même un client, bien que l'office de maître Nick fût un des plus fréquentés de la ville. Aussi, Lionel, se croyant sûr de ne point être dérangé, en prenait-il à son aise, et il venait d'encadrer son nom dans un paraphe mirifique au-dessous de la dernière ligne tracée au bas de la page quand il s'entendit interpeller.

«Eh! Que fais-tu là, mon garçon?»

C'était maître Nick, que le jeune clerc n'avait point entendu entrer, tant il s'absorbait dans son travail de contrebande.

Le premier mouvement de Lionel fut d'entr'ouvrir un sous-main, afin d'y glisser le papier en question; mais le notaire saisit prestement la feuille suspecte, en dépit du jeune garçon qui cherchait vainement à la reprendre.

«Qu'est-ce que cela Lionel? demanda-t-il. Une minute... une grosse... une copie de contrat?...

– Maître Nick, croyez bien que...»

Le notaire avait mis ses lunettes et, le sourcil froncé, parcourait la page d'un œil stupéfait.

«Que vois-je là? s'écria-t-il. Des lignes inégales?... Des blancs d'un côté!... Des blancs de l'autre!... Tant de bonne encre perdue, tant de bon papier gaspillé en marges inutiles!

– Maître Nick, répondit Lionel, rougissant jusqu'aux oreilles... cela m'est venu... par hasard.

– Qu'est-ce qui t'est venu... par hasard?

– Des vers...

– Des vers!... Voilà que tu rédiges en vers?... Ah ça! Est-ce que la prose ne suffit pas pour libeller un acte?

– C'est qu'il ne s'agit point d'un acte, ne vous déplaise! maître Nick.

– De quoi s'agit-il donc?

– D'une pièce de poésie que j'ai composée pour le concours de la Lyre-Amicale!

– La Lyre-Amicale! s'écria le notaire. Est-ce que tu t'imagines, Lionel, que c'est pour figurer au concours de la Lyre-Amicale ou toute autre société parnassienne que je t'ai accueilli dans mon étude?... Est-ce pour t'abandonner à tes ardeurs versificatrices que j'ai fait de toi mon second clerc? Mais, alors, autant vaudrait passer ton temps à canoter sur le Saint-Laurent, à promener ton dandysme dans les allées du Mont-Royal ou du parc de Sainte-Hélène! En vérité, un poète dans le notariat!... Une tête de clerc au milieu d'un nimbe!... Il y aurait de quoi mettre les clients en fuite!

– Ne vous fâchez pas, maître Nick! répondit Lionel d'un ton piteux. Si vous saviez combien la poésie s'accommode à notre mélodieuse langue française! Elle se prête si noblement au rythme, à la cadence, à l'harmonie!... Nos poètes, Lemay, Elzéar Labelle, François Mons, Chapemann, Octave Crémazie...

– Messieurs Crémazie, Chapemann, Mons, Labelle, Lemay, ne remplissent pas les importantes fonctions de second clerc que je sache! Ils ne sont pas payés, sans compter la table et le logement, six piastres par mois – et par moi! – ajouta maître Nick, enchanté de son jeu de mot. Ils n'ont point à rédiger des contrats de vente ou des testaments et ils peuvent pindariser à leur fantaisie!

– Maître Nick... pour une fois...

– Eh bien! soit... pour une fois, tu as voulu être lauréat de la Lyre-Amicale?

– Oui, maître Nick, j'ai eu cette folle présomption!

– Et pourrais-je savoir quel est le sujet de ta poésie?... Sans doute quelque évocation dithyrambique à Tabellionoppe, la muse du parfait notaire?...

– Oh! fit Lionel, en protestant du geste.

– Enfin, ça s'appelle, ta machine rimante?...

– *Le Feu Follet!*

– *Le Feu Follet!* S'écria maître Nick! Voilà que tu adresses des vers aux feux follets!

Et, sans doute, le notaire allait prendre à parti les djinns, les elfes, les brownies, les lutins, les ondines, les ases, les cucufas, les farfadets, toutes les poétiques figures de la mythologie scandinave, lorsque le facteur frappa à la porte de l'étude et parut sur le seuil.

«Ah! c'est vous, mon ami? dit maître Nick. Je vous avais pris pour un feu follet!

– Un feu follet, monsieur Nick? répondit le facteur. Est-ce que j'ai l'air...

– Non!... Non!... Et vous avez même l'air d'un facteur qui m'apporte une lettre.

– La voici, monsieur Nick.

– Merci, nom ami!»

Le facteur se retira, au moment où le notaire, ayant regardé l'adresse de la lettre, la décachetait vivement.

Lionel put alors reprendre sa feuille de papier, et il la mit dans sa poche.

Maître Nick lut la lettre avec une extrême attention; puis, il retourna l'enveloppe, afin d'en examiner le timbre et la date. Cette enveloppe portait le timbre du post-office de Saint-Charles, petite bourgade du comté de Verchères, et a date du 2 septembre, c'est-à-dire de la veille. Après avoir réfléchi quelques instants, le notaire revint à sa philippique contre les poètes:

«Ah! tu sacrifies aux Muses, Lionel?... Eh bien, pour ta peine, tu vas m'accompagner à Laval, et tu auras le temps, en route, de tricoter des vers!

– Tricoter, maître Nick?...

– Il faut que nous soyons partis dans une heure, et, si nous rencontrons des feux follets à travers la plaine, tu leur feras toutes tes amitiés!»

Là-dessus, le notaire passa dans son cabinet, tandis que Lionel se préparait pour ce petit voyage, qui n'était pas pour lui déplaire, d'ailleurs. Peut-être parviendrait-il à ramener son patron à des idées plus justes sur la poésie en général, et sur les enfants d'Apollon, même quand ils sont clercs de notaire.

Au fond, c'était un excellent homme, maître Nick, très apprécié pour la sûreté de son jugement, la valeur de ses conseils. Il avait cinquante ans alors. Sa physionomie prévenante, sa large et rayonnante figure, qui s'épanouissait au milieu des volutes d'une chevelure bouclée, très noire autrefois, grisonnante à présent, ses yeux vifs et gais, sa bouche aux dents superbes, aux lèvres souriantes, ses manières aimables, enfin une belle humeur très communicative – de tout cet ensemble, il résultait une personnalité très sympathique. Détail à retenir: sous la peau bistrée, tournant au rougeâtre, de maître Nick, on devinait que le sang indien coulait dans ses veines

Cela était, et le notaire ne s'en cachait pas. Il descendait des plus vieilles peuplades du pays – celles qui possédaient le sol, avant que les Européens eussent traversé l'Océan pour le conquérir. À cette époque, bien des mariages furent contractés entre la race française et la race indigène. Les Saint-Castin, les Énaud, les Népisigny, les d'Entremont et autres firent souche et devinrent même souverains de tribus sauvages.

Donc, maître Nick était huron par ses ancêtres. C'est dire qu'il sortait de l'une des quatre grandes familles de la branche indienne. Bien qu'il eût ou porter ce nom retentissant de Nicolas Sagamore, on ne l'appelait plus communément maître Nick. Il s'en tenait là et n'en valait pas moins.

Ce que l'on savait, d'ailleurs, c'est que sa race n'était pas éteinte. En effet, l'un de ses innombrables cousins, chef de Peaux-Rouges, régnait sur une des tribus huronnes, établie au nord du comté de Laprairie, dans l'ouest du district de Montréal.

Qu'on ne s'étonne point si cette particularité se rencontre encore en Canada. Dernièrement, Québec possédait un honorable tabellion qui, par sa naissance, aurait eu le droit de brandir le tomahawk et de pousser le cri de guerre à la tête d'un parti d'Iroquois. Heureusement, maître Nick n'appartenait point à cette tribu d'Indiens perfides, qui s'allièrent le plus souvent aux oppresseurs. Il s'en fût soigneusement caché. Non! Issu de ces Hurons, dont l'amitié fut presque toujours acquise aux Franco-Candiens, il n'avait point à en rougir. Aussi, Lionel était-il fier de son patron, rejeton incontesté des grands chefs du Nord-Amérique, et il n'attendait que l'occasion d'en célébrer les hauts faits dans ses vers.

Maître Nick lut la lettre avec une extrême attention.

À Montréal, maître Nick avait toujours observé une prudente neutralité entre les deux partis politiques, n'étant ni Franco-Canadien ni Anglo-Américain d'origine. Aussi tous l'estimaient, tous recouraient à ses bons offices qu'il ne marchandait pas. Il fallait croire, pourtant, que les instincts ataviques s'étaient modifiés en lui, car, jusqu'alors il n'avait jamais senti se réveiller les velléités de sa race. Il n'était que notaire – un parfait notaire, placide et conciliant. En outre, il ne semblait point qu'il eût éprouvé le désir de perpétuer le nom des Sagamores, puisqu'il n'avait pas pris femme et ne songeait point à en prendre.

L'un des innombrables cousins de maître Nick était chef de Peaux-Rouges.

Ainsi qu'il a été dit plus haut, maître Nick se préparait à quitter l'étude en compagnie de son second clerc. Ce ne serait qu'un déplacement de quelques heures, et sa vieille servante Dolly l'attendrait pour le dîner.

La ville de Montréal est bâtie sur la côte méridionale de l'une des îles du Saint-Laurent. Cette île, longue de dix à douze lieues, large de cinq à six, occupe un assez vaste estuaire, formé par un élargissement de fleuve, un peu en aval du confluent de la rivière Outaouais. C'est en cet endroit que Jacques Cartier découvrit le village indien d'Hochelaga, qui, en 1640, fut concédé par le roi de France à la congrégation de Saint-Sulpice. La ville, prenant son nom du Mont-Royal qui la domine, dans une position très favorable au développement de son commerce, comptait déjà plus de six mille habitants en 1760. Elle s'étend au pied de la pittoresque colline dont on a fait un parc magnifique et qui partage avec un autre parc, aménagé dans l'îlot de Sainte-Hélène, l'avantage d'attirer en grand nombre les promeneurs montréalais. Un superbe pont tubulaire, long de trois kilomètres, qui n'existait pas en 1837, la rattache maintenant à la rive droite du fleuve.

Montréal est devenue une grande cité, d'aspect plus moderne que Québec, et, par cela même, moins pittoresque. On peut en visiter, non sans quelque intérêt, les deux cathédrales anglicane et catholique, la banque, la bourse, l'hôpital général, le théâtre, le couvent Notre-Dame, l'Université protestante de Mac Gill et le séminaire de Saint-Sulpice. Elle n'est pas trop vaste pour les cent quarante mille habitants qu'elle possède à cette heure, et dans lesquels l'élément saxon n'entre que pour un tiers – proportion élevée, cependant, si on la compare à celle des autres cités canadiennes.

À l'ouest, se développe le quartier anglais, ou écossais – ceux que les anciens du pays appelaient «les petites jupes» – à l'est, le quartier français. Les deux races se mêlent d'autant moins que tout ce qui se rattache au commerce, à l'industrie ou à la banque – vers 1837 surtout – était uniquement concentré entre les mains des banquiers, des industriels et des commerçants d'origine britannique. La magnifique voie fluviale du Saint-Laurent assure la prospérité de cette ville, qu'elle met en communication non seulement avec les comtés du Canada, mais aussi avec l'Europe, sans qu'il soit nécessaire d'aller rompre charge à New York au profit des paquebots de l'ancien monde.

À l'exemple des riches négociants de Londres, ceux de Montréal séparent volontiers l'habitation de famille de la maison de commerce. Les affaires faites, ils regagnent les quartiers du nord, vers les pentes du Mont-Royal et de l'avenue circulaire qui entoure sa base. Là, s'élèvent les maisons particulières, dont quelques-unes ont l'apparence de palais, et les villas encadrées de verdure. En dehors de ces quartiers opulents, les Irlandais sont, pour ainsi dire, confinés dans leur Ghetto de Sainte-Anne, au débouché du canal Lachine, sur la rive gauche du Saint-Laurent.

Maître Nick possédait une belle fortune. Comme le font les notables du commerce, il aurait pu, chaque soir, se retirer dans une des habitations aristocratiques de la haute ville, sous les épais ombrages de Saint-Antoine. Mais il était de ces notaires d'ancienne race, dont l'horizon se borne aux murs de leur étude, et qui justifient le nom de garde-notes, en gardant jour et nuit les contrats, minutes et papiers de famille confiés à leurs soins. Le descendant des Sagamores demeurait donc en sa vieille maison de la place du marché Bonsecours. C'est de là que, dans la matinée du 3 septembre, il partit avec son second clerc pour aller prendre la voiture qui faisait le service entre l'île de Montréal et l'île Jésus, séparées par une des branches intermédiaires du Saint-Laurent.

Tout d'abord, maître Nick se rendit à la banque, en suivant de larges rues, bordées de riches magasins et entretenues avec soin par l'édilité montréalaise. Arrivé devant l'hôtel de la banque, il dit à Lionel de l'attendre dans le vestibule, se rendit à la caisse centrale, revint au bout d'un quart d'heure, et se dirigea vers le bureau de la voiture publique.

Cette voiture était un de ces stages à deux chevaux qu'on appelle «buggys», en langage canadien. Ces sortes de chars à bancs, suspendus sur des ressorts, doux si l'on veut, mais solides très certainement, sont construits en vue de résister à la dureté des routes. Ils peuvent contenir une demi-douzaine de voyageurs.

«Eh! c'est monsieur Nick! s'écria le conducteur du stage, d'aussi loin qu'il aperçut le notaire, toujours et partout accueilli par cette cordiale exclamation.

– Moi-même, en compagnie de mon clerc! répondit maître Nick du ton de bonne humeur qui lui était habituel.

– Vous vous portez bien, monsieur Nick?

– Oui, Tom, et tâchez de vous porter aussi bien que moi!... Vous ne vous ruinerez pas en médecines!...

– Ni en médecins, répondit Tom.

– Quand partons-nous? demanda maître Nick.

– À l'instant.

– Est-ce que nous avons des compagnons de route?

– Personne encore, répliqua Tom, mais il en viendra, peut-être, au dernier moment...

– Je le souhaite... je le souhaite, Tom! J'aime à pouvoir causer en route, et, pour causer, j'ai observé qu'il est indispensable de ne pas être seul!»

Cependant, il était probable que les désirs naïvement exprimés de maître Nick ne seraient point satisfaits, cette fois. Les chevaux étaient attelés, Tom faisait claquer son fouet, et aucun voyageur ne se présentait au bureau.

Le notaire prit donc place dans le stage sur le banc du fond, que Lionel vint aussitôt occuper près de lui. Un dernier coup d'œil fut jeté par Tom vers le bas et le haut de la rue; puis, il monta sur son siège, rassembla ses rênes, siffla ses bêtes, et la bruyante machine s'ébranla, au moment où quelques passants qui connaissaient Nick – et qui ne le connaissait pas, l'excellent homme! – lui adressèrent leur souhait de bon voyage, auquel il répondit par un petit salut de la main.

Le stage remonta vers les hauts quartiers, en gagnant dans la direction du Mont-Royal. Le notaire regardait à droite, à gauche, avec autant d'attention que le conducteur – bien que ce fût pour un motif différent. Mais il semblait que personne, ce matin-là, n'eût besoin de se faire transporter au nord de l'île ni de donner la réplique à maître Nick. Non! pas un compagnon de voyage, et, pourtant, la voiture avait atteint la promenade circulaire, encore déserte à cette heure, où elle s'engagea au petit trot de son attelage.

En ce moment, un individu s'avança vers le stage et fit signe au conducteur d'arrêter ses chevaux.

«Vous avez une place? demanda-t-il.

– Une et «tret» avec! répondit Tom, qui, suivant la coutume, imprima à cette syllabe la prononciation canadienne, comme il aurait dit: «il fait fret» pour il fait froid.

Le voyageur prit place sur le banc devant Lionel, après avoir salué maître Nick et son clerc. Le stage repartit au petit trot, et quelques minutes plus tard, au tournant du Mont-Royal, disparurent les toits en tôle étamée des maisons de la ville, qui resplendissaient au soleil comme autant de miroirs argentés.

Le notaire n'avait pas vu sans une vive satisfaction le nouveau venu s'installer dans le stage. On pourrait au moins causer pendant les quatre lieues qui séparent Montréal de la branche supérieure du Saint-Laurent. Mais il ne semblait pas que le voyageur fût d'humeur à s'engager dans les réparties d'une conversation de circonstance. Il avait tout d'abord regardé maître Nick et Lionel. Puis, après s'être accoté dans son coin, les yeux demi-fermés, il parut se livrer tout entier à ses réflexions.

C'était un jeune homme de vingt-neuf ans à peine. Sa taille élancée, sa physionomie énergique, son corps vigoureux, son regard résolu, ses traits virils, son front haut, encadré de cheveux noirs, en faisaient un type accompli de la race franco-canadienne. Quel était-il? D'où venait-il? Maître Nick, qui connaissait tout le monde, ne le connaissait pas, il ne l'avait jamais vu. Toutefois, à l'examiner avec quelque attention, il lui parut que ce jeune homme, encore si peu avancé dans la vie, avait dû passer par les plus dures épreuves et s'être élevé à l'école du malheur.

Que cet inconnu appartint au parti qui luttait pour l'indépendance nationale, cela se devinait rien qu'à son costume. Vêtu à peu près comme ces intrépides aventuriers auxquels on donne encore le nom de «coureurs des bois», il portait sur sa tête la «tuque» bleue, et ses vêtements – une sorte de capot, croisé sur la poitrine, une culotte d'un rude tissu grisâtre, serrée à la taille par une ceinture rouge – étaient uniquement en «étoffe du pays».

Qu'on ne l'oublie pas, l'emploi de ces étoffes indigènes équivalait à une protestation politique, puisqu'il excluait les produits manufacturés, importés d'Angleterre. C'était une des mille manières de braver l'autorité métropolitaine, et l'exemple venait de loin d'ailleurs.

En effet, cent cinquante ans avant, les Bostoniens n'avaient-ils pas proscrit l'usage du thé en haine de la Grande-Bretagne? Et de même qu'il n'y eut que les loyalistes d'alors à en faire usage, les Canadiens d'aujourd'hui s'interdisaient les tissus fabriqués dans le Royaume-Uni. Quant à maître Nick, en sa qualité de neutre, il portait un pantalon de provenance canadienne et une redingote de provenance anglaise. Mais, dans le vêtement patriotique de Lionel, il n'entrait pas un seul bout de fil qui n'eût été filé en deçà de l'Atlantique.

Cependant le stage roulait assez rapidement sur le sol cahoteux des plaines qui se développent à travers l'île de Montréal jusqu'au cours intermédiaire du Saint-Laurent. Mais que le temps paraissait long à maître Nick, si loquace de son naturel! Or, comme le jeune homme ne semblait pas disposé à prendre la parole, il dut se rabattre sur Lionel, avec l'espoir que leur compagnon de voyage finirait par se mêler à la conversation.

«Eh bien, Lionel, et ce feu follet? dit-il.

– Ce feu follet?... répondit le jeune clerc.

– Oui! J'ai beau regarder à me fatiguer la vue, je n'en vois pas trace sur la plaine!

– C'est qu'il fait trop jour, maître Nick, répondit Lionel, bien décidé à répondre sur le ton de la plaisanterie.

– Peut-être qu'en chantant le vieux couplet de jadis:

> Allons, gai, compère lutin!
> Allons, agi, mon cher voisin!..

Mais non! le compère ne répond pas! À propos, Lionel, tu connais le moyen de se soustraire aux agaceries des feux follets?

– Sans doute, maître Nick. Il suffit de leur demander quel est le quantième de Noël et, comme ils ne le savent pas, on a le temps de se sauver, pendant qu'ils cherchent une réponse.

– Je vois que tu es au courant des traditions. Eh bien, en attendant que l'un d'eux intercepte notre route, si nous parlions un peu de celui que tu as fourré dans ta poche!»

Lionel rougit légèrement.

«Vous voulez, maître Nick?... répliqua-t-il.

– Eh oui, mon garçon! Cela fera toujours passer un quart d'heure ou deux!»

Puis, le notaire, s'adressant au jeune homme:

«Les vers ne vous incommodent pas, monsieur? demanda-t-il en souriant.

– Nullement, répondit le voyageur.

– Il s'agit d'une pièce de poésie que mon clerc a fabriquée pour prendre part au concours de la Lyre-Amicale. Ces gamins-là ne doutent de rien!... Allons, jeune poète, essaye ta pièce – comme disent les artilleurs!»

Lionel, on ne peut plus satisfait d'avoir un auditeur, qui serait peut-être plus indulgent que maître Nick, tira sa feuille de papier bleuâtre et lut ce qui suit:

LE FEU FOLLET

Ce feu fantasque, insaisissable,
Qui, le soir, se dégage et luit,
Et qui, dans l'ombre de la nuit,
Ni sur la mer ni sur le sable,
Ne laisse de trace après lui!

Ce feu toujours prêt à s'éteindre,
Tantôt blanchâtre ou violet,
Pour reconnaître ce qu'il est,
Il faudrait le pouvoir atteindre...
Atteignez donc le feu follet!

– Oui, dit maître Nick, atteignez-le et mettez-le en cage! Continue, Lionel.

On dit, est-ce chose certaine?
Que c'est l'hydrogène du sol.
J'aime mieux croire qu'en son vol,
Il vient d'une étoile lointaine,
De Véga, de la Lyre ou d'Algol.

– Cela te regarde, mon garçon, dit maître Nick avec un petit signe de tête! Ça, c'est ton affaire!»

Lionel reprit:

Mais n'est-ce pas plutôt l'haleine
D'un sylphe, d'un djinn, d'un lutin,
Qui brille, s'envole et s'éteint,
Lorsque se réveille la plaine
Aux rayons joyeux du matin?

Ou la lueur de la lanterne
Du long spectre qui va s'asseoir
Sur le chaume du vieux pressoir,
Quand la lune, blafarde et terne,
Se lève à l'horizon du soir?

Tom faisait claquer son fouet.

Peut-être l'âme lumineuse
D'une folle qui va cherchant
La paix hors du monde méchant,
Et passe comme une glaneuse
Qui n'a rien trouvé dans son champ?

– Parfait! dit maître Nick. Es-tu au bout de tes comparaisons descriptives?

– Oh non, ...! maître Nick!» répondit le jeune clerc.

Et il poursuivit en ces termes:

«Vous avez une place?»

Serait-ce un effet de mirage,
Produit par le trouble de l'air
Sur l'horizon déjà moins clair,
Ou, vers la fin de quelque orage,
Le reste d'un dernier éclair?

Est-ce la lueur d'un bolide,
D'un météore icarien,
Qui, dans son cours aérien,
Était lumineux et solide,
Et dont il ne reste plus rien?

Ou sur les champs dont il éclaire
D'un pâle reflet le sillon,
Quelque mystérieux rayon
Tombé d'une aurore polaire
Comme un nocturne papillon?

– Qu'est-ce que vous pensez de tout ce fatras de troubadour, monsieur? demanda maître Nick au voyageur.

– Je pense, monsieur, répondit celui-ci, que votre jeune clerc a quelque imagination, et je suis curieux de savoir à quoi il pourrait encore comparer son feu follet.

– Continue donc, Lionel!»

Lionel avait quelque peu rougi au compliment du jeune homme, et, d'une voix plus vibrante, il dit:

Serait-ce en ces heures funèbres,
Où les vivants dorment lassés,
Le pavillon aux plis froissés
Qu'ici bas l'Ange des ténèbres
Arbore au nom des trépassés?

– Brrr!...» fit maître Nick.

Ou bien, au milieu des nuits sombres,
Lorsque le moment est venu,
Est-ce le signal convenu
Que la terre, du sein des ombres,
Envoie au ciel vers l'inconnu,

Et qui, comme feu de marée,
Aux esprits errants à travers
Les vagues espaces ouverts,
Indique la céleste entrée
Des ports de l'immense Univers?

– Bien, jeune poète! dit le voyageur.

– Oui, pas mal, pas mal! ajouta maître Nick. Où diable, Lionel, vas-tu chercher tout cela!... C'est fini, je suppose?

– Non, maître Nick, répondit Lionel, et, d'une voix qui s'accentuait encore:

Mais si c'est l'amour, jeune fille,
Qui l'agite à tes yeux là-bas,
Laisse-le seul à ses ébats!
Prends garde à ton cœur! Ce feu brille...
Il brille mais ne brûle pas!

– Attrapées, les jeunes filles! s'écria maître Nick. J'aurais été bien surpris s'il n'y avait pas eu un peu d'amour en jeu dans ces accords anacréontiques! Après tout, c'est de son âge!

– Qu'en pensez-vous, monsieur?

– En effet, répondit le voyageur, et j'imagine que...»

Le jeune homme venait de s'interrompre à la vue d'un groupe d'hommes, postés sur le talus de la route, et dont l'un fit signe au conducteur du stage de s'arrêter.

Celui-ci retint ses chevaux, et les hommes s'approchèrent de la voiture.

«C'est monsieur Nick, il me semble? dit l'un de ces individus en se découvrant avec politesse.

– Et c'est monsieur Rip!» répondit le notaire, qui ajouta tout bas: «Diable! Méfions-nous!»

Très heureusement, ni maître Nick, ni son clerc, ni le chef de l'agence, ne remarquèrent la transformation que subit la physionomie de l'inconnu, lorsque ce nom de Rio fut prononcé. Sa figure était devenue pâle, non de la pâleur de l'épouvante, mais de celle qui est inspirée par une insurmontable horreur. Visiblement, il avait eu la pensée de se jeter sur cet homme... Mais ayant détourné la tête, il parvint à se dominer.

«Vous voilà en route pour Laval, monsieur le notaire? reprit Rip.

– Comme vous le voyez, monsieur Rip. Des affaires qui vont me retenir pendant quelques heures! Bon! j'espère bien être de retour ce soir à Montréal.

– Cela vous regarde.

– Et que faites-vous là avec vos hommes? demanda maître Nick. Toujours à l'affût pour le compte du gouvernement! En aurez-vous arrêté de ces malfaiteurs! Bah! on a beau en prendre, ils se multiplient comme les mauvaises herbes! En vérité, ils feraient mieux de devenir d'honnêtes gens...

– Comme vous le dites, monsieur Nick, mais c'est la vocation qui leur manque!

– La vocation! Toujours plaisant, monsieur Rip!

– Est-ce que vous êtes sur la trace de quelque criminel?

– Criminel pour les uns, héros pour les autres, répondit Rip. Cela dépend du point de vue!

– Qu'entendez-vous dire?

– Que l'on a signalé dans l'île la présence de ce fameux Jean-Sans-Nom...

– Ah! le fameux Jean-Sans-Nom! Oui! les patriotes en ont fait un héros, et non sans de bons motifs! Mais, paraît-il, Sa Gracieuse Majesté n'est pas de cet avis, puisque le ministre Gilbert Argall vous a lancé à ses trousses!

– En effet, monsieur Nick!

– Et vous dites qu'on l'a vu dans l'île de Montréal, ce mystérieux agitateur?...

– On le prétend du moins, répondit Rip, quoique je commence à en douter!

– Oh! s'il y est venu, il doit en être reparti, répliqua maître Nick, ou, s'il y est encore, il n'y sera plus longtemps! Jean-Sans-Nom n'est pas facile à prendre!...

– Un vrai feu follet, dit alors le voyageur en s'adressant au jeune clerc.

– Ah! bien!... Ah! très bien!... s'écria maître Nick! Salue, Lionel!

– Et, à propos, monsieur Rip, si, par hasard, vous rencontriez un feu follet sur votre route, tâchez de le saisir au collet pour l'apporter à mon clerc! Ça fera plaisir, à cette flamme errante, d'entendre comment la traite un disciple d'Apollon!

– Ce serait avec empressement, répondit Rip, si nous n'étions pas obligés de retourner sans retard à Montréal, où j'attends de nouvelles instructions.»

Puis, se tournant vers le jeune homme:

«Et monsieur vous accompagne?...

– Jusqu'à Laval, répondit l'inconnu...

– Où j'ai hâte d'arriver, ajouta le notaire. Au revoir, monsieur Rip! S'il m'est impossible de vous souhaiter bonne chance, car la capture de Jean-Sans-Nom ferait trop de peine aux patriotes, je vous souhaite du moins le bonjour!...

– Et moi, bon voyage, monsieur Nick!»

Les chevaux ayant repris le trot, Rip et ses hommes disparurent au tournant de la route.

Quelques instants après, le notaire disait à son compagnon, qui s'était jeté dans le coin du stage:

«Oui! il faut espérer que Jean-Sans-Nom ne se laissera pas attraper! Depuis si longtemps qu'on le cherche...

– On peut le chercher, s'écria Lionel. Ce damné Rip lui-même y perdra sa réputation d'habileté!

– Chut! Lionel! Cela ne nous regarde pas!

– Ce Jean-Sans-Nom est habitué, sans doute, à déjouer la police? demanda le voyageur.

– Comme vous dites, monsieur. S'il se laissait prendre, ce serait une grande perte pour le parti franco-canadien...

– Les gens d'action ne lui manquent pas, monsieur Nick, et il n'en est pas à un homme près!

– N'importe! répondit le notaire. J'ai entendu dire que ce serait très regrettable! Après tout, je ne m'occupe pas plus de politique que Lionel, et mieux vaut n'en point parler.

– Mais, reprit le jeune homme, nous avons été interrompus au moment où votre jeune clerc s'abandonnait au souffle poétique...

– Il avait fini de souffler, je suppose?...

– Non, maître Nick, répondit Lionel, en remerciant par un sourire son bienveillant auditeur.

– Comment, tu n'es pas époumoné?... s'écria le notaire. Voilà un feu follet qui est devenu tour à tour sylphe, djinn, lutin, spectre, âme lumineuse, mirage, éclair, bolide, rayon, pavillon, feu de marée, étincelle d'amour, et ce n'est pas assez?… En vérité, je me demande ce qu'il pourrait être encore?

– Je serais curieux de le savoir! répondit le voyageur.

– Alors, continue, Lionel, continue, et finis, si toutefois cette nomenclature doit avoir une fin!»

Lionel, habitué aux plaisanteries de maître Nick, ne s'en émut pas autrement, et reprit:

Qui que tu sois, éclair, souffle, âme,
Pour mieux pénétrer tes secrets,
Ô feu fantasque, je voudrais
Pouvoir m'absorber dans la flamme!
Alors partout je te suivrais,

Lorsque sur la cime des arbres,
Tu viens poser ton front ailé,
Ou, discrètement appelé,
Lorsque tu caresse les marbres
Du cimetière désolé!

– Triste! triste! murmura le notaire.

Ou quand tu rôdes sur les lisses
Du navire battu de flanc
Sous les coups du typhon hurlant,
Et que dans les agrès tu glisses,
Comme un lumineux goéland!

Et l'union serait complète,
Si le destin, un jour, voulait,
Que je pusse, comme il me plaît,
Naître avec toi, flamme follette,
Mourir avec toi, feu follet!

– Ah! très bien cela! S'écria maître Nick. Voilà une fin qui me va! Ça peut se chanter:

Flamme follette,
Feu follet!

– Qu'en dites-vous, monsieur?

– Monsieur, répondit le voyageur, tous mes compliments à ce jeune poète, et puisse-t-il avoir le prix de poésie au concours de la Lyre-Amicale. Quoiqu'il arrive, ses vers nous auront fait passer quelques moments agréables, et jamais voyage ne m'aura paru si court!»

Clary de Vaudreuil.

Lionel, extrêmement flatté, but à même cette coupe de louanges que lui tendait le jeune homme. Au fond, maître Nick était très satisfait des éloges adressés à son jeune clerc.

Pendant ce temps, le stage avait marché d'un bon pas, et onze heures sonnaient à peine, lorsqu'il atteignit la branche septentrionale du fleuve.

À cette époque, les premiers steam-boats avaient déjà fait leur apparition sur le Saint-Laurent. Ils n'étaient ni puissants ni rapides, et rappelaient plutôt par leurs dimensions restreintes ces chaloupes à vapeur, auxquelles on donne maintenant en Canada le nom de «tug-boat» ou plus communément de «toc.»

En quelques minutes, ce toc eut transporté maître Nick, son clerc et le voyageur à travers le cours intermédiaire du fleuve, dont les eaux verdâtres se mêlaient encore aux eaux noires de la rivière Outaouais.

Là, on se sépara, après compliments et poignées de mains échangées de part et d'autre. Puis, tandis que le voyageur gagnait directement les rues de Laval, maître Nick et Lionel, tournant la ville, se dirigèrent vers l'est de l'île Jésus.

IV

LA VILLA MONTCALM

L'île Jésus, couchée entre les deux bras supérieurs du Saint-Laurent, moins étendue que l'île de Montréal, renferme un certain nombre de paroisses. Elle circonscrit dans son périmètre le comté de Laval – dont le nom appartient aussi à la grande Université catholique de Québec, en souvenir du premier évêque institué dans le pays canadien.

Laval est également le nom de la principale bourgade de l'île Jésus, située sur sa rive méridionale. L'habitation de M. de Vaudreuil, bien qu'elle fît partie de cette paroisse, se trouvait à une lieue en descendant le cours du Saint-Laurent.

C'était une maison d'agréable aspect, entourée d'un parc qui couvrait une cinquante d'acres[1], couvert de prairies et de hautes futaies, et dont la berge du fleuve formait la lisière. Par sa disposition architecturale comme par les détails de son ornementation, elle contrastait avec cette mode anglo-saxonne du pseudo-gothique, si en honneur dans la Grande-Bretagne. Le goût français y dominait, et, n'eût été le cours rapide et tumultueux du Saint-Laurent qui grondait à ses pieds, on aurait pu penser que la villa Montcalm – ainsi s'appelait-elle – s'élevait sur les bords de la Loire, dans le voisinage de Chenonceaux ou d'Amboise.

Très mêlé aux dernières insurrections réformistes du Canada, M. de Vaudreuil avait figuré dans le complot auquel la trahison de

1. Environ 40 hectares.

Simon Morgaz avait donné un dénouement si tragique, la mort de Walter Hodge, de Robert Farran et de François Clerc, l'emprisonnement des autres conjurés. Quelques années plus tard, une amnistie ayant rendu ceux-ci à la liberté, M. de Vaudreuil était revenu à son domaine de l'île Jésus.

La villa Montcalm était bâtie sur le bord du fleuve. Dans le courant du flux et du reflux, se baignaient les premiers degrés de sa terrasse antérieure, qu'une élégante véranda abritait en partie devant la façade de l'habitation. En arrière, sous les tranquilles ombrages du parc, la brise du fleuve entretenait une fraîcheur aérienne, qui rendait très supportable les chaudes journées de l'été canadien. Pour qui eût aimé la chasse ou la pêche, il y aurait eu à s'occuper du matin au soir. Le gibier abondait dans les plaines de l'île, le poisson au fond des criques du Saint-Laurent, auquel lointaines ondulations de la chaîne des Laurentides faisaient, sur la rive gauche, un large cadre de verdure.

Là, pour des Franco-Canadiens, en ce pays resté si français, c'était comme si le Canada se fut encore appelé la Nouvelle-France. Les mœurs y étaient toujours celles du XVIIe siècle. Un auteur anglais, Russel, a très justement pu dire: «Le Bas-Canada, c'est plutôt une France du vieux temps où régnait le drapeau blanc fleurdelisé.» Un auteur français, Eugène Réveillaud, a écrit: «C'est le champ d'asile de l'ancien régime. C'est une Bretagne ou une Vendée d'il y a soixante ans, qui se prolonge au delà de l'Océan. Sur ce continent d'Amérique, l'habitant a conservé avec un soin jaloux les habitudes d'esprit, les croyances naïves et les superstitions de ses pères.» Ceci est encore vrai, à l'époque actuelle, comme il est vrai également que la race française s'est conservée très pure au Canada, et sans mélange de sang étranger.

De retour à la villa Montcalm, vers 1829, M. de Vaudreuil se trouvait dans des conditions à vivre heureux. Bien que sa fortune ne fût pas considérable, elle lui assurait une aisance, dont il n'aurait pu jouir en repos, si son patriotisme, toujours ardent, ne l'eût jeté dans les agitations de la politique militante.

À l'époque où commence cette histoire, M. de Vaudreuil avait quarante-sept ans. Ses cheveux grisonnants le faisaient paraître un peu plus âgé peut-être; mais son regard vif, ses yeux bleu foncé d'un grand éclat, sa taille au-dessus de la moyenne, sa robuste constitution, qui lui assuraient une santé à toute épreuve, sa physionomie sympathique et prévenante, son allure un peu fière sans être hautaine, en faisaient le type par excellence du gentilhomme français. C'était le véritable descendant de cette audacieuse noblesse qui traversa l'Atlantique au XVIIIe siècle, le fils de ces fondateurs de la plus belle des colonies d'outre-mer, que l'odieuse indifférence de Louis XV avait abandonné aux exigences de la Grande-Bretagne.

M. de Vaudreuil était veuf depuis une dizaine d'année. La mort de sa femme, qu'il aimait d'une affection profonde, laissa un irréparable vide dans son existence. Toute sa vie se reporta dès lors sur sa fille unique, en laquelle revivait l'âme vaillante et généreuse de sa mère.

À cette époque, Clary de Vaudreuil avait vingt ans. Sa taille élégante, son épaisse chevelure presque noire, ses grands yeux ardents, son teint chaud sous sa pâleur, son air un peu grave la rendaient peut-être plus belle que jolie, plus imposante qu'attirante, comme certaines héroïnes de Fenimore Cooper. Le plus habituellement, elle se tenait dans une froide réserve, ou, pour mieux dire, son existence entière se concentrait sur le seul amour qu'elle eût ressenti jusqu'alors – l'amour de son pays.

En effet, Clary de Vaudreuil était une patriote. Pendant la période des mouvements qui se produisirent en 1832 et 1834, elle suivit de près les diverses phases de l'insurrection. Les chefs de l'opposition la regardaient comme la plus vaillante de ces nombreuses jeunes filles, dont le dévouement était acquis à la cause nationale. Aussi, lorsque les amis politiques de M. de Vaudreuil se réunissaient à la villa Montcalm, Clary prenait-elle part à leurs conférences, ne s'y mêlant que discrètement en paroles, mais écoutant, observant, s'employant à la correspondance avec les comités réformistes. Tous les Franco-Canadiens avaient en elle la plus absolue confiance, parce qu'elle la méritait, et la plus respectueuse amitié, parce qu'elle en était digne.

Cependant, en ce cœur passionné, un autre amour était venu se confondre depuis quelque temps avec l'amour que lui inspirait son pays – amour idéal et vague, qui ne connaissait même pas celui auquel il s'adressait.

En 1831 et 1834, un personnage mystérieux était venu jouer un rôle prépondérant au milieu des tentatives de rébellion de cette époque. Il y avait risqué sa tête avec une audace, un courage, un désintéressement, bien faits pour agir sur les imaginations sensibles. Dès lors, dans toute la province du Canada, on répétait son nom avec enthousiasme – ou plutôt, ce qui lui en restait, puisqu'on ne l'appelait pas autrement que Jean-Sans-Nom. Aux jours d'émeutes, il surgissait au plus fort de la mêlées; puis, à l'issue de la lutte, il disparaissait. Mais on sentait qu'il agissait dans l'ombre, que sa main ne cessait de préparer l'avenir. Vainement, les autorités avaient essayé de découvrir sa retraite. La maison Rip and Co. elle-même avait échoué dans ses recherches. D'ailleurs, on ne savait rien de l'origine de cet homme, non plus que de sa vie passée ni de sa vie présente. Néanmoins, ce qu'il fallait bien reconnaître, c'est que son influence était toute-puissante sur la population franco-canadienne. Par suite, une légende s'était faite autour de sa personne, et les patriotes s'attendaient toujours à le voir apparaître, agitant le drapeau de l'indépendance.

Les actes de ce héros anonyme avaient fait une empreinte si vive et si profonde sur l'esprit de Clary de Vaudreuil. Ses plus intimes pensées allaient invariablement à lui. Elle l'évoquait comme un être surnaturel. Elle vivait tout entière dans cette communauté mystique. En aimant Jean-Sans-Nom du plus idéal des amours, il lui semblait qu'elle aimait plus encore son pays. Mais, ce sentiment, elle l'enfermait étroitement dans son cœur. Et, lorsque son père la voyait s'éloigner à travers les allées du parc, s'y promener toute pensive, il ne pouvait se douter qu'elle rêvait du jeune patriote qui symbolisait à ses yeux la révolution canadienne.

Parmi les amis politiques, le plus souvent réunis à la villa Montcalm, se rencontraient dans une complète intimité quelques-uns de ceux dont les parents avaient pris part avec M. de Vaudreuil au funeste complot de 1825.

Au nombre de ces amis, il convient de citer André Farran et William Clerc, dont les frères, Robert et François, étaient montés sur l'échafaud, le 28 septembre 1825; puis, Vincent Hodge, fils de Walter Hodge, le patriote américain, mort pour la cause du Canada, après avoir été livré avec ses compagnons par Simon Morgaz. En même temps qu'eux, un avocat de Québec, le député Sébastien Gramont –

celui-là même dans la maison duquel la présence de Jean-Sans-Nom avait été faussement signalée à l'agence Rip – venait quelquefois aussi chez M. de Vaudreuil.

Le plus ardent contre les oppresseurs était certainement Vincent Hodge, alors âgé de trente-deux ans. De sang américain par son père, il était de sang français par sa mère, morte de douleur, peu de temps après le supplice de son mari. Vincent Hodge n'avait pu vivre près de Clary, sans s'être laissé aller à l'admirer d'abord, à l'aimer ensuite – ce qui n'était point pour déplaire à M. de Vaudreuil. Vincent Hodge était un homme distingué, d'abord sympathique, de tournure agréable, quoiqu'il eût l'allure décidée du Yankee des frontières. Pour la sûreté des sentiments, la solidité des affections, le courage à toute épreuve, Clary de Vaudreuil n'eût pu choisir un mari plus digne d'elle. Mais la jeune fille n'avait même pas remarqué la recherche dont elle était l'objet. Entre Vincent Hodge et elle, il ne pouvait y avoir qu'un lien – celui du patriotisme. Elle appréciait ses qualités: elle ne pouvait l'aimer. Sa vie, ses pensées, ses aspirations appartenaient à un autre, à l'inconnu qu'elle attendait et qui apparaîtrait un jour.

Cependant, M. de Vaudreuil et ses amis observaient avec attention le mouvement des esprits dans les provinces canadiennes. L'opinion y était extrêmement surexcitée au sujet des loyalistes. Il ne se tramait pas encore de complot proprement dit, comme en 1825, entre personnages politiques, ayant pour objet de tenter un coup de force contre le gouverneur général. Non! C'était plutôt comme une conspiration universelle, à l'état latent. Pour que la rébellion éclatât, il suffirait qu'un chef appelât à lui les libéraux en soulevant les paroisses des divers comtés. Nul doute, alors, que les députés réformistes, M. de Vaudreuil et ses amis, se jetassent aux premiers rangs de l'insurrection.

Et, en effet, jamais les circonstances n'avaient été plus favorables. Les réformistes, poussés à bout, faisaient entendre de violentes protestations, dénonçant les exactions du gouvernement, qui se disait autorisé par le cabinet britannique à mettre la main sur les deniers publics, sans le consentement de la législature. Les journaux – entre autres le *Canadien*, fondé en 1806, et le *Vindicator*, de création plus récente – fulminaient contre la Couronne et les agents nommés par elle. Ils reproduisaient les discours prononcés au Parlement ou dans les comices populaires par les Papineau, les Viger, les Quesnel, les Saint-Réal, les Bourdages, et tant d'autres, qui rivalisaient de talent et d'audace dans leurs patriotiques revendications. En ces conditions, une étincelle suffirait à provoquer l'explosion populaire. C'était bien ce que savait lord Gosford, et ce que les partisans de la réforme n'ignoraient pas plus que lui.

Or, les choses en étaient à ce point, quand, dans la matinée du 3 septembre, une lettre arriva à la villa Montcalm. Cette lettre, déposée la veille au bureau du post-office de Montréal, prévenait M. de Vaudreuil que ses amis Vincent Hodge, André Farran et William Clerc étaient invités à se rendre près de lui dans la soirée dudit jour. M. de Vaudreuil ne reconnaissait pas la main qui l'avait écrite et signée de ces seuls mots: *Un fils de la Liberté*.

M. de Vaudreuil fut assez surpris de cette communication, et aussi de la manière dont elle lui était faite. La veille, il avait vu ses amis à Montréal, chez l'un d'eux, et l'on s'était séparé sans prendre de rendez-vous pour le lendemain. Vincent Hodge, Farran, Clerc, avaient-ils donc reçu une lettre de même provenance, qui leur donnait rendez-vous à la villa Montcalm? Cela devait être; mais on pouvait craindre qu'il y eût là-dessous quelque machination de police. Cette méfiance ne s'expliquait que trop depuis l'affaire Simon Morgaz.

Quoi qu'il en soit, M. de Vaudreuil n'avait qu'à attendre. Lorsque Vincent Hodge, Farran et Clerc seraient arrivés à la villa – s'ils y venaient –, ils lui expliqueraient sans doute ce qu'il y avait d'inexplicable dans ce singulier rendez-vous. Ce fut l'avis de Clary, lorsqu'elle eut pris connaissance de la lettre. Les yeux attachés sur cette mystérieuse écriture, elle l'examinait attentivement. Étrange disposition de son esprit! Là où son père pressentait un piège tendu à ses amis politiques et à lui, elle semblait, au contraire, croire à quelque intervention puissante dans la cause nationale. Allait-elle se montrer enfin, la main qui saisirait les fils d'un nouveau soulèvement, qui le dirigerait et le mènerait au but?

«Mon père, dit-elle, j'ai confiance!»

Cependant, comme le rendez-vous n'était indiqué que pour le soir, M. de Vaudreuil voulut préalablement se rendre à Laval. Peut-être y apprendrait-il quelque nouvelle qui eût motivé l'urgence de la conférence projetée. Il se trouverait là, d'ailleurs, pour recevoir

Vincent Hodge et ses deux amis, lorsqu'ils débarqueraient à l'appontement de l'île Jésus. Mais, au moment où il allait donner l'ordre d'atteler, son domestique vint le prévenir qu'un visiteur venait d'arriver à la villa Montcalm.

«Quelle est cette personne? demanda vivement M. de Vaudreuil.

– Voici sa carte», répondit le domestique.

M. de Vaudreuil prit la carte, lut le nom qu'elle portait, et s'écria aussitôt:

«Cet excellent maître Nick?... Il est toujours le bienvenu!... Faites entrer!»

Un instant après, le notaire se trouvait en présence de M. de Vaudreuil et de sa fille.

«Vous, maître Nick! dit M. de Vaudreuil.

– En personne, et prêt à vous rendre mes devoirs, ainsi qu'à mademoiselle Clary!» répondit le notaire.

Et il serra la main de M. de Vaudreuil, après avoir fait à la jeune fille un de ces saluts officiels, dont les anciens tabellions semblent avoir gardé la tradition surannée.

«Maître Nick, reprit M. de Vaudreuil, voilà une visite inattendue, mais qui n'en est que plus agréable!

– Agréable surtout pour moi! répondit maître Nick. Et comment vous portez-vous, mademoiselle?... Et vous, monsieur de Vaudreuil? Vous avez des mines florissantes!... Décidément, il fait bon vivre à la villa Montcalm!... Il faudra que j'emporte à ma maison du marché Bon-Secours un peu de l'air qu'on y respire!

– Il ne tient qu'à vous d'en faire provision, maître Nick! Venez-nous voir plus souvent...

– Et restez quelques jours! ajouta Clary.

– Et mon étude, et mes actes!... s'écria le loquace notaire. Voilà qui ne me laisse guère de temps pour les loisirs de la villégiature!... Ah! pas les testaments, par exemple! On vit si vieux en Canada qu'on finira par n'y plus mourir! Ce que nous avons d'octogénaires, et même de centenaires!... Cela dépasse les bornes habituelles de la statistique!... Mais, par exemple, les contrats de mariage, voilà ce qui me

La Place du marché Bon-Secours, à Montréal.

met sur les dents!... Tenez!... Dans six semaines, j'ai rendez-vous à Laprairie, chez un de mes clients – un de mes bons clients, vous pouvez le croire –, puisque je suis mandé pour dresser le contrat de son dix-neuvième rejeton!

– Ce doit être mon fermier Thomas Harcher, je le parierais! Répondit M. de Vaudreuil...

– Lui-même, et c'est précisément à votre ferme de Chipogan que je suis attendu.

– Quelle belle famille, maître Nick!

– À coup sûr, monsieur de Vaudreuil, et remarquez que je ne suis pas prêt d'en avoir fini avec les actes qui la concernent!

– Eh bien, monsieur Nick, dit Clary, il est probable que nous vous retrouverons à la ferme de Chipogan. Thomas Harcher a tellement insisté pour que nous assistions au mariage de sa fille, que mon père et moi, si rien ne nous retient à la villa Montcalm, nous voulons lui faire ce plaisir!...

– Et ce sera m'en faire un aussi! répondit maître Nick. N'est-ce pas une joie pour moi de vous voir? Je n'ai qu'un reproche à vous faire, mademoiselle Clary.

– Un reproche, monsieur Nick?

– Oui! c'est de ne me recevoir ici qu'à titre d'ami, et de ne jamais me faire appeler comme notaire!

La jeune fille sourit à l'insinuation, et, presque aussitôt, ses traits reprirent leur gravité habituelle.

«Et pourtant, fit observer M. de Vaudreuil, si ce n'est pas comme ami, mon cher Nick, c'est comme notaire que vous êtes venu aujourd'hui à la villa Montcalm?...

– Sans doute!... sans doute... répondit maître Nick, mais ce n'est pas pour le compte de mademoiselle Clary!... Enfin, cela arrivera! Tout arrive! – À propos, monsieur de Vaudreuil, j'ai à vous prévenir que je ne suis pas seul...

– Quoi, maître Nick, vous avez un compagnon de route, et vous le laissez attendre dans l'antichambre?... Je vais donner l'ordre de le faire entrer...

– Non!... non!... ce n'est pas la peine! C'est mon second clerc, tout simplement... un garçon qui fait des vers – a-t-on jamais vu cela? – et qui court après les feux follets! Vous figurez-vous un clerc-poète ou un poète-clerc, mademoiselle Clary! Comme je désire vous parler en particulier, monsieur de Vaudreuil, je lui ai dit d'aller se promener dans le parc...

– Vous avez bien fait, maître Nick. Mais il faudrait faire rafraîchir ce jeune poète.

– Inutile! Il ne boit que du nectar, et, à moins qu'il ne vous en reste de la dernière récolte!...»

M. de Vaudreuil ne put s'empêcher de rire aux plaisanteries de l'excellent homme qu'il connaissait de longue date, et dont les conseils lui avaient toujours été si précieux pour la direction de ses affaires personnelles.

«Je vais vous laisser avec mon père, monsieur Nick, dit alors Clary.

– Je vous en prie, restez, mademoiselle! répliqua le notaire. Je sais que je puis parler devant vous, même de choses qui pourraient avoir quelque rapport avec la politique... du moins, je le suppose, car, vous ne l'ignorez pas, je ne me mêle jamais...

– Bien... bien... maître Nick!... répondit M. de Vaudreuil. Clary assistera à notre entretien. Assoyons-nous d'abord, puis, vous causerez tout à votre aise!»

Le notaire prit un des fauteuils de canne qui meublaient le salon, tandis que M. de Vaudreuil et sa fille s'installèrent sur un canapé en face de lui.

«Et maintenant, mon cher Nick, demanda M. de Vaudreuil, pourquoi êtes-vous venu à la villa Montcalm?...

– Pour vous remettre ceci», répondit le notaire.

Et il tira de sa poche une liasse de bank-notes.

«De l'argent?... dit M. de Vaudreuil, qui ne put cacher son extrême surprise.

– Oui, de l'argent, du bon argent, et, que cela vous plaise ou non, une belle somme!...

– Une belle somme?...

– Jugez-en!... Cinquante mille piastres en jolis billets ayant cours légal!

– Et cet argent m'est destiné?...

– À vous... à vous seul!

– Qui me l'envoie?

– Impossible de vous le dire, pour une excellente raison, c'est que je ne le sais pas.

– À quel usage cet argent doit-il être employé?...

– Je ne le sais pas davantage!

– Et comment avez-vous été chargé de me remettre une somme aussi considérable?

– Lisez.»

Le notaire tendit une lettre, qui ne contenait que ces quelques lignes:

«Maître Nick, notaire à Montréal, voudra bien remettre au président du comité réformiste de Laval, à la villa Montcalm, le restant de la somme qui solde notre compte dans son étude.»

2 septembre 1837

«J. B. J.»

M. de Vaudreuil regardait le notaire, sans rien comprendre à cet envoi qui lui était personnellement «adressé.

«Maître Nick, où cette lettre a-t-elle été mise à la poste?... demanda-t-il.

À Saint-Charles, comté de Verchères!»

Clary avait pris la lettre. Elle en examinait maintenant l'écriture. Peut-être était-elle de la même main que la lettre qui venait de prévenir M. de Vaudreuil de la visite de ses amis Vincent Hodge, Clerc et Farran?... Il n'en était rien. Aucune ressemblance manuscrite entre les deux lettres – ce que Mlle de Vaudreuil fit observer à son père.

«Vous ne soupçonnez pas, monsieur Nick, demanda-t-elle, quel pourrait être le signataire de cette lettre, qui se cache sous ces simples initiales J. B. J.?...

– Aucunement, mademoiselle Clary.

– Et, pourtant, ce n'est pas la première fois que vous êtes en rapport avec cette personne?

– Évidemment!...

– Ou même ces personnes, car la lettre ne dit pas «mon» mais «notre compte» – ce qui permet de penser que ces trois initiales appartiennent à trois noms différents.

– En effet, répondit maître Nick.

– J'observe aussi, dit M. de Vaudreuil, que, puisqu'il est question d'un solde de compte, c'est que vous avez déjà disposé antérieurement...

– Monsieur de Vaudreuil, répliqua le notaire, voici ce que je puis, et même, il me semble, ce que je dois vous dire!»

Et, prenant un temps avant d'entrer en matière, maître Nick raconta ce qui suit:

«En 1825, un mois après le jugement qui coûta la vie à quelques-uns de vos amis les plus chers, monsieur de Vaudreuil, et à vous, la liberté, je reçus un pli chargé, contenant en bank-notes l'énorme somme de cent mille piastres. Le pli dont il s'agit avait été mis au bureau de poste à Québec, et renfermait une lettre conçue en ces termes:

«Cette somme de cent mille piastres est remise entre les mains de maître Nick, notaire à Montréal, pour qu'il en fasse emploi suivant les avis qu'il recevra ultérieurement. On compte sur sa discrétion pour ne point parler du dépôt qui est confié à ses soins ni de l'usage qui pourra en être fait plus tard.»

– Et c'était signé?... demanda Clary.

– C'était signé J. B. J., répondit maître Nick.

– Les mêmes initiales?.. dit M. de Vaudreuil.

– Les mêmes? répéta Clary.

– Oui, mademoiselle. Ainsi que vous le pensez, reprit le notaire, je fus on ne peut plus surpris du côté mystérieux de ce dépôt. Mais, après tout, comme je ne pouvais renvoyer la somme au client inconnu qui me l'avait fait parvenir, comme, d'autre part, je ne me souciais pas d'en informer l'autorité, je versai les cent mille piastres à la banque de Montréal, et j'attendis.»

Clary de Vaudreuil et son père écoutaient maître Nick avec la plus vive attention. Le notaire n'avait-il pas dit que, dans sa pensée,

Maî tre Nick tira de sa poche une liasse de bank-notes.

cet argent avait peut-être une destination politique? Et, en effet, ainsi qu'on va le voir, il ne s'était pas trompé.

«Six ans plus tard, reprit-il, une somme de vingt-deux mille piastres me fut demandée par une lettre, signées de ces énigmatiques initiales, avec prière de l'adresser à la bourgade de Berthier, dans le comté de ce nom.

– À qui?... demanda M. de Vaudreuil.

– Au président du comité réformiste, et, peu de temps après, éclatait la révolte que vous savez. Quatre ans s'écoulèrent, et même

Le notaire fut salué d'un cordial «bonjour, maître Nick!»

lettre prescrivant l'envoi d'une somme de vingt-huit mille piastres à Sainte-Martine, cette fois, au président du comité de Châteauguay. Un mois plus tard, se produisait la violente réaction, qui marqua les élections de 1834, amena la prorogation de la Chambre et fut suivie d'une demande de mise en accusation contre le gouverneur lord Aylmer!»

M. de Vaudreuil réfléchit quelques instants à ce qu'il venait d'entendre, et s'adressant au notaire:

«Ainsi, mon cher Nick, dit-il, vous voyez une corrélation entre ces diverses manifestations et l'envoi d'argent aux comités réformistes?...

– Moi, monsieur de Vaudreuil, répliqua maître Nick, je ne vois rien du tout! Je ne suis pas un homme politique!... Je ne suis qu'un simple officier ministériel!... Je n'ai fait que restituer les sommes dont j'avais reçu le dépôt, et suivant la destination indiquée!... Je vous dis les choses comme elles sont, et vous laisse le soin d'en tirer les conséquences!

– Bon!... mon prudent ami! répondit M. de Vaudreuil, en souriant. Nous ne vous compromettrons pas. Mais enfin, si vous êtes venu aujourd'hui à la villa Montcalm...

– C'est pour faire une troisième fois, monsieur de Vaudreuil, ce que j'ai fait deux fois déjà. Ce matin, 3 septembre, j'ai été avisé: 1° de disposer du restant de la somme qui m'avait été remise – soit cinquante mille piastres; 2° de la remettre entre les mains du président du comité de Laval. C'est pourquoi, M. de Vaudreuil étant président dudit comité, je sui venu lui apporter ladite somme pour solde de compte. Maintenant, à quel usage doit-elle être employée? je ne le sais pas et ne désire point le savoir. C'est entre les mains du président mentionné dans la lettre que j'ai opéré le versement, et si je ne la lui ai point envoyée par la poste, si j'ai préféré l'apporter moi-même, c'est que c'était une occasion de revoir mon ami M. de Vaudreuil et Mlle Clary, sa fille!»

Maître Nick avait pu faire son récit sans être interrompu. Et alors, ayant dit ce qu'il avait à dire, il se leva, s'approcha de la baie ouverte sur la terrasse et examina les embarcations qui remontaient ou descendaient le fleuve.

M. de Vaudreuil, plongé dans ses réflexions, gardait le silence. Un même travail de déduction se faisait dans l'esprit de sa fille. Il n'était pas douteux que cet argent, mystérieusement déposé dans la caisse de maître Nick, eût été employé déjà aux besoins de la cause, non moins douteux qu'on lui réservait le même usage en vue d'une insurrection prochaine. Or, cet envoi étant fait le jour même où un «Fils de la Liberté» venait de convoquer à la villa Montcalm les plus intimes amis de M. de Vaudreuil, ne semblait-il pas qu'il y eût là une connexité au moins singulière?

La conversation se prolongea pendant quelque temps encore. Et comment, avec le verbeux maître Nick, en eût-il été autrement? Il entretint M. de Vaudreuil de ce que M. de Vaudreuil savait aussi bien que lui, de la situation politique, surtout dans le Bas-Canada. Et ces choses – ne cessait-il de répéter –, il ne les rapportait qu'avec la plus extrême réserve, n'ayant point tendance à se mêler de ce qui ne le regardait pas. Ce qu'il en faisait, c'était pour mettre M. de Vaudreuil en défiance, car certainement il y avait redoublement de surveillance de la part des agents de police dans les paroisses du comté de Montréal.

Et, à ce propos, maître Nick fut amené à dire:

«Ce que les autorités redoutent particulièrement, c'est qu'un chef vienne se mettre à la tête d'un mouvement populaire, et que ce chef soit précisément le fameux Jean-Sans-Nom!»

À ces derniers mots, Clary se leva et alla s'accouder sur la fenêtre ouverte du côté du parc.

«Connaissez-vous donc cet audacieux agitateur, mon cher Nick? demanda M. de Vaudreuil.

– Je ne le connais pas, répondit le notaire, je ne l'ai jamais vu, et n'ai même jamais rencontré personne qui le connaisse! Mais il existe, il n'y a pas de doute à cet égard!... Et je me le figure volontiers sous les traits d'un héros de roman... un jeune homme de haute taille, les traits nobles, la physionomie sympathique, la voix entraînante – à moins que ce ne soit quelque bon patriarche, sur la limite de la vieillesse, ridé et cassé par l'âge!... Avec ces personnages-là, on ne sait jamais à quoi s'en tenir!

– Quel qu'il soit, répondit M. de Vaudreuil, plaise à Dieu que la pensée lui vienne bientôt de se mettre à notre tête, et nous le suivrons aussi loin qu'il voudra nous conduire!...

– Eh! monsieur de Vaudreuil, cela pourrait bien arriver avant peu! s'écria maître Nick.

– Vous dites?... demanda Clary, qui revint vivement au milieu du salon.

– Je dis, mademoiselle Clary... ou plutôt, je ne dis rien!... C'est plus sage!

– J'insiste, reprit la jeune fille. Parlez... parlez, je vous prie!... Que savez-vous?...

– Ce que d'autres savent, sans doute, répondit maître Nick, c'est que Jean-Sans-Nom a reparu dans le comté de Montréal. Du moins, c'est un bruit qui court... malheureusement...

– Malheureusement?... répéta Clary.

– Oui! car si cela est, je crains que notre héros ne puisse échapper aux poursuites de la police. Aujourd'hui même, en traversant l'île de Montréal, j'ai rencontré les limiers que le ministre Gilbert Argall a lancés sur la piste de Jean-Sans-Nom, et, entre autres, le chef de la maison Rip and Co...

– Quoi?... Rip?... fit M. de Vaudreuil.

– Lui-même, répondit le notaire. C'est un homme habile, et qui doit être alléché par une grosse prime. S'il réussit à s'emparer de Jean-Sans-Nom, la condamnation de ce jeune patriote – oui, décidément, il doit être jeune! – sa condamnation est certaine, et le parti national comptera une victime de plus!»

En dépit de sa maîtrise sur elle-même, Clary pâlit soudain, ses yeux se fermèrent, et c'est à peine si elle put comprimer les battements de son cœur. M. de Vaudreuil, tout pensif, allait et venait à travers le salon.

Maître Nick, voulant réparer le pénible effet produit par ses dernières paroles, ajouta:

«Après tout, c'est un homme d'une audace peu commune, cet introuvable Jean-Sans-Nom!... Il est parvenu jusqu'ici à se soustraire aux plus sévères recherches... Au cas où il serait pressé de trop près, toutes les maisons du comté lui donneraient asile, toutes les portes s'ouvriraient devant lui – même la porte de maître Nick, s'il venait lui demander refuge... bien que maître Nick ne veuille se mêler en aucune façon aux choses de la politique!»

Là-dessus, le notaire prit congé de M. et Mlle de Vaudreuil. Il n'avait pas de temps à perdre, s'il voulait être revenu à Montréal pour l'heure du dîner – cette heure régulière et toujours la bienvenue, à laquelle il accomplissait un des actes les plus importants de son existence.

M. de Vaudreuil voulut faire atteler, afin de reconduire maître Nick à Laval. Mais, en homme prudent, celui-ci refusa. Mieux valait qu'on ne sût rien de sa visite à la villa Montcalm. Il avait de bonnes jambes, Dieu merci! et une lieue de plus n'était pas pour embarrasser un des meilleurs marcheurs du notariat canadien. Et puis, n'était-il pas du sang des Sagamores, le descendant de ces robustes peuplades indiennes, dont les guerriers suivaient, pendant des mois entiers, le sentier de la guerre? etc., etc.

Bref, maître Nick appela Lionel, qui, sans doute, courait après le bataillon sacré des muses à travers les allées du parc, et tous deux, en remontant la rive gauche du Saint-Laurent, reprirent le chemin de Laval.

Après trois quarts d'heure de marche, ils arrivèrent à l'appontement du toc, au moment où débarquaient MM. Vincent Hodge, Clerc et Farran, qui se rendaient à la villa Montcalm.

En les croisant, le notaire fut salué par eux d'un inévitable et cordial «bonjour, maître Nick!» Puis, le fleuve traversé, il se hissa dans le stage, rentra dans sa maison du marché Bon-Secours, comme la vieille servante, mistress Dolly, mettait sur la table la soupière fumante.

Maître Nick s'assit aussitôt dans son large fauteuil, et Lionel se plaça en face de lui, pendant qu'il fredonnait:

> Naître avec toi, flamme follette,
> Mourir avec toi, feu follet!

«Et surtout, ajouta-t-il, si tu avales quelques vers en mangeant, prends bien garde aux arêtes!»

V

L'INCONNU

Lorsque Vincent Hodge, William Clerc et André Farran arrivèrent à la villa, ils y furent reçus par M. de Vaudreuil.

Clary venait de remonter dans sa chambre. Par la fenêtre ouverte sur le parc, elle laissa son regard errer à travers la campagne que le cadre des Laurentides fermait à l'extrême horizon. La pensée de l'être mystérieux, si vivement rappelé à son souvenir, l'occupait tout entière. On l'avait signalé dans le pays. On le recherchait activement dans l'île de Montréal... Pour que l'île Jésus lui offrit refuge, il lui suffirait de traverser un bras du fleuve! Ne voudrait-il pas demander asile à la villa Montcalm? Qu'il eût là des amis, prêts à l'accueillir, il n'en pouvait douter. Mais, s'abriter sous le toit de M. de Vaudreuil, président de l'un des comités réformistes, ne serait-ce pas s'exposer à des dangers plus grands? La villa ne devait-elle pas être particulièrement surveillée? Oui, sans doute! Et, pourtant, Clary en avait le pressentiment, Jean-Sans-Nom y viendrait, ne fût-ce que pour un jour, pour une heure! Et, l'imagination surexcitée, désireuse d'être seule, elle avait quitté le salon, avant que les amis de M. de Vaudreuil y fussent introduits.

William Clerc et André Farran – à peu près du même âge que M. de Vaudreuil – étaient deux anciens officiers de la milice canadienne. Cassés de leurs grades après le jugement du 25 septembre qui avait envoyé leurs frères à l'échafaud, condamnés eux-mêmes à la prison perpétuelle, ils n'avaient recouvré la liberté que grâce à l'amnistie dont M. de Vaudreuil avait profité pour son propre compte. Le parti national voyait en eux deux hommes d'action, qui ne demandaient qu'à risquer une seconde fois leur vie dans une nouvelle prise d'arme. Ils étaient énergiques, faits aux dures fatigues par l'habitude qu'ils avaient des grandes chasses à travers les forêts et les plaines du comté de Trois-Rivières, où ils possédaient de vastes propriétés.

Dès que Vincent Hodge eut serré la main de M. de Vaudreuil, il lui posa cette question:

Était-il informé que Farran, Clerc et lui eussent été convoqués par lettres personnelles?

«Oui, répondit M. de Vaudreuil, et, sans doute, la lettre que vous avez reçue à ce sujet, comme celle qui m'en a donné avis, était signée *un Fils de la Liberté*?

– En effet, répondit Farran.

– Tu n'as pas vu là quelque embûche? demanda William Clerc en s'adressant à M. de Vaudreuil. En provoquant ce rendez-vous, ne veut-on pas nous prendre en flagrant délit de conciliabule?

– Le conseil législatif, répondit M. de Vaudreuil, n'a pas encore enlevé aux Canadiens le droit de se réunir les uns chez les autres, que je sache!

– Non, dit Farran, mais, enfin, le signataire de cette lettre, aussi suspecte que le serait une lettre anonyme, quel est-il, et pourquoi n'a-t-il pas mis son vrai nom?...

– Cela est évidemment singulier, répondit M. de Vaudreuil, d'autant plus que ce personnage, quel qu'il soit, ne dit même pas s'il a l'intention de se présenter à ce rendez-vous? La lettre que j'ai reçue m'informe simplement que vous devez venir tous trois ce soir à la villa Montcalm...

– Et la nôtre ne contient pas d'autre information, ajouta William Clerc.

– À bien réfléchir, fit observer Vincent Hodge, pourquoi cet inconnu nous aurait-il donné cet avis, s'il ne se proposait pas d'assister à notre conférence! J'ai lieu de croire qu'il viendra...

– Eh bien, qu'il vienne! répondit Farran. Nous verrons l'homme qu'il est, d'abord, nous écouterons les communications qu'il se pro-

Ils avaient l'habitude des grandes chasses.

pose de nous faire, et nous l'éconduirons, s'il ne nous convient pas d'entrer en relation avec lui.

– Vaudreuil, demanda William Clerc, ta fille a eu connaissance de cette lettre? Qu'en pense-t-elle?...

– Rien de suspect, William.

– Attendons!» répondit Vincent Hodge.

En tout cas, s'il venait au rendez-vous, le signataire de la lettre avait voulu prendre quelques précautions, puisqu'il ferait nuit lorsqu'il

«Le Fils de la Liberté qui vous a écrit, messieurs.»

arriverait à la villa Montcalm – ce qui n'était que prudent dans les circonstances actuelles.

La conversation de M. de Vaudreuil et ses amis porta alors sur la situation politique, si tendue par suite des dispositions oppressives que manifestait le Parlement anglais. Eux aussi sentaient que cet état de choses ne pouvait durer. Et, à ce propos, M. de Vaudreuil fit connaître comment, en sa qualité de président du comité de Laval, il avait reçu, par l'entremise du notaire Nick, une somme considérable, certainement destinée à subvenir aux besoins de la cause.

Pendant qu'ils se promenaient dans le parc en attendant l'heure du dîner, Vincent Hodge, William Clerc et André Farran confirmèrent à M. de Vaudreuil ce que lui avait dit maître Nick. Les agents de Gilbert Argall étaient en éveil. Non seulement le personnel de la maison Rip, mais des escouades de la police régulière parcouraient la campagne et les paroisses du comté, mettant tout en œuvre pour retrouver la piste de Jean-Sans-Nom. Évidemment, l'apparition de ce personnage suffirait à provoquer un soulèvement. Il n'était donc pas impossible que l'inconnu fût à même de renseigner M. de Vaudreuil à cet égard.

Vers six heures, M. de Vaudreuil et ses amis rentrèrent dans le salon où Clary venait de descendre. William Clerc et André Farran lui donnèrent un bonjour paternel qu'autorisaient leur âge et leur intimité. Vincent Hodge, plus réservé, prit respectueusement la main que lui tendait la jeune fille. Puis, il lui offrit son bras, et tous passèrent dans la salle à manger.

Le dîner était abondamment servi, ainsi que cela se faisait communément à cette époque dans les plus modestes comme dans les plus riches habitations canadiennes. Il se composait de poissons du fleuve, de venaison des forêts voisines, des légumes et des fruits récoltés dans le potager de la villa.

Pendant le dîner, la conversation ne traita point du rendez-vous si impatiemment attendu. Mieux valait ne point parler devant les domestiques, bien qu'ils fussent de fidèles serviteurs, depuis longtemps au service de la famille de Vaudreuil.

Après le dîner, la soirée était si belle, la température si douce que Clary vint s'asseoir sous la véranda. Le Saint-Laurent caressait les premières marches de la terrasse, en les baignant de ses eaux que l'étale de la marée immobilisait dans l'ombre. M. de Vaudreuil, Vincent Hodge, Clerc et Farran fumaient le long des balustrades. À peine échangeaient-ils quelques paroles, et toujours à voix basse.

Il était un peu plus de sept heures. La nuit commençait à obscurcir les profondeurs de la vallée. Tandis que le long crépuscule se retirait à travers les plaines de l'ouest, les étoiles s'allumaient dans la zone opposée du ciel.

Clary regardait en amont et en aval du Saint-Laurent. L'inconnu viendrait-il par la voie du fleuve? Cela paraissait indiqué, s'il ne voulait laisser aucune trace de son passage. En effet, il était facile à une légère embarcation de se glisser le long de la rive, de filer entre les herbes et les roseaux de la berge. Une fois débarqué sur la terrasse, ce mystérieux personnage pourrait pénétrer dans la villa, sans avoir été vu, et la quitter ensuite, avant qu'aucun des gens de l'habitation eût le moindre soupçon.

Cependant, comme il était possible que le visiteur ne vint pas par le Saint-Laurent, M. de Vaudreuil avait donné l'ordre d'introduire immédiatement toute personne qui se présenterait à la villa. Une lampe, allumée dans le salon, ne laissait filtrer qu'un peu de lumière à travers les rideaux des fenêtres, abritées sous le vitrage opaque de la véranda. Du dehors, on ne verrait rien de ce qui se passerait au dedans.

Pourtant, si tout était tranquille du côté du parc, il n'en était pas de même du côté du fleuve. De temps à autre apparaissaient quelques embarcations, qui s'approchaient tantôt de la rive gauche, tantôt de la rive droite. Elles s'abordaient parfois, des mots rapides étaient dits de l'une à l'autre; puis, elles s'éloignaient en directions différentes.

M. de Vaudreuil et ses amis observaient attentivement ces allées et venues, dont ils comprenaient bien le motif.

«Ce sont des agents de la police, dit William Clerc.

– Oui, répondit Vincent Hodge, et ils surveillent le fleuve plus activement qu'ils ne l'ont fait jusqu'alors...

– Et peut-être aussi la villa Montcalm!»

Ces derniers mots venaient d'être murmurés à voix basse, et ce n'était ni M. de Vaudreuil, ni sa fille, ni aucun de ses hôtes qui les avaient prononcés.

En ce moment, un homme, caché entre les hautes herbes audessous de la balustrade, se redressa sur la droite de l'escalier, franchit les marches, s'avança d'un pas rapide à travers la terrasse, releva sa tuque, et dit, après s'être incliné légèrement:

«Le Fils de la Liberté qui vous a écrit, messieurs.»

M. de Vaudreuil, Clary, Hodge, Clerc et Farran, surpris par cette brusque apparition, cherchaient à dévisager l'homme qui venait de s'introduire dans la ville d'une façon si singulière. Sa voix, d'ailleurs, leur était aussi inconnue que sa personne.

«M. de Vaudreuil, reprit cet homme, vous m'excuserez de me présenter chez vous dans ces conditions. Mais il importait qu'on ne me vît pas entrer à la villa Montcalm, comme il importera qu'on ne m'en voie pas sortir.

– Venez donc, monsieur!» répondit M. de Vaudreuil.

Puis, tous se dirigèrent vers le salon, dont la porte fut aussitôt refermée.

L'homme qui venait d'arriver à la villa Montcalm, c'était le jeune voyageur en compagnie duquel maître Nick avait fait le parcours de Montréal à l'île Jésus. M. de Vaudreuil et ses amis observèrent, ainsi que le notaire l'avait fait déjà, qu'il appartenait à la race franco-canadienne.

Voici ce qu'il avait fait, après avoir pris congé de maître Nick, à l'entrée des rues de Laval.

En premier lieu, il s'était dirigé vers une modeste taverne des bas quartiers de la ville. Là, blotti dans le coin de la salle, il avait, en attendant l'heure du dîner, parcouru les journaux mis à sa disposition. Son visage impassible n'avait laissé rien voir des sentiments qu'il éprouvait pendant sa lecture, bien que ces feuilles fussent alors rédigées avec une extrême violence pour ou contre la Couronne. La reine Victoria venait de succéder à son oncle Guillaume IV, et, de part et d'autre, on discutait, dans des articles passionnés, les modifications que le nouveau règne imposerait au gouvernement des provinces canadiennes. Mais, quoique ce fût la main d'une femme qui tînt le sceptre du Royaume-Uni, on devait craindre qu'elle ne s'appesantît durement sur la colonie d'outre-mer.

Jusqu'à six heures du soir, le jeune homme était resté dans la taverne, où il se fit servir à dîner. À huit heures, il s'était remis en route.

Si un espion l'eût suivi alors, il l'aurait vu se diriger vers la berge du fleuve, se glisser à travers les herbes, et gagner du côté de la villa Montcalm, qu'il atteignit trois quarts d'heure après. Là, l'inconnu avait attendu le moment de monter sur la terrasse, et l'on sait comment il était intervenu dans la conversation de M. de Vaudreuil et de ses amis.

À présent, en ce salon, portes et fenêtres closes, ils pouvaient causer sans crainte.

«Monsieur, dit alors M. de Vaudreuil, en s'adressant à son nouvel hôte, vous ne serez pas étonné si je vous demande tout d'abord qui vous êtes?

– Je l'ai dit en arrivant, monsieur de Vaudreuil. Je suis, comme vous l'êtes tous, un Fils de la Liberté!»

Clary fit un geste involontaire de désappointement. Peut-être attendait-elle un autre nom que cette qualification, si commune à cette époque parmi les partisans de la cause franco-canadienne. Ce jeune homme persisterait-il donc à garder l'incognito, même à la villa Montcalm?

«Monsieur, dit alors André Farran, si vous nous avez donné rendez-vous chez M. de Vaudreuil, c'est assurément pour y conférer de choses d'une certaine importance. Avant de nous expliquer ouvertement, vous trouverez naturel que nous désirions savoir à qui nous avons à faire.

– Vous auriez été imprudents, messieurs, si vous ne m'aviez pas fait cette question, répondit le jeune homme, et je serais impardonnable, si je refusais d'y répondre.»

Et il présenta une lettre.

Cette lettre informait M. de Vaudreuil de la visite de l'inconnu, dans lequel ses partisans et lui pouvaient avoir toute confiance, même «s'il ne leur donnait pas son nom». Elle était signée de l'un des principaux chefs de l'opposition au parlement, de l'avocat Gramont, député de Québec, l'un des coreligionnaires politiques de M. de Vaudreuil. L'avocat Gramont ajoutait que si ce visiteur lui demandait une hospitalité de quelques jours, M. de Vaudreuil pouvait la lui accorder en toute confiance dans l'intérêt de la cause.

M. de Vaudreuil communiqua cette lettre à sa fille, à Clerc, à Farran. Puis, il ajouta:

«Monsieur, vous êtes ici chez vous, et vous pouvez rester aussi longtemps qu'il vous conviendra à la villa Montcalm.

– Deux jours, au plus, monsieur de Vaudreuil, répondit le jeune homme. Dans quatre, il faut que j'aie rejoint mes compagnons à l'embouchure du Saint-Laurent. Je vous remercie donc de l'accueil que vous me faites. Et, maintenant, messieurs, je vous prie de bien vouloir m'entendre.»

L'inconnu prit la parole. Il parla avec précision de l'état des esprits, à l'heure actuelle, dans les provinces canadiennes. Il montra le pays prêt à se lever contre l'oppression des loyalistes et des agents de la Couronne. Il venait de le constater par lui-même, en poursuivant une campagne de propagande réformiste, pendant plusieurs semaines, à travers les comtés du haut Saint-Laurent et de l'Outaouais. Dans quelques jours il allait parcourir une dernière fois les paroisses des comtés de l'est, afin de relier les éléments d'une prochaine insurrection, qui s'étendrait depuis l'embouchure du fleuve jusqu'aux territoires de l'Ontario. À cette levée en masse, ni lord Gosford avec les représentants de l'autorité, ni le général Colborne avec les quelques milliers d'habits rouges qui formaient l'effectif anglo-canadien, ne seraient en mesure d'opposer des forces suffisantes, et le Canada – il n'en doutait pas – se soustrairait enfin au joug de ses oppresseurs.

«Une province arrachée à son pays, ajouta-t-il, c'est un enfant arraché à sa mère! Cela doit être l'objet de revendications sans trêve, de luttes sans merci! Cela ne peut s'oublier jamais!»

En disant ces choses, l'inconnu parlait avec un sang-froid qui montrait combien il devait être toujours et partout maître de lui. Et pourtant, on sentait qu'un feu couvait en son âme, que ses pensées s'inspiraient du plus ardent patriotisme. Tandis qu'il donnait certains détails minutieux que ce qu'il avait fait, sur ce qu'il allait faire, Clary ne le quittait pas du regard. Tout lui disait qu'elle avait devant elle le héros en qui son imagination incarnait la révolution canadienne.

Lorsque MM. De Vaudreuil, Vincent Hodge, Clerc et Farran eurent été mis au courant de ses démarches, il ajouta:

«À tous ces partisans de notre autonomie, messieurs, il faudra un chef, et ce chef surgira, lorsque l'heure sera venue de se mettre à leur tête. Jusque-là il est nécessaire qu'un comité d'action se forme pour concentrer les efforts individuels. M. de Vaudreuil et ses amis acceptent-ils de faire partie de ce comité? Tous, vous avez déjà souffert dans vos familles, dans vos personnes, pour la cause nationale. Cette cause a coûté la vie à nos meilleurs patriotes, à votre père, Vincent Hodge, à vos frères, William Clerc et André Farran...

– Par la trahison d'un misérable, monsieur! répondit Vincent Hodge.

– Oui!... d'un misérable!» répéta le jeune homme.

Et Clary crut surprendre une légère altération dans sa voix, si nette jusqu'alors.

«Mais, ajouta-t-il, cet homme est mort.

– En est-on certain?... demanda William Clerc.

– Il est mort! répliqua l'inconnu, qui n'hésita pas à répondre d'une manière affirmative sur un fait dont on n'avait jamais pu, cependant, constater la matérialité.

– Mort!... Ce Simon Morgaz!... Et ce n'est pas moi qui en ai fait justice! s'écria Vincent Hodge.

– Mes amis, ne parlons plus de ce traître! dit M. de Vaudreuil, et laissez-moi répondre à la proposition qui nous est communiquée.

– Monsieur, reprit-il, en se retournant vers son hôte, ce que les nôtres ont fait déjà, nous sommes prêts à le faire encore. Nous risquerons notre vie comme ils ont risqué la leur. Vous pouvez donc disposer de nous, et nous prenons l'engagement de centraliser à la villa Montcalm les efforts dont vous avez pris l'initiative. Nous sommes en communication quotidienne avec les divers comités du district, et, au premier signal, nous paierons de notre personne. Votre intention, avez-vous dit, est de repartir dans deux jours pour visiter les paroisses de l'est? Soit! À votre retour, vous nous trouverez prêts à suivre le chef, quel qu'il soit, qui déploiera le drapeau de l'indépendance.

– Vaudreuil a parlé pour nous, ajouta Vincent Hodge. Nous n'avons qu'une pensée, arracher notre pays à l'oppression, lui assurer le droit qu'il a d'être libre!...

– Et qu'il saura conquérir, cette fois», dit Clary de Vaudreuil, en s'avançant vers le jeune homme.

Mais celui-ci venait de se diriger vers la porte du salon, du côté de la terrasse.

«Écoutez, messieurs!» dit-il.

Un coup de trompette fut donné.

Un bruit vague se faisait entendre dans la direction de Laval, une rumeur éloignée, dont il eût été difficile de reconnaître la nature ou la cause.

«Qu'est-ce donc?» demanda William Clerc.

– Est-ce qu'un soulèvement se produirait déjà?... répondit André Farran.

– Dieu veuille qu'il n'en soit rien! murmura Clary. Ce serait agir trop tôt!...

– Oui!... trop tôt! répondit le jeune homme.

– Qu'est-ce que cela peut être? demanda M. de Vaudreuil. Écoutez! ce bruit se rapproche...

– On entend comme une sonnerie de Clairons!» répliqua André Farran.

En effet, des notes cuivrées, traversant l'espace, arrivaient par intervalles réguliers jusqu'à la villa Montcalm. S'agissait-il donc d'un détachement en armes qui se dirigeait vers l'habitation de M. de Vaudreuil?

Celui-ci venait d'ouvrir la porte du salon, et ses amis le suivirent sur la terrasse.

Les regards se portèrent aussitôt vers l'ouest. Nulle lumière suspecte de ce côté. Évidemment, cette rumeur ne se propageait pas à travers les plaines de l'île Jésus. Et, cependant, une sorte de brouhaha, plus rapproché maintenant, arrivait jusqu'à la villa, en même temps qu'éclataient des sonneries de trompettes.

«Là... c'est là...» dit Vincent Hodge.

Et il indiquait du doigt le cours du Saint-Laurent en remontant vers Laval. Dans cette direction, quelques torches jetaient une clarté peu accusée encore que réverbéraient les eaux légèrement brumeuses du fleuve.

Deux ou trois minutes se passèrent. Une embarcation, qui descendait avec le jusant, vint alors s'engager entre les remous du courant, près de la berge, à un quart de mille en amont. Cette embarcation contenait une dizaine de personnes, dont, à la lueur des torches, il fut facile de reconnaître l'uniforme. C'était un constable, accompagné d'une escouade de police.

De temps en temps, la barque s'arrêtait. Aussitôt, une voix, précédée d'un appel de clairon, s'élevait dans l'air; mais de la villa Montcalm, il était encore impossible de percevoir les paroles.

«Ce doit être une proclamation, dit William Clerc.

– Et il faut qu'elle contienne quelque communication importante, répondit André Farran, pour que les autorités la fassent publier à cette heure!

– Attendons, répondit M. de Vaudreuil, et nous ne tarderons pas à savoir...

– Ne serait-il pas prudent de rentrer dans le salon? fit observer Clary, en s'adressant au jeune homme.

– Pourquoi nous retirer, mademoiselle de Vaudreuil? répondit celui-ci. Ce que les autorités trouvent bon de proclamer, doit être bon à entendre!»

Entre-temps, la barque, poussée par ses avirons et suivie des quelques canots qui lui faisaient cortège, s'était avancée au large de la terrasse.

Un coup de trompette fut donné, et voici ce que M. de Vaudreuil et ses amis purent distinctement entendre cette fois:

«*Proclamation du lord gouverneur général*
des provinces canadiennes.

Ce 3 septembre 1837.

Est mise à prix la tête de Jean-Sans-Nom, lequel a reparu dans les comtés du Haut-Saint-Laurent. Six mille piastres sont offertes à quiconque l'arrêtera ou le fera arrêter.

Pour lord Gosford,
Le ministre de la police,
Gilbert Argall.»

Puis l'embarcation, reprenant sa marche, se laissa aller au courant du fleuve.

MM. de Vaudreuil, Farran, Clerc, Vincent Hodge, étaient restés immobiles sur la terrasse, qu'enveloppait alors une nuit profonde. Pas un mouvement n'était échappé au jeune homme pendant que la voix du constable répétait les termes de la proclamation. Seule, la jeune fille, presque inconsciemment, avait fait quelques pas en se rapprochant de lui.

Ce fut M. de Vaudreuil qui, le premier, reprit la parole.

«Encore une prime offerte aux traîtres! dit-il. Ce sera inutilement cette fois, je l'espère, pour le bon renom de la loyauté des paroisses canadiennes!

– C'est assez, c'est trop qu'on ait pu déjà y trouver un Simon Morgaz! s'écria Vincent Hodge.

– Que Dieu protège Jean-Sans-Nom!» reprit Clary d'une voix profondément émue.

Il y eut quelques instants de silence.

«Rentrons et regagnons nos chambres, dit M. de Vaudreuil.

– Je vais en faire mettre une à votre disposition, ajouta-t-il en s'adressant au jeune patriote.

– Je vous remercie, monsieur de Vaudreuil, répondit l'inconnu, mais il m'est impossible de demeurer plus longtemps dans cette maison...

– Et pourquoi?...

– Lorsque j'ai accepté, il y a une heure, l'hospitalité que vous m'offriez à la villa Montcalm, je n'étais pas dans la situation où cette proclamation vient de me placer.

– Que voulez-vous dire, monsieur?

– Que ma présence ne pourrait que vous compromettre maintenant, puisque le gouverneur général vient de mettre ma tête à prix. Je suis Jean-Sans-Nom!»

Et Jean-Sans-Nom, après s'être incliné, se dirigeait vers la berge, lorsque Clary, l'arrêtant de la main:

«Restez», dit-elle.

VI

LE SAINT-LAURENT

La vallée du Saint-Laurent est peut-être l'une des plus vastes que les convulsions géologiques aient dessinées à la surface du globe. M. de Humboldt lui attribue une superficie de deux cent soixante-dix mille lieues carrées – superficie égale à peu près à celle de l'Europe entière. Le Fleuve, sans son cours capricieux, semé d'îles, barré de rapides, accidenté de chutes, traverse cette vallée qui forme le Canada français par excellence. Ces territoires, où s'établirent les premières seigneuries de la noblesse émigrante, sont partagés à l'heure actuelle en comtés et districts. À l'embouchure du Saint-Laurent, sur cette large baie, au delà de l'estuaire, émergent l'archipel de la Madeleine, les îles du Cap Breton et du Prince-Édouard, et la grande île d'Anticosti, que les côtes si diverses d'aspect du Labrador, de Terre-Neuve et de l'Acadie ou Nouvelle-Écosse, abritent contre les redoutables vents de l'Atlantique septentrional.

C'est vers la mi-avril, seulement, que commence la débâcle des glaces, accumulées par la rigoureuse et longue période hivernale du climat canadien. Le Saint-Laurent devient navigable alors. Les navires de grand tonnage peuvent le remonter jusqu'à la région des lacs – ces mers d'eau douce, dont le cheptel se déroule à travers ce poétique pays, qu'on a si justement appelé le «pays de Cooper». À cette époque, le fleuve, servi par le flux et reflux de ses marées, s'anime comme une rade dont un traité de paix viendrait de lever le blocus. Navires à voiles, steamers, steam-boats, trains de bois, bateaux pilotes, caboteurs, barques de pêche, embarcations de plaisance, canots de toutes sortes, glissent à la surface de ses eaux, délivrées de leur épaisse carapace. C'est la vie pour une demi-année, après une demi-année de mort.

Le 13 septembre, vers six heures du matin, une embarcation, gréée en cotre, quittait le petit port de Sainte-Anne, situé à l'embouchure du Saint-Laurent, sur sa rive méridionale, dans la partie arrondie sur le golfe. Cette embarcation était montée par cinq de ces pêcheurs qui exercent leur fructueux métier depuis les rapides de Montréal jusqu'à l'estuaire du fleuve. Après avoir tendu leurs filets et leurs lignes, là où l'instinct de la profession les guide, ils vont vendre le poisson d'eau salée et d'eau douce de bourgades en bourgades, ou, pour mieux dire, de maisons en maisons, car c'est une suite presque ininterrompue d'habitations qui borde les deux rives jusqu'à la limite ouest de la province.

Ces pêcheurs étaient d'origine acadienne. Un étranger l'eût reconnu rien qu'aux formes de leur langage, à leur type resté si pur dans cette Nouvelle-Écosse, où la race française s'est extraordinairement développée. En remontant l'échelle des âges, on retrouverait certainement parmi leurs ancêtres quelques-uns de ces proscrits, qui, un siècle avant, furent décimés par les troupes royales, et dont Longfellow a retracé les malheurs dans son poème si touchant d'*Évangéline*. Quant au métier de pêcheur, c'est peut-être celui qui est le plus honoré en Canada – surtout dans les paroisses littorales, où l'on compte de dix à quinze mille bateaux de pêche, et plus de trente mille marins exploitant les eaux du fleuve et de ses affluents.

L'embarcation portait un sixième passager, vêtu comme ses compagnons, mais qui n'avait du pêcheur que le costume. On s'y fut aisément trompé, d'ailleurs, et il eût été difficile de deviner en lui le jeune homme, auquel la villa Montcalm venait de donner asile pendant quarante-huit heures.

C'était, en effet, Jean-Sans-Nom.

Durant son séjour, il ne s'était point expliqué sur l'incognito qui couvrait sa personne et sa famille. Jean – ce fut le seul nom que lui donnèrent M. et Mlle de Vaudreuil.

Dans la soirée même du 3 septembre, leur conférence achevée, MM. Vincent Hodge, William Clerc et André Farran s'étaient retirés pour retourner à Montréal. Ce fut seulement deux jours après son arrivée à la villa, que Jean prit congé de M. de Vaudreuil et de sa fille.

Pendant cette courte hospitalité, que d'heures s'étaient passées à parler de la nouvelle tentative qui allait être faite pour arracher le Canada à la domination anglaise! Avec quelle passion Clary entendait le jeune proscrit glorifier la cause qui leur était si chère à tous deux! Lui-même s'était un peu départi de la froideur qu'il avait montrée d'abord, et qui semblait être voulue. Peut-être subissait-il l'influence de cette âme vibrante de jeune fille, dont le patriotisme s'accordait si bien avec le sien.

C'était dans la soirée du 5 septembre, que Jean avait quitté M. et Mlle de Vaudreuil, afin d'aller reprendre sa vie errante et achever la campagne de propagande réformiste dans les comtés du Bas-Canada. Avant de se séparer, tous trois avaient décidé de se retrouver à la ferme de Chipogan chez Thomas Harcher, dont la famille, on va le voir, était devenue la famille du jeune patriote. Mais la jeune fille et lui se reverraient-ils jamais, alors que tant de dangers menaçaient sa tête!

En tout cas, personne à l'habitation n'avait même soupçonné que ce fût Jean-Sans-Nom à qui la villa Montcalm venait de donner asile. Le chef de la maison Rip and Co., lancé sur une fausse piste, n'était pas parvenu à découvrir le lieu de sa retraite. Jean avait pu quitter la villa secrètement comme il y était arrivé, traverser le Saint-Laurent dans le bac de passage à l'extrémité de l'île Jésus, et s'engager à l'intérieur du territoire en gagnant vers la frontière américaine, afin de la franchir, si cela devenait nécessaire pour sa sûreté. Comme c'était au milieu des paroisses du haut fleuve que les recherches s'opéraient alors – et avec raison, puisque Jean venait de les parcourir récemment – il avait atteint, sans avoir été ni reconnu ni poursuivi, la rivière Saint-Jean, dont le cours sert de limite en partie au Nouveau-Brunswick. Là, au petit port de Sainte-Anne, l'attendaient les hardis compagnons, associés à son œuvre, et sur le dévouement desquels il pouvait compter sans réserve.

C'étaient cinq frères – les aînés, deux jumeaux, Pierre et Rémy, âgés de trente ans, et les trois autres, Michel, Tony et Jacques, âgés de vingt-neuf, vingt-huit et vingt-sept ans – cinq des nombreux enfants de Thomas Harcher et de sa femme Catherine, du comté de Laprairie, fermiers de Chipogan.

Quelques années avant, à la suite de l'insurrection de 1831, Jean-Sans-Nom, serré de près par la police, avait trouvé asile dans cette ferme, qu'il ne savait pas appartenir à M. de Vaudreuil. Thomas Harcher reçut le fugitif, l'admit dans sa famille comme un de ses fils. S'il n'ignorait pas que c'était à un patriote qu'il donnait refuge, il ignorait, du moins, que ce patriote fût Jean.

Pendant le temps qu'il demeura à la ferme, Jean – il s'était présenté sous ce nom seul – se lia étroitement avec les fils aînés de Thomas Harcher. Leurs sentiments répondaient aux siens. C'étaient d'intrépides partisans de la réforme, ayant au cœur cette haine instinctive contre tout ce qui était de race anglo-saxonne, «ce qui sentait l'Anglais», comme on disait alors en Canada.

Lorsque Jean quitta Chipogan, ce fut à bord de l'embarcation des cinq frères qui parcouraient le fleuve d'avril à septembre. Il faisait ostensiblement le métier de pêcheur – ce qui lui donnait accès dans toutes les maisons des paroisses riveraines. C'est ainsi qu'il avait pu déjouer les recherches et préparer un nouveau mouvement insurrectionnel. Avant son arrivée à la villa Montcalm, c'étaient les comtés de l'Outaouais qu'il avait visités dans la province de l'Ontario. À présent, pendant qu'il remontait le fleuve depuis son embouchure jusqu'à Montréal, il donnerait le dernier mot d'ordre aux habitants des comtés du Bas-Canada, qui répétaient si volontiers: «Quand reverrons-nous nos bonnes gens!» en se rappelant les Français d'autrefois!

L'embarcation venait de quitter le port de Sainte-Anne. Bien que la marée commençât à redescendre, une fraîche brise, soufflant de l'est, permettait de la refouler aisément, avec la grand'voile, la flèche et des focs que fit hisser Pierre Harcher, patron du *Champlain*. Ainsi se nommait le cotre de pêche.

Le climat du Canada, moins tempéré que celui des États-Unis, est très chaud l'été, très froid l'hiver, quoique son territoire soit en même latitude que la France. Cela tient probablement à ce que les eaux tièdes du Gulf-stream, détournées de son littoral, ne modèrent pas les excès de sa température.

Pendant cette première quinzaine du mois de septembre, la chaleur avait été forte, et les voiles du *Champlain* se gonflaient d'une brise ardente.

Jean faisait ostensiblement le métier de pêcheur.

«La journée sera rude aujourd'hui, dit Pierre, surtout si le vent tombe à la méridienne!

– Oui, répondit Michel, et que le diable fricasse les moucherons et les moustiques noirs! Il y en a par myriades sur cette grève de Sainte-Anne!

– Frères, ces chaleurs vont finir, et nous jouirons bientôt des douceurs de l'été indien!»

C'était Jean qui venait de donner à ses compagnons cette appellation fraternelle dont ils étaient dignes. Et il avait raison de vanter les beautés de l'«indian summer» du Canada, qui comprend plus particulièrement les mois de septembre et d'octobre.

«Pêchons-nous ce matin? lui demanda Pierre Harcher, ou continuons-nous à remonter le fleuve?

– Jetons les lignes jusqu'à dix heures, répondit Jean. Nous irons ensuite vendre notre poisson à Matane.

– Alors poussons une bordée vers la pointe de Monts, répliqua le patron du *Champlain*. Les eaux y sont meilleures, et nous reviendrons sur Matane à l'étale de la mer.»

Les écoutes furent raidies, l'embarcation lofa, et, bien appuyée par la brise, tandis que le courant la prenait en dessous, elle se dirigea vers la pointe de Monts, située sur la rive septentrionale du fleuve, dont la largeur, en cet endroit, est comprise entre neuf et dix lieues.

Après une heure de navigation, le *Champlain* mit en panne, et, son foc bordé au vent, commença à pêcher sous petite voilure et petite vitesse. Il se trouvait au centre de ce magnifique estuaire, encadré d'une zone de terres cultivables qui s'étendent, au nord, jusqu'au pied des premières ondulations de la chaîne des Laurentides, au sud, jusqu'aux Monts Notre-Dame, dont les plus hauts pics dominent de treize cents pieds le niveau de la mer.

Pierre Harcher et ses frères étaient habiles en leur métier. Ils l'exerçaient sur tout le cours du fleuve. Au milieu des rapides et des barrages de Montréal, ils prenaient quantité d'aloses au moyen de fascines. Aux environs de Québec, ils faisaient la pêche aux saumons ou aux gaspereaux, entraînés à l'époque du frai dans les eaux plus douces de l'amont. C'était rare que leurs «marées» ne fussent pas extrêmement fructueuses.

Pendant cette matinée, les gaspereaux donnèrent en abondance. À plusieurs reprises, les filets s'emplirent à rompre. Aussi, vers dix heures, le *Champlain* éventant ses voiles, put-il mettre le cap au sud-ouest pour rallier Matane.

Il était plus sûr, en effet, de regagner la côte méridionale du fleuve. Au nord, les bourgades, les villages, sont clairsemés, la population est rare dans cette région aride. À vrai dire, ce territoire n'est formé que d'un amoncellement de roches chaotiques. À l'exception de la vallée du Saguenay, par laquelle s'écoule le trop plein du lac Saint-Jean, et dont le sol est alluvionnaire, le rendement végétal est peu rémunérateur, en dehors des riches forêts, dont le pays est largement couvert.

Au sud du fleuve, au contraire, la terre est féconde, les paroisses sont importantes, les villages nombreux, et, ainsi qu'il a été dit, c'est comme un panorama d'habitations qui se développe depuis les bouches du Saint-Laurent jusqu'à la hauteur de Québec. Si les touristes sont attirés par le pittoresque décor de la vallée du Saguenay ou de la Malbaie, les baigneurs canadiens et américains – principalement ceux que les ardentes températures de la Nouvelle-Angleterre chassent vers les fraîches zones du grand fleuve – fréquentent plus volontiers sa rive méridionale.

C'est là, au marché de Matane d'abord, que le Champlain vint apporter ses premières charges de poissons. Jean et deux des frères Harcher, Michel et Tony, allèrent de porte en porte offrir le produit de leur pêche. Pourquoi eût-on remarqué que Jean restait dans quelques-unes de ces maisons plus de temps que n'en comportait un trafic de ce genre, qu'il pénétrait à l'intérieur des habitations, qu'il échangeait quelques mots, non plus avec les domestiques, mais avec les maîtres? Et, aussi, pourquoi aurait-on observé que, dans certaines demeures de condition modeste, il remettait parfois plus d'argent que ses camarades n'en recevaient pour prix de leur marchandise?

Il en fut ainsi, durant les jours suivants, au milieu des bourgades de la côte méridionale, à Rimouski, à Bic, à Trois-Pistoles, à la plage de Caconna, l'une des stations balnéaires à la mode de cette rive du Saint-Laurent.

À la Rivière-du-Loup – petite ville où Jean s'arrêta dans la matinée du 17 septembre – le Champlain reçut la visite des agents préposés à la surveillance spéciale du fleuve. Mais tout alla bien. Depuis quelques années déjà, Jean était porté sur les papiers du cotre comme s'il eût été l'un des fils de Thomas Harcher. Jamais la police n'aurait soupçonné que, sous l'habit d'un pêcheur acadien, se cachait le proscrit, dont la tête valait maintenant six mille piastres à quiconque le livrerait.

Puis, lorsque les agents eurent achevé leur visite:

«Peut-être, dit Pierre Harcher, ferons-nous bien d'aller chercher refuge sur l'autre rive.

– C'est notre avis, dit Michel.

– Et pourquoi? demanda Jean. Est-ce que notre bateau a paru suspect à ces hommes? Est-ce que tout ne s'est point passé comme d'habitude? Est-ce qu'on peut mettre en doute que je sois de la famille Harcher, comme tes frères et toi?

– Eh! j'imagine volontiers que tu en es réellement! s'écria Jacques, le plus jeune des cinq, qui était d'un caractère enjoué. Notre brave père a tant d'enfants qu'un de plus ne l'embarrassait guère, et qu'il pourrait s'y tromper lui-même!

– Et d'ailleurs, ajouta Tony, il t'aime comme un fils, et nous t'aimons comme si nous étions du même sang!

– Ne le sommes-nous pas, Jean, et, comme toi, de race française? dit Rémy.

– Oui, certes! répondit Jean. Pourtant, je ne crois pas que nous ayons à craindre de la police...

– On ne se repent jamais d'avoir été trop prudent! fit observer Tony.

– Non, sans doute, répondit Jean, et si c'est uniquement par prudence que Pierre propose de traverser le fleuve...

– Par prudence, oui, répondit le patron du *Champlain*, car le temps va changer!

– C'est autre chose, cela! répondit Jean.

– Regarde, reprit Pierre. La bourrasque de nord-est ne tardera pas à se lever, et j'ai comme une idée qu'elle sera bien raide!... Je sens cela!... Oh! nous en avons bravé bien d'autres; mais il faut songer à notre bateau, et je ne me soucie pas de le mettre en perdition sur les roches de la Rivière-du-Loup ou de Kamouraska!

– Soit! répondit Jean. Regagnons la rive nord, du côté de Tadoussac, si c'est possible. Nous remonterons alors le cours du Saguenay jusqu'à Chicoutimi, et là nous ne perdrons ni notre temps ni nos peines!

– Vite alors ! s'écria Michel. Pierre a raison ! Ce gueux de nord-est n'est pas loin. S'il prenait le *Champlain* par le travers, nous ferions cent fois plus de chemin vers Québec qu'il n'y en a vers Tadoussac ! »

Les voiles du *Champlain* furent orientées au plus près, et, pointant dans la direction du nord, le cotre commença à mordre sur le vent, qui adonnait en retombant peu à peu.

Ces tempêtes de nord-est ne sont malheureusement pas rares, même en été. Soit qu'elles ne durent que deux ou trois heures, soit qu'elles se déchaînent pendant une semaine entière, elles apportent les brumes glaciales du golfe et inondent la vallée de pluies torrentielles.

Il était huit heures du soir. Pierre Harcher ne s'était pas trompé à la vue de certains nuages, déliés comme des flèches, qui annonçaient la bourrasque. Il n'était que temps d'aller chercher l'abri de la côte septentrionale.

Cinq à six lieues au plus séparent la Rivière-du-Loup de l'embouchure du Saguenay. Elles furent rudes à enlever. Le coup de vent s'abattit comme une trombe sur le *Champlain*, lorsqu'il n'était qu'au tiers de la route. Il fallut réduire la voilure au bas ris, et encore le cotre se trouva-t-il forcé jusqu'à faire craindre que la mâture ne se rompît au ras du pont. La surface du fleuve, démontée comme la mer devait l'être dans le golfe, se soulevait en énormes lames, qui tamponnaient l'étrave du *Champlain* et le couvraient en grand. C'était dur pour une embarcation d'une douzaine de tonneaux. Mais son équipage était plein de sang-froid, habile à la manœuvre. Plus d'une fois déjà, il avait essuyé de grosses tempêtes, lorsqu'il s'aventurait au large entre Terre-Neuve et l'île du Cap Breton. Donc il était permis de compter sur ses qualités marines comme sur la solidité de sa coque.

Cependant, Pierre Harcher eut fort à faire pour atteindre l'embouchure du Saguenay, et dut lutter pendant trois longues heures. Lorsque le jusant se fut établi, s'il favorisa la dérive du cotre, il rendit le choc des lames plus redoutable encore. Qui n'a pas été pris dans une de ces bourrasques de nord-est, à travers la vallée si largement découverte de Saint-Laurent, ne saurait en imaginer les violences. Elles sont un véritable fléau pour les comtés situés en aval de Québec.

Jean remettant pafois plus d'argent...

Heureusement, le *Champlain*, après avoir trouvé l'abri de la rive septentrionale, put se réfugier, avant la nuit tombante, dans l'embouchure du Saguenay.

La bourrasque n'avait duré que quelques heures. Aussi, le 19 septembre, dès l'aube, Jean put-il continuer sa campagne en remontant le Saguenay, dont le cours se développe à l'aplomb de ces hautes falaises des caps de la Trinité et de l'Éternité, qui mesurent dix-huit cents pieds d'altitude. Là, en ce pittoresque pays, s'offrent aux regards les plus beaux sites, les plus étranges points de vue de la

La cotre arriva devant Québec.

province canadienne, et, entre autres, cette merveilleuse baie de Ha-Ha! – appellation onomatopique que lui a décernée l'admiration de touristes. Le *Champlain* atteignit Chicoutimi, où Jean put se mettre en rapport avec les membres du comité réformiste, et, le lendemain, profitant de la marée de nuit, il reprit direction vers Québec.

Entre-temps, Pierre Harcher et ses frères n'oubliaient point qu'ils étaient pêcheurs de leur état. Chaque soir, ils tendaient leurs filets et leurs lignes. De grand matin, ils accostaient les nombreux villages des deux bords. C'est ainsi que, sur la rive septentrionale, d'un aspect presque sauvage, le long du comté de Charlevoix, depuis

Tadoussac jusqu'à la baie, Saint-Paul, ils visitèrent la Malbaie, Saint-Irénée, Notre-Dame-des-Éboulements, dont le nom significatif n'est que trop justifié par sa situation au milieu d'un chaos de roches. Ce furent les côtes de Beauport et de Beaupré, où Jean fit œuvre utile en débarquant à Château-Richer; puis à l'île d'Orléans, située en aval de Québec.

Sur la rive méridionale, le Champlain relâcha successivement à Saint-Michel, à la Pointe-Lévis. Il y eut là certaines précautions à prendre, car la surveillance de cette partie du fleuve était extrêmement sévère. Peut-être même eut-il été prudent de ne point s'arrêter à Québec, où le cotre arriva dans la soirée du 22 septembre. Mais Jean avait pris rendez-vous avec l'avocat Sébastien Gramont, l'un des plus ardents députés de l'opposition canadienne.

Lorsque l'obscurité fut complète, Jean se glissa vers les hauts quartiers de la ville et gagna, par la rue du Petit-Champlain, la maison de Sébastien Gramont.

Les rapports entre Jean et l'avocat dataient depuis quelques années déjà. Sébastien Gramont, alors âgé de trente-six ans, s'était activement mêlé à toutes les manifestations politiques des dernières années – en 1835, plus particulièrement, où il avait payé de sa personne. De là, sa liaison avec Jean-Sans-Nom, qui, d'ailleurs, ne lui avait jamais rien dit de son origine et de sa famille. Sébastien Gramont ne savait qu'une chose, c'est que, l'heure venue, le jeune patriote se mettrait à la tête de l'insurrection. Aussi, ne l'ayant pas revu depuis la tentative avortée de 1835, l'attendait-il avec une vive impatience.

Lorsque Jean arriva, il fut cordialement accueilli.

«Je n'ai que quelques heures à vous donner, dit-il.

– Eh bien, répondit l'avocat, employons-les à causer du passé et du présent...

– Du passé!... non! répéta Jean. Du présent... de l'avenir... de l'avenir surtout!»

Depuis qu'il le connaissait, Sébastien Gramont sentait bien qu'il devait y avoir dans la vie de Jean quelque souffrance dont il ne pouvait deviner la cause. Même, vis-à-vis de lui, Jean affectait de se tenir dans une telle réserve qu'il évitait de lui tendre la main. Aussi Sébastien Gramont n'avait-il jamais insisté. Lorsqu'il conviendrait à son ami de lui confier ses secrets, il serait prêt à l'entendre.

Pendant les quelques heures qu'ils passèrent ensemble, tous deux ne causèrent que de la situation politique. D'une part, l'avocat fit connaître à Jean quel était l'état des esprits dans le Parlement. De l'autre, Jean mit Sébastien Gramont au courant des mesures déjà prises en vue d'un soulèvement, la formation d'un comité de concentration à la villa Montcalm, les résultats de son voyage à travers le Haut et le Bas-Canada. Il ne lui restait plus qu'à parcourir le district de Montréal pour achever sa campagne.

L'avocat l'écouta avec une extrême attention, et tira bon augure des progrès que la cause nationale avait faits depuis quelques semaines. Pas une bourgade, pas un village, où l'argent n'eût été distribué pour l'achat de munitions et d'armes, et qui n'attendit le signal.

Jean apprit alors quelles étaient les dernières dispositions arrêtées par l'autorité à Québec.

«Et d'abord, mon cher Jean, lui dit Sébastien Gramont, le bruit a couru que vous étiez ici, il y a un mois environ. Des perquisitions ont été faites pour découvrir votre retraite, et jusque dans ma propre maison, où vous aviez été faussement signalé. J'ai reçu la visite des agents, et, entre autres, celle d'un certain Rip...

– Rip! s'écria Jean, d'une voix étranglée, comme si ce nom eût brûlé ses lèvres.

– Oui... le chef de la maison Rip and Co., répondit Sébastien Gramont. N'oubliez pas que ce policier est un homme des plus dangeureux...

– Dangeureux!... murmura Jean.

– Et dont il faudra particulièrement vous défier, ajouta Sébastien Gramont.

– S'en défier! répondit Jean. Oui! s'en défier comme d'un misérable!...

– Est-ce que vous le connaissez?...

– Je le connais, répliqua Jean, qui avait repris son sang-froid, mais il ne me connaît pas encore!...

– C'est l'important!» ajouta Sébastien Gramont, assez surpris de l'attitude de son hôte.

D'ailleurs, Jean reportant la conversation sur un autre sujet, interrogea l'avocat à propos de la politique du Parlement pendant ces dernières semaines.

«À la Chambre, répondit Sébastien Gramont, l'opposition est à l'état aigu. Papineau, Cuvillier, Viger, Quesnel, Bourdages, attaquent les actes du Gouvernement. Lord Gosford voudrait proroger la Chambre, mais il sent bien que ce serait soulever le pays...

– Dieu veuille qu'il ne le fasse pas avant que nous soyons prêts! répondit Jean. Que les chefs ne précipitent pas imprudemment les choses!...

– Ils seront avertis, Jean, et ils ne feront rien qui puisse contrarier vos projets. Toutefois, en prévision d'une insurrection possible et qui éclaterait dans un délai rapproché, des mesures ont été prises par le gouverneur général. Sir John Colborne a concentré les troupes dont il pouvait disposer, de manière à les porter rapidement vers les principales bourgades des comtés du Saint-Laurent, où, dit-on, s'engagera probablement la lutte...

– Là et sur vingt autres points à la fois – je l'espère, du moins, répondit Jean. Il importe que toute la population canadienne se lève au même jour, à la même heure, et que les bureaucrates soient accablés par le nombre! Si le mouvement n'était que local, il risquerait d'être enrayé dès le début. C'est pour le généraliser que j'ai visité les paroisses de l'est et de l'ouest, que je vais parcourir celles du centre. Je compte repartir cette nuit même.

– Partez donc, Jean, mais n'oubliez pas que les soldats et les volontaires de sir John Colborne sont plus particulièrement cantonnés autour de Montréal, sous le commandement des colonels Gore et Witherall. C'est là que nous aurons, sans doute, à supporter le plus terrible choc...

– Tout sera combiné pour obtenir l'avantage dès les premiers coups de feu, répondit Jean. Précisément, le comité de la villa Montcalm est bien placé en vue d'une action commune, et je connais l'énergie de M. de Vaudreuil qui le dirige. D'ailleurs, dans les comtés de Verchères, de Saint-Hyacinthe, de Laprairie, qui avoisinent celui de Montréal, les plus ardents des Fils de la Liberté ont communiqué aux villes, aux bourgades, aux villages, le feu de leur patriotisme...

– Et il n'est pas jusqu'au clergé qui ne l'attise! répondit Sébastien Gramont. En public comme en particulier, dans les sermons comme dans les entretiens, nos prêtres prêchent contre la tyrannie anglo-saxonne. Il y a quelques jours, à Québec même, dans la cathédrale, un jeune prédicateur n'a pas craint de faire appel au sentiment national, et ses paroles ont eu un retentissement tel que le ministre de la police a voulu le faire arrêter. Mais, par prudence, lord Gosford, désireux de ménager le clergé canadien, s'est opposé à cette mesure de rigueur. Il a seulement obtenu de l'évêque que ce prédicateur quitterait la ville, et maintenant il poursuit sa mission à travers les paroisses du comté de Montréal. C'est un véritable tribun de la chaire, d'une éloquence entraînante, que ne retient aucune considération personnelle, et qui ferait certainement à notre cause le sacrifice de sa liberté et de sa vie!

– Il est jeune, avez-vous dit, ce prêtre dont vous parlez? demanda Jean.

– Il a trente ans à peine.

– À quel ordre appartient-il?

– À l'ordre des Sulpiciens.

– Et il se nomme?...

– L'abbé Joann.»

Ce nom évoqua-t-il un souvenir dans l'esprit de Jean? Sébastien Gramont dut le penser, car le jeune homme garda le silence quelques instants. Puis, il prit congé de l'avocat, bien que celui-ci lui offrit l'hospitalité jusqu'au lendemain.

«Je vous remercie, mon cher Gramont, dit-il. Il importe que j'aie rejoint mes compagnons avant minuit. Nous devons partir à la marée montante.

– Allez donc, Jean, répondit l'avocat. Que votre entreprise réussisse ou non, vous n'en serez pas moins un de ceux qui auront le plus fait pour notre pays!

– Je n'aurai rien fait, tant qu'il sera sous le joug de l'Angleterre, s'écria le jeune patriote, et, si je parvenais à l'en délivrer, fût-ce au prix de ma vie...

– Il vous devrait une reconnaissance éternelle! répondit Sébastien Gramont.

– Il ne me devrait rien!»

Là-dessus, les deux amis se séparèrent. Puis, Jean, après avoir regagné le Champlain, mouillé à une encâblure de la rive, reprit avec le courant la route de Montréal.

VII

DE QUÉBEC À MONTRÉAL

À minuit, le cotre avait déjà gagné quelques milles en amont. Au sein de cette nuit, éclairée par la lumière de la pleine lune, Pierre Harcher manœuvrait avec sûreté, bien qu'il dût courir des bordées d'une rive à l'autre, car le vent soufflait de l'ouest à l'état de fraîche brise.

Le *Champlain* ne s'arrêta qu'un peu avant le lever de l'aube. De légères brumes noyaient alors les larges prairies au delà des deux berges. Bientôt les têtes d'arbres, groupés à l'arrière-plan, émergèrent de ces vapeurs que le soleil commençait à dissoudre, et le cours du fleuve redevint visible.

Nombre de pêcheurs étaient déjà à la besogne, traînant leurs filets et leurs lignes à la remorque de ces petites embarcations qui n'abandonnent guère le haut cours du Saint-Laurent ou ses affluents de droite ou de gauche. Le *Champlain* alla se perdre au milieu de cette flottille, livrée à ses occupations matinales entre les rives des comtés du Port-Neuf et de Lotbinière. Les frères Harcher se mirent aussitôt au travail, après avoir jeté l'ancre du côté septentrional. Il leur fallait quelques mannes de poisson, afin de l'aller vendre dans les villages, dès que le flot permettrait de remonter le fleuve malgré le vent contraire.

Pendant la pêche, des canots d'écorce vinrent accoster le Champlain. C'étaient deux ou trois de ces légers squifs que l'on peut mettre sur l'épaule, lorsqu'il s'agit de franchir les «portages», c'est-à-dire l'espace pendant lequel un cours d'eau est rendu innavigable par les roches qui l'obstruent, les chutes ou «sauts» qui le barrent, les rapides ou tourbillons qui troublent si fréquemment les rivières canadiennes.

Les hommes de ces canots étaient de race indienne.

Les hommes de ces canots étaient de race indienne pour la plupart. Ils venaient acheter du poisson qu'ils transportaient ensuite dans les bourgades et villages de l'intérieur, où leurs embarcations pénétraient par les multiples rios du territoire. À diverses reprises, pourtant, ce furent des Canadiens qui vinrent accoster le *Champlain*. Ils s'entretenaient pendant quelques minutes avec Jean; après quoi ils regagnaient la rive, afin d'accomplir la mission dont ils s'étaient chargés.

Ce matin-là, si les frères Harcher n'eussent cherché dans la pêche que le gain ou le plaisir, leur vœu aurait été amplement satisfait.

Jean avait rejoint le patron.

Filets et lignes firent merveille, en capturant brochets, perches, perchotes, et ces espèces si abondantes dans les eaux canadiennes, maskinongis et touradis, dont on est très friand dans le Nord-Amérique. Ils prirent aussi quantité de ce «poisson blanc» que les gourmets apprécient pour sa chair excellente. Il serait donc fait bon accueil aux pêcheurs du *Champlain* dans les habitations riveraines, et c'est ce qui arriva.

Ils étaient favorisés, d'ailleurs, par un temps magnifique – ce temps spécial, pour ainsi dire, à l'heureuse et incomparable vallée du

Saint-Laurent. Quel délicieux aspect que celui des campagnes avoisinantes, depuis les berges du fleuve jusqu'au pied de la chaîne des Laurentides! Suivant la poétique expression de Fenimore Cooper, elles n'en étaient que plus belles pour avoir revêtu leur livrée d'automne – la livrée verte et jaune des derniers beaux jours.

Le *Champlain* gagna d'abord la lisière du comté de Port-Neuf sur la rive gauche. Dans la bourgade de ce nom, comme dans les villages de Sainte-Anne et de Saint-Stanislas, on fit des affaires. Peut-être, sur certains points, le Champlain laissa-t-il plus d'argent qu'il n'en reçut pour les produits de sa pêche; mais les frères Harcher ne songeaient pas à s'en plaindre.

Pendant les deux jours suivants, Jean navigua ainsi d'une rive à l'autre. Dans le comté de Lotbinière, sur la rive droite, à Lotbinière et à Saint-Pierre-les-Bosquets – dans le comté de Champlain, sur la rive opposée, à Batiscan –, ensuite, sur l'autre bord, à Gentilli, à Doucette, les principaux réformistes reçurent sa visite. Ce fut même l'un des personnages les plus influents de Nicolet, dans le comté de ce nom, M. Aubineau, juge de paix et commissaire des petites causes du district, qui se mit en rapport avec lui. Là aussi, comme à Québec, Jean apprit que l'abbé Joann venait de parcourir les paroisses, où ses prédications avaient enflammé les esprits. M. Aubineau lui ayant parlé des munitions et des armes qui faisaient le plus généralement défaut:

« Vous en recevrez prochainement, répondit-il. Un train de bois a dû partir de Montréal la nuit dernière, et il ne peut tarder à arriver avec fusils, poudre et plomb. Vous serez donc armés à temps. Mais ne vous levez pas avant l'heure. En outre, si cela était nécessaire, vous pourriez entrer en communication avec le comité de la villa Montcalm, dans l'île Jésus, et correspondre avec son président...

– M. de Vaudreuil?...

– Lui-même.

– C'est entendu.

– Ne m'avez-vous pas dit, reprit Jean, que l'abbé Joann avait passé par Nicolet?

– Il était ici, il y a six jours.

– Savez-vous où il allait en vous quittant?

– Dans le comté de Verchères, et il doit, si je ne me trompe, se rendre ensuite dans le comté de Laprairie! »

Sur ce, Jean prit congé du juge de paix, et rentra à bord du *Champlain*, au moment où les frères Harcher y revenaient, après avoir vendu leur poisson. Le fleuve fut alors obliquement traversé dans la direction du comté de Saint-Maurice.

À l'embouchure de la rivière de ce nom, s'élève l'une des plus anciennes bourgades du pays, la bourgade de Trois-Rivières, au débouché d'une vallée fertile. À cette époque, on venait d'y créer une fonderie de canons, dirigée par une société franco-canadienne, et qui n'occupait que des ouvriers franco-canadiens.

C'était là un centre anti-loyaliste que Jean ne pouvait négliger. Le *Champlain* remonta donc pendant plusieurs milles le cours du Saint-Maurice, et le jeune patriote se mit en relation avec les comités institués dans les paroisses.

Il est vrai, cette fonderie, de création récente, se trouvait encore dans la période d'organisation. Quelques mois plus tard, peut-être les réformistes auraient-ils pu s'y fournir de ces bouches à feu dont ils étaient malheureusement privés. Il était possible, cependant – à la condition que l'on travaillât jour et nuit –, qu'ils fussent en mesure d'opposer à l'artillerie des troupes royales les premiers canons fondus à l'usine de Saint-Maurice. Jean eut un très important entretien à ce sujet avec les chefs des comités. Que quelques-unes de ces pièces fussent fabriquées à temps, et les bras ne manqueraient pas pour les servir.

En quittant les Trois-Rivières, le *Champlain* longea à gauche la rive du comté de Maskinongé, relâcha à la petite ville de ce nom, puis déboucha, la nuit du 24 au 25 septembre, dans un assez large évasement du Saint-Laurent, qu'on appelle le lac Saint-Pierre. Là se développe, en effet, une sorte de lac, long de cinq lieues, limité en amont par une série d'îlots, qui s'étendent depuis Berthier, bourgade du comté de ce nom, jusqu'à Sorel, appartenant au comté de Richelieu.

En cet endroit, les frères Harcher tendirent leurs filets, ou plutôt les mirent à la traîne, et, servis par le courant, ils continuèrent à remonter le fleuve sous petite vitesse. D'épais nuages couvraient le ciel, et l'obscurité était assez profonde pour qu'il fût impossible d'apercevoir les rives dans le nord et dans le sud.

Un peu après minuit, Pierre Harcher, de garde à l'avant, aperçut un feu qui brillait en amont du fleuve.

«C'est sans doute le fanal d'un navire en dérive, dit Rémy, qui avait rejoint son frère.

– Attention aux filets! répliqua Jacques. Nous en avons trente brasses dehors, et ils seraient perdus, si ce navire nous tombait en travers!

– Eh bien, gagnons sur le tribord, dit Michel. Dieu merci! l'espace ne manque pas...

– Non, répondit Pierre, mais le vent refuse, et nous allons dériver...

– Il vaudrait mieux haler nos filets, fit observer Tony. Ce serait plus sûr...

– Oui, et ne perdons pas de temps», répliqua Rémy.

Les frères Harcher se préparaient à rentrer leurs engins à bord lorsque Jean dit:

«Êtes-vous certains que ce soit un navire qui se laisse aller au courant du fleuve?...

– Je ne sais trop, répondit Pierre. En tout cas, il s'approche lentement, et son feu est placé bien au ras de l'eau.

– Cest peut-être une cage?... dit Jacques.

– Si c'est une cage, répliqua Rémy, raison de plus pour l'éviter! Nous ne pourrions nous en débrouiller! Allons, hale à bord!»

En effet, le *Champlain* eût risqué de compromettre ses filets, si les frères Harcher ne se fussent hâtés de les ramener, sans même prendre le temps de dégager le poisson pris dans leurs mailles. Il n'y avait pas un instant à perdre, car le feu signalé ne se trouvait pas à plus de deux encâblures.

On appelle «cages», en Canada, des trains de bois, composés de soixante à soixante-dix «cribs», c'est-à-dire sections, dont l'ensemble comprend au moins mille pieds cubes. À partir du jour où la débâcle rend le fleuve à la navigation, nombre de ces cages le descendent vers

Montréal ou Québec. Elles viennent de ces immenses forêts de l'ouest, qui forment une des inépuisables richesses de la province canadienne. Qu'on se figure un assemblage flottant, émergeant de cinq à six pieds, comme un énorme ponton sans mâts. Il est composé de troncs, qui ont été équarris sur les lieux mêmes par la hache du bûcheron, ou débités en madriers et en planches par les scieries établies aux chutes des Chaudières, sur la rivière Outaouais. De ces trains, il en descend ainsi des milliers depuis le mois d'avril jusqu'au milieu d'octobre, évitant les sauts et les rapides au moyen de glissoires construites sur le fond d'étroits canaux à fortes pentes. Si quelques-unes de ces cages s'arrêtent à Montréal pour fournir au chargement des bâtiments qui les transportent dans les mers d'Europe, la plupart dérivent jusqu'à Québec. Là est le centre de ces exploitations forestières, dont le rendement se chiffre chaque année par vingt-cinq à trente millions de francs au profit du commerce canadien.

Il va de soi que ces trains de bois ne peuvent que gêner la navigation du fleuve, surtout lorsqu'ils s'engagent à travers les branches intermédiaires dont la largeur est souvent médiocre. Abandonnés au courant de jusant, tant qu'il dure, il est à peu près impossible de les diriger. C'est donc aux bâtiments, embarcations de pêche ou autres, de s'en garer, s'ils veulent ne point risquer des abordages qui leur causeraient de très graves avaries. On le comprend, les frères Harcher ne devaient pas hésiter à ramener leurs filets, jetés sur le passage de la cage, que l'accalmie les empêchait d'éviter.

Jacques ne s'était point trompé, c'était une cage qui descendait le fleuve. Un feu, placé à l'avant, indiquait la direction qu'elle suivait. Elle n'était plus qu'à une vingtaine de brasses, lorsque le *Champlain* eut fini de haler ses filets.

En ce moment, dans le silence de la nuit, une voix timbrée entonna cette vieille chanson du pays, qui est devenue ainsi que le fait remarquer M. Réveillaud, un vrai chant national – il faut le dire, plutôt par l'air que par les paroles. Dans le chanteur, qui n'était autre que le patron de la cage, il était facile de reconnaître un Canadien d'origine française, rien qu'à son accent et à la façon très ouverte dont il prononçait la diphtongue «ai».

Et il chantait ceci :

> En revenant des noces,
> J'étas bien fatigué,
> à la clare fontaine,
> J'allas me reposer...

Sans doute, Jean reconnut la voix du chanteur, car il s'approcha de Pierre Harcher, au moment où le *Champlain* abattait avec ses avirons pour éviter la cage.

«Accoste, lui dit-il.

– Accoster ?... répondit Pierre.

– Oui !... c'est Louis Lacasse.

– Nous allons dériver avec lui !...

– Cinq minutes, au plus, répondit Jean. Je n'ai que quelques mots à lui dire.»

En un instant, Pierre Harcher, après avoir donné un coup de barre, eut rangé le flanc du train de bois, où le *Champlain* fut amarré par l'avant.

Le marinier, voyant cette manœuvre, avait interrompu sa chanson et crié :

«Eh ! du cotre !... prenez garde !

– Il n'y a pas de danger, Louis Lacasse ! répondit Pierre Harcher. C'est le *Champlain*.

D'un bond, Jean venait de sauter sur le train de bois, et avait rejoint le patron, qui lui dit, dès qu'il l'eût reconnu à la lueur du fanal :

«À vous rendre mes «devouers», monsieur Jean !

– Merci, Lacasse.

– Je comptas vous rencontrer en route, et j'étais même décidé à espérer le *Champlain* à mon prochain mouillage pendant le flot. Mais puisque vous voilà...

– Tout est à bord ? demanda Robert.

– Tout est à bord, caché sous les madriers et entre les poutres !... C'est joliment arrimé, je vous assure ! ajouta Louis Lacasse, en tirant son batte-feu pour allumer sa pipe.

– Les douaniers sont venus?...

– Oui... à Verchères!... Ces manières de gabelous sont restés là à bavasser pendant une demi-heure!... Ils n'ont rien vu!... C'est comme si c'était enfermé dans une boète!»

Louis Lacasse prononçait le mot «boîte» comme il avait dit «devouers», ainsi que cela se fait encore dans certaines provinces de France.

«Combien?... demanda Jean.

– Deux cents fusils.

– Et des sabres?

– Deux cent cinquante.

– Ils viennent?...

– Du Vermont. Nos amis les Américains ont bien travaillé, et ça ne nous a pas coûté cher. Seulement, ils ont eu quelque peine à transporter la cargaison jusqu'au fort Ontario, où nous en avons pris livraison. Maintenant, plus de difficultés!

– Et les munitions?...

– Trois tonneaux de poudre, et quelques milliers de balles. Si chacune tue son homme, il n'y aura bientôt plus un seul habit-rouge en Canada. Ils seront donc mangés par les mangeux de «nouilles», comme on nous appelle entre Anglo-Saxons!

– Tu sais maintenant, demanda Jean, à quelles paroisses sont destinées les munitions et les armes?

– Parfaitement, répondit le marinier. Et, ne craignez rien! Pas de danger d'être surpris! Pendant la nuit, au plus bas de la marée, je mouillerai ma cage, et des canots viendront de la rive qu'rir chacun leur part. Seulement, je ne descends pas plus bas que Québec, où je dois charger mes bois à bord du *Moravian*, à destination de Hambourg.

– C'est entendu, répondit Jean. Avant Québec, tu auras livré tes derniers fusils et ton dernier tonneau de poudre.

– Ça ira bien alors.

– Dis-moi, Louis Lacasse, tu es sûr des hommes qui sont embarqués avec toi?

Les pêcheurs sont très habiles à manœuvrer au milieu de ces eaux furieuses.

– Comme de moi-même! Des vrais Jean-Baptiste[1], et quand il s'agira de faire le coup de feu, je ne crois pas qu'ils restent en èrrière!»

Louis Lacasse disait «èrrière», probablement parce qu'on dit «derrière» et non «darrière».

Jean lui remit alors une certaine quantité de piastres, que le brave marinier fit tomber, sans compter, dans la poche de sa large vareuse.

1. Nom qui est souvent donné aux Franco-Canadiens des campagnes.

Puis, de vigoureuses poignées de main furent échangées avec l'équipage du cotre.

Jean reprit place alors à bord du *Champlain*, qui s'éloigna vers la rive gauche. Et, tandis que le train de bois continuait à dériver en aval, on put entendre la voix sonore de Louis Lacasse qui reprenait:

À la clare fontaine
J'allas me promener!

Une heure après, la brise revint avec la marée montante. Le *Champlain* s'engagea entre ces nombreux îlots qui limitent le lac Pierre, et ayant longé successivement le littoral des comtés de Joliette et de Richelieu, situés en face l'un de l'autre, il fit escale aux villages riverains du comté Montcalm et du comté de Verchères, dont les femmes s'étaient si courageusement battues à la fin du dix-septième siècle pour défendre un fort attaqué par les sauvages.

Tandis que le cotre stationnait, Jean rendit visite aux chefs réformistes et put s'assurer par lui-même de l'esprit des habitants. Plusieurs fois, on lui parla de Jean-Sans-Nom, dont la tête avait été mise à prix. Où était-il actuellement? Reparaîtrait-il, lorsque la bataille serait engagée? Les patriotes comptaient sur lui. En dépit de l'arrêté du gouverneur général, il pouvait venir sans crainte dans le comté, et là, pour une heure comme pour vingt-quatre, toutes les maisons lui seraient ouvertes!

Devant ces marques d'un dévouement qui aurait été jusqu'au dernier sacrifice, Jean se sentait profondément ému. Oui! il était attendu comme un Messie par la population canadienne! Et alors il se bornait à répondre:

«Je ne sais où est Jean-Sans-Nom; mais, le jour venu, il sera là où il doit être!»

Vers le milieu de la nuit du 26 au 27 septembre, le *Champlain* avait atteint la branche méridionale du Saint-Laurent, qui sépare l'île de Montréal de la rive sud.

Le *Champlain* touchait alors au terme de son voyage. Dans quelques jours, les frères Harcher allaient le désarmer pour la saison d'hiver, qui rend impraticable la navigation du fleuve. Puis, Jean et eux regagneraient le comté de Laprairie, à la ferme de Chipogan, où toute la famille du fermier se trouverait réunie pour les fêtes de mariage.

Entre l'île de Montréal et la rive droite, le bras du Saint-Laurent est formé de rapides que l'on peut considérer comme l'une des curiosités du pays. En cet endroit se développe une sorte de lac, semblable au lac Saint-Pierre, où le Champlain avait rencontré la cage du patron Louis Lacasse. On l'appelle le Saut de Saint-Louis, et il est situé en face de Lachine, petite bourgade bâtie en amont de Montréal, qui est un lieu de villégiature très recherché des Montréalais. C'est comme une mer tumultueuse, dans laquelle se déversent les eaux d'une des branches de l'Outaouais. D'épaisses forêts hérissent encore la rive droite, autour d'un village d'Iroquois christianisés, le Caughnawaga, dont la petite église dresse sa modeste flèche hors du massif de verdure.

En cette partie du Saint-Laurent, si la remontée est très difficile, la descente risque de se faire plus facilement qu'on ne le voudrait peut-être, puisqu'il suffirait d'un faux coup de barre pour jeter une embarcation à travers les rapides. Mais les mariniers, habitués à ces dangereuses passes – les pêcheurs surtout, qui viennent prendre là des aloses par myriades – sont très habiles à manœuvrer au milieu de ces eaux furieuses. À la condition de ranger la berge méridionale du fleuve et de se haler à la cordelle, il n'est point impossible d'atteindre Laprairie, chef-lieu du comté de ce nom, où le *Champlain* avait coutume d'hiverner.

Vers le milieu du jour, Pierre Harcher se trouvait un peu en aval du bourg de Lachine. D'où vient ce nom, qui est celui du vaste empire asiatique? Tout simplement des premiers navigateurs du Saint-Laurent.

Arrivés dans le voisinage du pays des grands lacs, ils se crurent sur le littoral de l'océan Pacifique, et, par conséquent, non loin du royaume des Célestes.

Le patron du *Champlain* manœuvra donc de manière à rallier la rive droite; il l'atteignit vers cinq heures du soir, à peu près sur la limite qui sépare le comté de Montréal du comté de Laprairie.

Ce fut en ce moment que Jean dit:

«Je vais débarquer, Pierre.

– Tu ne viens pas avec nous jusqu'à Laparirie? répondit Pierre Harcher.

– Non, il est nécessaire que je visite la paroisse de Chambly, et, en débarquant à Caughnawaga, j'aurai moins de chemin à faire pour y arriver.

– C'est risquer beaucoup, fit observer Pierre, et je ne te verrai pas t'éloigner sans inquiétude. Pourquoi nous quitter, Jean? Reste encore deux jours, et nous partirons tous ensemble, après le désarmement du *Champlain*.

– Je ne puis, répondit Jean. Il faut que je sois à Chambly cette nuit même.

– Veux-tu que deux de nous t'accompagnent? demanda Pierre Harcher.

– Non... Il vaut mieux que je sois seul.

– Et tu resteras à Chambly?...

– Quelques heures seulement, Pierre, et je compte en repartir avant le jour.»

Comme Jean ne paraissait pas désireux de s'expliquer sur ce qu'il allait faire dans cette bourgade, Pierre Harcher n'insista pas et se contenta d'ajouter:

«Devons-nous t'attendre à Laprairie?

– C'est inutile. Faites ce que vous avez à faire, sans vous inquiéter de moi.

– Alors nous nous retrouverons?...

– À la ferme de Chipogan.

– Tu sais, reprit Pierre, que nous devons y être tous pour la première semaine d'octobre?

– Je le sais.

– Ne manque pas d'être là, Jean! Ton absence ferait beaucoup de peine à mon père, à ma mère, à tous. On nous attend à Chipogan pour une fête de famille, et, puisque tu es devenu notre frère, il faut que tu sois là pour que la famille soit au complet.

– J'y serai, Pierre!»

Jean serra la main des fils Harcher. Puis, il descendit dans la cabine du *Champlain*, revêtit le costume qu'il portait le jour de sa visite à la villa Montcalm, et prit congé de ses braves compagnons.

Un instant après, Jean sauta sur la berge, et, après un dernier «au revoir!», il disparut sous les arbres, dont les masses profondes entourent le village iroquois.

Pierre, Rémy, Michel, Tony et Jacques se remirent aussitôt à la manœuvre. Ce ne fut pas sans de grands efforts, de rudes fatigues, qu'ils parvinrent à haler leur bateau contre le courant, en profitant des remous qui se formaient au revers des pointes.

À huit heures du soir, le *Champlain* était solidement amarré dans une petite crique, au pied des premières maisons du bourg de Laprairie.

Les frères Harcher avaient achevé leur campagne de pêche après avoir, pendant six mois et sur deux cents lieues de parcours, remonté et descendu les eaux du grand fleuve.

VIII

UN ANNIVERSAIRE

Il était cinq heures du soir, lorsque Jean quitta le *Champlain*. Trois lieues environ le séparaient de la bourgade de Chambly vers laquelle il se dirigeait.

Qu'allait-il faire à Chambly? N'avait-il pas déjà achevé son œuvre de propagande à travers les extrêmes comtés su sud-ouest, avant son arrivée à la villa Montcalm? Oui, sans doute. Mais cette paroisse n'avait pas encore reçu sa visite. Pour quelle raison? nul ne l'eût pu deviner. Il ne l'avait dit à personne, et c'est à peine s'il se la disait à lui-même. Il allait là, vers Chambly, comme s'il eut été attiré et repoussé à la fois, ayant conscience, pourtant, du combat qui se livrait en lui.

Douze ans s'étaient écoulés depuis que Jean avait quitté la bourgade où il était né. On ne l'y avait jamais revu. On ne l'y reconnaîtrait pas. Lui-même, après une si longue absence, n'aurait-il pas oublié la rue dans laquelle il jouait tout petit, la maison où s'était passée son enfance?

Non! ces souvenirs du premier âge ne pouvaient s'être effacés de sa mémoire si vivace? Au sortir de la forêt riveraine, il se revit au milieu des prairies qu'il parcourait autrefois, lorsqu'il allait rejoindre le bas du Saint-Laurent. Ce n'était point un étranger qui franchissait ce territoire, c'était un enfant du pays. Il n'éprouva pas une hésitation à suivre certaines passes guéables, à prendre des chemins de traverse, à éviter quelques coudes pour abréger la route. Aussi, lorsqu'il serait à Chambly, il n'aurait aucune hésitation à reconnaître la petite place où s'élevait la maison paternelle, la rue étroite par laquelle il y rentrait le plus ordinairement, l'église à laquelle sa mère le conduisait, le collège où il avait commencé ses études, avant qu'il fût allé les achever à Montréal?

Ainsi, Jean avait voulu revoir ces lieux, dont il s'était tenu éloigné depuis si longtemps. Au moment de jouer sa vie dans une lutte suprême, l'irrésistible désir l'avait pris de retourner là où cette existence misérable avait commencé pour lui. Ce n'était pas Jean-Sans-Nom qui se présentait aux réformistes du comté, c'était l'enfant, revenant, peut-être pour la dernière fois, au village qui l'avait vu naître.

Jean marchait d'un pas rapide, afin d'être à Chambly avant la nuit, afin d'en repartir avant le jour. Absorbé en de torturants souvenirs, ses yeux ne voyaient rien de ce qui eût autrefois attiré son attention, ni les couples d'élans qui s'en allaient sous bois, ni les oiseaux de mille sortes qui voltigeaient entre les arbres, ni le gibier qui filait par les sillons.

Quelques laboureurs étaient encore occupés aux travaux des champs. Il se détournait alors pour n'avoir point à répondre à leur salut cordial, voulant passer inaperçu à travers la campagne et revoir Chambly sans y être vu.

Il était sept heures, lorsque le clocher de l'église pointa entre les verdures. Encore une demi-lieue, et il serait arrivé. Les tintements de la cloche, apportés par le vent, arrivaient jusqu'à lui. Et, bien loin de s'écrier:

«Oui, c'est moi!... Moi, qui veux me retrouver au milieu de tout ce que j'ai tant aimé autrefois!... Je reviens au nid!... Je reviens au berceau!...»

Il se taisait, ne répondant qu'à lui-même, et se demandant avec épouvante:

«Que suis-je venu faire ici?»

Cependant, aux tintements ininterrompus de cette cloche, Jean observa que ce n'était pas l'Angelus qui sonnait en ce moment. À quel office appelait-elle alors les fidèles de Chambly et à une heure si tardive?

Après un dernier «au revoir», Jean disparut sous les arbres.

«Tant mieux! se dit Jean. On sera à l'église!... Je n'aurai point à passer devant des portes ouvertes!... On ne me verra pas!... On ne me parlera pas!... Et, puisque je n'ai à demander l'hospitalité à personne, personne ne saura que je suis venu!...»

Il se disait cela, il continuait sa route, et, par instants, l'envie lui prenait de revenir sur ses pas. Non! C'était comme une force invincible qui le poussait en avant.

À mesure qu'il s'approchait de Chambly, Jean regardait avec plus d'attention. Malgré les changements qui s'étaient opérés depuis douze ans, il reconnaissait les habitations, les enclos, les fermes établies aux abords de la bourgade.

Lorsqu'il eut atteint la principale rue, il se glissa le long des maisons, dont l'aspect était si français qu'il aurait pu se croire dans le chef-lieu d'un bailliage au dix-septième siècle. Ici habitait un ami de sa famille, chez qui Jean passait quelquefois ses jours de congé. Là demeurait le curé de la paroisse, qui lui avait donné ses premières leçons. Ces braves gens vivaient-ils encore? Puis, une plus haute bâtisse se dressa sur la droite. C'était le collège où il se rendait chaque matin, qui s'élevait à quelques centaines de pas, en remontant vers le haut quartier de Chambly.

Cette rue aboutissait à la place de l'église. La maison paternelle en occupait un angle, à gauche, sa façade tournée du côté de la place, ses derrières donnant sur un jardin, qui se raccordait aux massifs d'arbres, groupés autour de la bourgade.

La nuit était assez sombre. La grande porte entr'ouverte de l'église laissait voir, à l'intérieur, une foule vaguement éclairée par le lustre suspendu à la voûte.

Jean, n'ayant plus à craindre d'être reconnu – en admettant qu'on eût conservé souvenir de lui – eut un instant la pensée de se mêler à cette foule, d'entrer dans cette église, d'assister à l'office du soir, de s'agenouiller sur ces bancs où il avait dit ses prières d'enfant. Mais, tout d'abord, il se sentit attiré vers le côté opposé de la place, ayant pris sur la gauche, il atteignit l'angle où s'élevait la maison de sa famille...

Il se souvenait. C'était là qu'elle était bâtie. Tous les détails lui revenaient, la barrière qui fermait une petite cour en avant, le colombier qui dominait le pignon sur la droite, les quatre fenêtres du rez-de-chaussée, la porte au milieu, la fenêtre à gauche du premier étage, où la figure de sa mère lui était si souvent apparue entre les fleurs qui l'encadraient. Il avait quinze ans, lorsqu'il avait quitté Chambly pour la dernière fois. À cet âge, les choses sont déjà profondément gravées dans la mémoire. C'était bien à cette place que devait être l'habitation, construite par les premiers de sa famille au début de la colonie canadienne.

Plus de maison à cet endroit. Sur son emplacement, rien que des ruines. Ruines sinistres, non pas celles que le temps a faites, mais celles que laisse après lui quelque violent sinistre. Et ici, on ne pouvait s'y méprendre. Des pierres calcinées, des pans de murs noircis, des morceaux de poutres brûlées, des amas de cendres, blanches maintenant, disaient qu'à une époque déjà reculée, la maison avait été la proie des flammes.

Une horrible pensée traversa l'esprit de Jean. Qui avait allumé cet incendie?... Était-ce l'œuvre du hasard ou de l'imprudence?... Était-ce la main d'un justicier?...

Jean, irrésistiblement entraîné, se glissa entre les ruines... Il foula du pied les cendres entassées sur le sol. Quelques chouettes s'envolèrent. Sans doute, personne ne venait jamais là. Pourquoi donc, dans cette partie la plus fréquentée de la bourgade, oui, pourquoi avait-on laissé subsister ces ruines? Comment, après l'incendie, ne s'était-on pas donné la peine de déblayer ce terrain?

Depuis douze ans qu'il l'avait abandonnée, Jean n'avait jamais appris que la maison de sa famille eût été détruite, qu'elle ne fût plus qu'un amas de pierres, noircies par le feu.

Immobile, le cœur gonflé, il songeait à ce triste passé, au présent plus triste encore!...

«Eh! que faites-vous là, monsieur?» lui cria un vieil homme, qui venait de s'arrêter en se rendant à l'église.

Jean n'ayant point entendu, ne répondait pas.

«Eh! reprit le vieil homme, êtes-vous sourd? Ne restez pas là!... Si on vous voyait, vous risqueriez d'attraper quelque mauvais compliment!»

Jean sortit des ruines, revint sur la place, et, s'adressant à son interlocuteur:

«C'est à moi que vos parlez? demanda-t-il.

– À vous-même, monsieur. Il est défendu d'entrer en cet endroit!

– Et pourquoi?

– Parce que c'est un lieu maudit!

– Maudit!» murmura Jean.

Mais ce fut dit d'une voix si basse que le vieil homme n'aurait pu l'entendre.

«Vous êtes étranger, monsieur?

– Oui, répondit Jean.

– Et, sans doute, vous n'êtes pas venu à Chambly depuis bien des années?...

– Oui!... bien des années!...

– Il n'est pas étonnant alors que vous ne sachiez point... Croyez-moi!... C'est un bon conseil que je vous donne!... Ne retournez pas au milieu de ces décombres!

– Et pourquoi?...

– Parce que ce serait vous souiller rien que d'en fouler les cendres. C'est ici la maison du traître!...

– Du traître?...

– Oui, de Simon Morgaz!»

Il ne le savait que trop, le malheureux!

Ainsi, de l'habitation, dont sa famille avait été chassée douze ans avant, de cette demeure qu'il avait voulu revoir une dernière fois, qu'il croyait debout encore, il ne restait que quelques pans de murailles, détruites par le feu! Et la tradition en avait fait un lieu si infâme que personne n'osait plus l'approcher, que pas un des gens de Chambly ne l'apercevait sans lui jeter sa malédiction! Oui! douze ans s'étaient écoulés, et, dans cette bourgade comme partout dans les provinces canadiennes, rien n'avait pu diminuer l'horreur qu'inspirait le nom de Simon Morgaz!

Jean avait baissé les yeux, ses mains tremblaient, il se sentait défaillir. Sans l'obscurité, le vieil homme aurait vu le rouge de la honte lui monter au visage.

Celui-ci reprit:

«Vous êtes Canadien?...

– Oui, répondit Jean.

– Alors vous ne pouvez ignorer le crime qu'avait commis Simon Morgaz?

– Qui l'ignore en Canada?

– Personne en vérité, monsieur! Vous êtes sans doute des comtés de l'est?

– Oui... de l'est... du Nouveau-Brunswick.

– De loin,... de très loin alors! Vous ne saviez peut-être pas que cette maison avait été détruite?...

– Non!... Un accident... sans doute?...

– Point, monsieur, point! reprit le vieil homme. Peut-être aurait-il mieux valu qu'elle eût été brûlée par le feu du ciel! Et certainement, ce serait arrivé un jour ou l'autre, puisque Dieu est juste!... Mais on a devancé sa justice! Et, le lendemain même du jour où Simon Morgaz a été chassé de Chambly avec sa famille, on s'est rué sur cette habitation... On l'a incendiée... Puis, pour l'exemple, afin que le souvenir ne s'en perde jamais, on a laissé les ruines dans l'état où vous les voyez! Seulement, il est interdit de s'en approcher, et personne ne voudrait se salir à la poussière de cette maison!»

Immobile, Jean écoutait tout cela. L'animation avec laquelle parlait ce brave homme montrait bien que l'horreur pour tout ce qui avait appartenu à Simon Morgaz subsistait dans toute sa violence! Où Jean venait chercher des souvenirs de famille, il n'y avait que des souvenirs de honte!

Cependant, son interlocuteur, en causant, s'était peu à peu éloigné de l'habitation maudite, et se dirigeait vers l'église. La cloche venait de lancer ses dernières volées à travers l'espace. L'office allait commencer. Quelques chants se faisaient déjà entendre, interrompus par de longs silences.

Le vieil homme dit alors:

«Maintenant, monsieur, je vais vous quitter, à moins que votre intention ne soit de m'accompagner à l'église. Vous entendriez un sermon qui fera grand effet dans la paroisse...

– Je ne puis, répondit Jean. Il faut que je sois à Laprairie avant le jour...

– Alors, vous n'avez pas de temps à perdre, monsieur. En tout cas, les chemins sont sûrs. Depuis quelques temps, les agents parcourent jour et nuit le comté de Montréal, toujours à la poursuite de Jean-Sans-Nom qu'ils n'atteindront point. Dieu fasse cette grâce à notre cher pays!... On compte sur ce jeune héros, monsieur, et on a raison... Si j'en crois les bruits, il ne trouverait ici que de braves gens, prêts à le suivre!...

– Comme dans tout le comté, répondit Jean.

– Plus encore, monsieur! N'avons-nous pas à racheter la honte d'avoir eu pour compatriote un Simon Morgaz!»

Le vieil homme aimait à causer, on le voit; mais, enfin, il allait prendre définitivement congé, en donnant le bonsoir à Jean lorsque celui-ci, l'arrêtant, dit:

«Mon ami, vous avez peut-être connu la famille de ce Simon Morgaz?

– Oui, monsieur, et beaucoup! J'ai soixante-dix ans, j'en avais cinquante-huit à l'époque de cette abominable affaire. J'ai toujours habité ce pays qui était le sien, et jamais, non jamais, je n'aurais pensé que Simon en serait arrivé là! Qu'est-il devenu?... Je ne sais!... Peut-être est-il mort?... Peut-être est-il passé à l'étranger, sous un autre nom, afin qu'on ne pût lui cracher le sien à la face! Mais sa femme, ses enfants!... Ah! les malheureux, que je les plains, ceux-là! Madame Bridget, que j'ai vue si souvent, toujours bonne et généreuse, bien qu'elle fût dans une modeste condition de fortune!... Elle qui était aimée de tous dans notre bourgade!... Elle qui avait le cœur plein du plus ardent patriotisme!... Ce qu'elle a dû souffrir, la pauvre femme, ce qu'elle a dû souffrir!»

Comment peindre ce qui se passait dans l'âme de Jean! Devant les ruines de la maison détruite, là où s'était accompli le dernier acte de la trahison, là où les compagnons de Simon Morgaz avaient été livrés, entendre évoquer le nom de sa mère, revoir dans son souvenir toutes les misères de sa vie, c'était, semblait-il, plus que n'en peut supporter la nature humaine. Il fallait que Jean eût une extraordinaire énergie pour se contenir, pour qu'un cri d'angoisse ne s'échappât point de sa poitrine.

Et le vieil homme continuait, disant:

«Ainsi que la mère, j'ai connu les deux fils, monsieur! Ils tenaient d'elle! Ah! la pauvre famille!.. Où sont-ils en ce moment?... Tous les aimaient ici pour leur caractère, leur franchise, leur bon cœur! L'aîné était grave déjà, très studieux, le cadet, plus enjoué, plus déterminé, prenant la défense des faibles contre les forts!... Il se nommait Jean!... Son frère se nommait Joann... et, tenez, précisément comme le jeune prêtre qui va prêcher tout à l'heure...

– L'abbé Joann?.. s'écria Jean.

– Non... mon ami... non!... Mais j'ai entendu parler de ses prédications...

– Eh bien, si vous ne le connaissez pas, monsieur, vous devriez faire sa connaissance!... Il a parcouru les comtés de l'ouest, et partout, on s'est précipité pour l'entendre!... Vous verriez quel enthousiasme il provoque!... Et si vous pouviez retarder votre départ d'une heure...

– Je vous suis!» répondit Jean.

Le vieillard et lui se dirigèrent vers l'église, où ils eurent quelque peine à trouver place.

Les premières prières étaient dites, le prédicateur venait de monter en chaire.

L'abbé Joann était âgé de trente ans. Avec sa figure passionnée, son regard pénétrant, sa voix chaude et persuasive, il ressemblait à son frère, étant imberbe comme lui. En eux se retrouvaient les traits caractéristiques de leur mère. À le voir comme à l'entendre, on comprenait l'influence que l'abbé Joann exerçait sur les foules, attirées par sa renommée. Porte-parole de la foi catholique et de la foi nationale, c'était un apôtre, au véritable sens du mot, un enfant de cette forte race des missionnaires, capables de donner leur sang pour confesser leurs croyances.

L'abbé Joann commençait sa prédication. À tout ce qu'il disait pour son Dieu, on sentait tout ce qu'il voulait dire pour son pays. Ses allusions à l'état actuel du Canada étaient faites pour passionner des auditeurs, chez lesquels le patriotisme n'attendait qu'une occasion pour se déclarer par des actes. Son geste, sa parole, son attitude, faisaient courir de sourds frémissements à travers cette modeste église de village, lorsqu'il appelait les secours du ciel contre les spoliateurs des libertés publiques. On eût dit que sa voix vibrante sonnait comme un clairon, que son bras tendu agitait du haut de la chaire le drapeau de l'indépendance.

«Eh! reprit le vieil homme, êtes-vous sourd?»

Jean, perdu dans l'ombre, écoutait. Il lui semblait que c'était lui qui parlait par la bouche de son frère. C'est que les mêmes idées, les mêmes aspirations, se rencontraient dans ces deux êtres, si unis par le cœur. Tous deux luttaient pour leur pays, chacun à sa manière, l'un par la parole, l'autre par l'action, l'un et l'autre également prêts aux derniers sacrifices.

À cette époque, le clergé catholique possédait en Canada une influence considérable, au double point de vue social et intellectuel. On y regardait les prêtres comme des personnes sacrées. C'était la lutte

«Au feu, le traitre!... Au feu, Simon Morgaz!»

des vieilles croyances catholiques, implantées par l'élément français dès l'origine de la colonie, contre les dogmes protestants que les Anglais cherchaient à introduire chez toutes les classes. Les paroisses se concentraient autour de leurs curés, véritables chefs de paroisse, et la politique, qui tendait à dégager les provinces canadiennes des mains anglo-saxonnes, n'était pas étrangère à cette alliance du clergé et des fidèles.

L'abbé Joann, on le sait, appartenait à l'ordre des Sulpiciens. Mais ce que le lecteur ignore peut-être, c'est que cet ordre, possesseur d'une partie des territoires dès le début de la conquête, en tire, actuellement encore, d'importants revenus. Diverses servitudes, créées, principalement dans l'île de Montréal, en vertu des droits seigneuriaux qui lui avaient été concédés par Richelieu[1], s'exercent toujours au profit de la congrégation. Il suit de là que les Sulpiciens forment une corporation aussi honorée que puissante au Canada, et que les prêtres, restés les plus riches propriétaires du pays, y sont par cela même les plus influents.

Le sermon, on pourrait dire la harangue patriotique de l'abbé Joann, dura trois quarts d'heure environ. Elle enthousiasma ses auditeurs à ce point que, n'eût été la sainteté du lieu, des acclamations répétées l'eussent accueillie. La fibre nationale avait été profondément remuée dans cette assistance si patriote. Peut-être s'étonnera-t-on que les autorités laissassent libre cours à ces prédications où la propagande réformiste se faisait sous le couvert de l'Évangile? Mais il eût été difficile d'y saisir une provocation directe à l'insurrection, et, d'ailleurs, la chaire jouissait d'une liberté à laquelle le gouvernement n'aurait voulu toucher qu'avec une extrême réserve.

Le sermon fini, Jean se retira dans un coin de l'église, tandis que s'écoulait la foule. Voulait-il donc se faire reconnaître de l'abbé Joann, lui serrer la main, échanger avec lui quelques paroles, avant de rejoindre ses compagnons à la ferme de Chipogan? Oui, sans doute. Les deux frères ne s'étaient pas vus depuis quelques mois, allant, chacun de son côté, pour accomplir la même œuvre de dévouement national.

Jean attendait ainsi derrière les premiers piliers de la nef, lorsqu'un véhément tumulte éclata au dehors. C'était des cris, des vociférations, des hurlements. On eût dit d'une sorte de colère publique, qui se manifestait avec une extraordinaire violence. En même temps, de larges lueurs illuminaient l'espace, et leur réverbération pénétrait jusqu'à l'intérieur de l'église.

Le flot des auditeurs sortit, et Jean, entraîné comme malgré lui, le suivit jusqu'au milieu de la place.

Que se passait-il donc?

---

1. C'est en 1854 seulement que le Parlement du Canada vota le rachat facultatif de ces charges; mais nombre de propriétaires, fidèles aux anciens usages, les acquittent encore entre les mains du clergé sulpicien.

Là, devant les ruines de la maison du traître, un grand feu venait d'être allumé. Des hommes, auxquels se joignirent bientôt des enfants et des femmes, attisaient ce feu, en y jetant des brassées de bois mort.

En même temps que les cris d'horreur, ces mots de haine retentissaient dans l'air:

«Au feu, le traître!... Au feu, Simon Morgaz!»

Et alors, une sorte de mannequin, habillé de haillons, fut traîné vers les flammes.

Jean comprit. La population de Chambly procédait, en effigie, à l'exécution du misérable, comme à Londres, on traîne encore par les rues l'image de Guy Fawkes, le criminel héros de la conspiration des Poudres.

Aujourd'hui, c'était le 27 septembre, c'était l'anniversaire du jour où Walter Hodge et ses compagnons, François Clerc et Robert Farran, étaient morts sur l'échafaud.

Saisi d'horreur, Jean voulut fuir... Il ne put s'arracher du sol, où il semblait que ses pieds restaient irrésistiblement attachés. Là, il revoyait son père, accablé d'injures, accablé de coups, souillé de la boue que lui jetait cette foule, en proie à un délire de haine. Et il lui semblait que tout cet opprobre retombait sur lui, Jean Morgaz.

En ce moment, l'abbé Joann parut. La foule s'écarta pour lui livrer passage.

Lui aussi, il avait compris le sens de cette manifestation populaire. Et, en cet instant, il reconnut son frère, dont la figure livide lui apparut dans un reflet des flammes, tandis que cent voix criaient avec cette date odieuse du 27 septembre, le nom infamant de Simon Morgaz!

L'abbé Joann ne fut pas maître de lui. Il étendit les bras, il s'élança vers le bûcher, au moment où le mannequin allait être précipité au milieu de sa fournaise.

«Au nom du Dieu de miséricorde, s'écria-t-il, pitié pour la mémoire de ce malheureux!... Dieu n'a-t-il pas des pardons pour tous les crimes!...

– Il n'en a pas pour le crime de trahison envers la patrie, envers ceux qui ont combattu pour elle!» répondit un des assistants.

Et, en un instant, le feu eut dévoré, comme il le faisait à chaque anniversaire, l'effigie de Simon Morgaz.

Les clameurs redoublèrent et ne cessèrent qu'au moment où les flammes s'éteignirent.

Dans l'ombre, personne n'avait pu voir que Jean et Joann s'étaient rejoints, et que, tous deux, la main dans la main, ils baissaient la tête.

Sans avoir prononcé une parole, ils quittèrent le théâtre de cette horrible scène, et s'enfuirent de cette bourgade de Chambly, où ils ne devaient jamais revenir.

IX

MAISON-CLOSE

À six lieues de Saint-Denis s'élève le bourg de Saint-Charles, sur la rive nord du Richelieu, dans le comté de Saint-Hyacinthe, qui confine à celui de Montréal. C'est en descendant le Richelieu, un des affluents les plus considérables du Saint-Laurent, que l'on arrive à la petite ville de Sorel, où le *Champlain* avait relâché pendant sa dernière campagne de pêche.

À cette époque, une maison isolée s'élevait à quelques centaines de pas avant le coude qui détourne brusquement la grande rue de Saint-Charles, lorsqu'elle s'engage entre les premières maisons de la bourgade.

Modeste et triste habitation. Rien qu'un rez-de-chaussée, percé d'une porte et de deux fenêtres, précédé d'une petite cour, où foisonnent les mauvaises herbes. Le plus souvent, la porte est fermée, les fenêtres ne sont jamais ouvertes, même derrière les volets à panneaux pleins, qui sont repoussés contre elles. Si le jour pénètre à l'intérieur, c'est uniquement par deux autres fenêtres, pratiquées dans la façade opposée, et donnant sur un jardin.

À vrai dire, ce jardin n'est qu'un carré, entouré de hauts murs festonnés de longues pariétaires, avec un puits à margelle, établi dans l'un des angles. Là, sur une superficie d'un cinquième d'acre, poussent divers légumes. Là, végètent une douzaine d'arbres à fruits, poiriers, noisetiers ou pommiers, abandonnés aux seuls soins de la nature. Une petite basse-cour, prise sur le jardin et contiguë à la maison, loge cinq à six poules, qui fournissent la quantité d'œufs nécessaires à la consommation quotidienne.

À l'intérieur de cette maison, il n'y a que trois chambres, garnies de quelques meubles – le strict nécessaire. L'une de ces chambres, à gauche en entrant, sert de cuisine; les deux autres, à droite, servent de chambres à coucher. L'étroit couloir qui les sépare, établit une communication entre la cour et le jardin.

Oui! cette maison était humble et misérable; mais on sentait que cela était voulu, qu'il y avait là parti pris de vivre dans ces conditions de misère et d'humilité. Les habitants de Saint-Charles ne s'y trompaient point. En effet, s'il arrivait que quelque mendiant frappât à la porte de Maison-Close – c'est ainsi qu'on la désignait dans la bourgade – jamais il ne s'en allait sans avoir été assisté d'une légère aumône. Maison-Close aurait pu s'appeler Maison-Charitable, car la charité s'y faisait à toute heure.

Qui demeurait là? Une femme, toujours seule, toujours habillée de noir, toujours recouverte d'un long voile de veuve. Elle ne quittait que rarement sa maison – une ou deux fois la semaine, lorsque quelque indispensable acquisition l'obligeait à sortir, ou, le dimanche, pour se rendre à l'office. Quand il s'agissait d'un achat, elle attendait que la nuit ou tout au moins le soir fût venu, se glissait à travers les rues sombres, longeait les maisons, entrait rapidement dans une boutique, parlait d'une voix sourde, en peu de mots, payait sans marchander, revenait, la tête basse, les yeux à terre, comme une pauvre créature qui aurait eu honte de se laisser voir. Allait-elle à l'église, c'était dès l'aube, à la première messe. Elle se tenait à l'écart, dans un coin obscur, agenouillée, pour ainsi dire rentrée en elle-même. Sous les plis de son voile, son immobilité était effrayante. On aurait pu la croire morte, si de douloureux soupirs ne se fussent échappés de sa poitrine. Que cette femme ne fût pas dans la misère, soit! mais c'était assurément un être bien misérable. Une ou deux fois, quelques bonnes âmes avaient voulu l'assister, lui offrir leurs services, s'intéresser à elle, lui faire entendre des paroles de sympathie... Et alors, se serrant plus étroitement dans son vêtement de deuil, elle s'était vivement reculée, comme si elle eut été un objet d'horreur.

Les habitants de Saint-Charles ne connaissaient donc point cette étrangère – on pourrait dire cette recluse. Douze années avant, elle était arrivée dans la bourgade, afin d'occuper cette maison, achetée pour son compte, à très bas prix, car la commune, à laquelle elle appartenait, voulait depuis longtemps s'en défaire et ne trouvait pas acquéreur.

Un jour, on apprit que la nouvelle propriétaire était arrivée la nuit, dans sa demeure, où nul ne l'avait vu entrer. Qui l'avait aidée à transporter son pauvre mobilier? on ne savait. D'ailleurs, elle ne prit point de servante pour l'aider à son ménage. Jamais, non plus, personne ne pénétrait chez elle. Telle elle vivait alors, telle elle avait vécu depuis son apparition à Saint-Charles, dans une sorte d'isolement cénobitique. Les murs de la Maison-Close étaient ceux d'un cloître, et nul ne les avait franchis jusqu'alors.

Du reste, les habitants de la bourgade ne cherchèrent point à pénétrer dans la vie de cette femme, à dévoiler les secrets de son existence? Durant les premiers jours de son installation, ils s'en étonnèrent un peu. Quelques commérages se firent sur la propriétaire de Maison-Close. On supposa ceci et cela. Bientôt, on ne s'occupa plus d'elle. Dans la limite de ses moyens, elle se montrait charitable envers les pauvres du pays – et cela lui valut l'estime de tous.

Grande, déjà voûtée plus par la douleur que par l'âge, l'étrangère pouvait avoir actuellement une cinquantaine d'années. Sous le voile qui l'enveloppait jusqu'à mi-corps, se cachait un visage qui avait dû être beau, un front élevé, de grands yeux noirs. Ses cheveux étaient tout blancs; son regard semblait imprégné de ces larmes ineffaçables qui l'avaient si longtemps noyé. À présent, le caractère de cette physionomie, autrefois douce et souriante, était une énergie sombre, une implacable volonté.

Cependant, si la curiosité publique se fût plus étroitement appliquée à surveiller Maison-Close, on aurait acquis la preuve qu'elle n'était pas absolument fermée à tout visiteur. Trois ou quatre fois par an, invariablement la nuit, la porte s'ouvrait tantôt devant un, tantôt devant deux étrangers, qui ne négligeaient aucune précaution pour arriver et repartir sans avoir été vus. Restaient-ils quelques jours dans la maison, ou seulement quelques heures? Personne n'eût été à même de le dire. En tout cas, lorsqu'ils la quittaient, c'était avant l'aube. Nul ne pouvait douter que cette femme eût encore quelques relations avec le dehors.

Cette maison était humble et misérable.

C'est précisément ce qui advint vers onze heures, dans la nuit du 30 septembre 1837. La grande route, après avoir traversé le comté de Saint-Hyacinthe, de l'ouest à l'est, passe à Saint-Charles et se poursuit au delà. Elle était déserte alors. Une profonde obscurité baignait la bourgade endormie. Aucun habitant ne put voir deux hommes redescendre cette route, se glisser jusqu'au mur de Maison-Close, ouvrir la barrière de la petite cour, qui n'était fermée que par un loquet, et frapper à la porte, d'une façon qui devait être un signal de reconnaissance.

Ils étaient là, près d'elle, assis à ses côtés.

La porte s'ouvrit et se referma aussitôt. Les deux visiteurs entrèrent dans la première chambre de droite, éclairée par une veilleuse, dont la faible lumière ne pouvait filtrer à l'extérieur.

La femme ne laissa paraître aucune surprise à l'arrivée de ces deux hommes. Ils la pressèrent dans leurs bras, ils l'embrassèrent au front avec une affection toute filiale.

C'étaient Jean et Joann. Cette femme était leur mère, Bridget Morgaz.

Douze années avant, après l'expulsion de Simon Morgaz, chassé par la population de Chambly, personne n'avait mis en doute que cette misérable famille eût quitté le Canada pour s'expatrier soit dans quelque province de l'Amérique du Nord ou du Sud, soit même dans une lointaine contrée de l'Europe. La somme touchée par le traître devait lui permettre de vivre avec une certaine aisance, partout où il lui conviendrait de se retirer. Et alors, en prenant un faux nom, il échapperait au mépris qui l'eût poursuivi dans le monde entier.

On ne l'ignore pas, les choses ne s'étaient pas passées ainsi. Un soir, Simon Morgaz s'était fait justice, et nul ne se serait douté que son corps reposait en quelque endroit perdu sur la rive septentrionale du lac Ontario.

Bridget Morgaz, Jean et Joann avaient compris toute l'horreur de leur situation. Si la mère et les fils étaient innocents du crime de l'époux et du père, les préjugés sont tels qu'ils n'eussent trouvé nulle part ni pitié ni pardon. En Canada, aussi bien qu'en n'importe quel point du monde, leur nom serait l'objet d'une réprobation unanime. Ils résolurent de renoncer à ce nom, sans même songer à en prendre un autre. Qu'en avaient-ils besoin, ces misérables, pour lesquels la vie ne pouvait plus avoir que des hontes!

Pourtant, la mère et les fils ne s'expatrièrent pas immédiatement. Avant de quitter le Canada, il leur restait une tâche à remplir, et cette tâche, dussent-ils y sacrifier leur vie, ils résolurent de l'accomplir tous les trois.

Ce qu'ils voulaient, c'était réparer le mal que Simon Morgaz avait fait à son pays. Sans la trahison provoquée par l'odieux provocateur Rip, le complot de 1825 aurait eu de grandes chances de réussir. Après l'enlèvement du gouverneur général et des chefs de l'armée anglaise, les troupes n'auraient pu résister à la population franco-canadienne, qui se serait levée en masse. Mais un acte infâme avait livré le secret de la conspiration, et le Canada était resté sous la main des oppresseurs.

Eh bien, Jean et Joann reprendraient l'œuvre interrompue par la trahison de leur père. Bridget, dont l'énergie fit face à cette effroyable situation, leur montra que là devait être le seul but de leur existence. Ils le comprirent, ces deux frères, qui n'avaient que dix-sept et dix-huit ans à cette époque, et ils se consacrèrent tout entiers à ce travail de réparation.

Bridget Morgaz – décidée à vivre du peu qui lui appartenait en propre – ne voulut rien garder de l'argent trouvé dans le portefeuille du suicidé. Cet argent, il ne pouvait, il ne devait être employé qu'aux besoins de la cause nationale. Un dépôt secret le mit aux mains du notaire Nick, de Montréal, dans les conditions que l'on sait. Une partie en fut gardée par Jean pour être distribuée directement aux réformistes. C'est ainsi qu'en 1831 et en 1835, les comités avaient reçu les sommes nécessaires à l'achat d'armes et de munitions. En 1837, le solde de ce dépôt, considérable encore, venait d'être adressé au comité de la villa Montcalm et confié à M. de Vaudreuil. C'était tout ce qui restait du prix de la trahison.

Cependant, en cette maison de Saint-Charles où s'était retirée Bridget, ses fils venaient la voir secrètement, lorsque cela leur était possible. Depuis quelques années déjà, chacun d'eux avait suivi une voie différente pour arriver au même but.

Joann, l'aîné, s'était dit que tous les bonheurs terrestres lui étaient interdits désormais. Sous l'influence d'idées religieuses, développées par l'amertume de sa situation, il avait voulu être prêtre, mais prêtre militant. Il était entré dans la congrégation des Sulpiciens, avec l'intention de soutenir par la parole les imprescriptibles droits de son pays. Une éloquence naturelle, surexcitée par le plus ardent patriotisme, attirait à lui les populations des bourgades et des campagnes. En ces derniers temps, son renom n'avait fait que grandir, et il était alors dans tout son éclat.

Jean, lui, s'était jeté dans le mouvement réformiste, non plus pas la parole, mais pas les actes.

Bien que la rébellion n'eût pas mieux abouti en 1831 qu'en 1835, sa réputation n'en avait pas été amoindrie. Dans les masses, on le considérait comme le chef mystérieux des Fils de la Liberté. Il n'apparaissait qu'à l'heure où il fallait donner de sa personne, et disparaissait ensuite pour reprendre son œuvre. On sait à quelle haute place il était arrivé dans le parti de l'opposition libérale. Il semblait que la cause de l'indépendance fût dans les mains d'un seul homme, ce Jean-Sans-Nom, ainsi qu'il s'appelait lui-même, et c'est de lui seul que les patriotes attendaient le signal d'une nouvelle insurrection.

L'heure était proche. Toutefois, avant de se jeter dans cette tentative, Jean et Joann, que le hasard venait de réunir à Chambly, avaient voulu venir à Maison-Close, afin de revoir leur mère – pour la dernière fois peut-être.

Et maintenant, ils étaient là, près d'elle, assis à ses côtés. Ils lui tenaient les mains, ils lui parlaient à voix basse. Jean et Joann disaient où en étaient les choses. La lutte serait terrible, comme doit l'être toute lutte suprême.

Bridget, pénétrée par les sentiments qui débordaient de leur cœur, se laissait aller à l'espoir que le crime du père serait enfin réparé par ses fils. Alors elle prit la parole.

«Mon Jean, mon Joann, dit-elle, j'ai besoin de partager vos espérances, de croire au succès...

– Oui, mère, il faut y croire, répondit Jean. Avant peu de jours, le mouvement aura commencé...

– Et que Dieu nous donne le triomphe qui est dû aux causes saintes! ajouta Joann.

– Que Dieu vous vienne en aide! répondit Bridget, et peut-être aurai-je enfin le droit de prier pour...»

Jusqu'alors, jamais, non, jamais! une prière n'avait pu s'échapper des lèvres de cette malheureuse femme pour l'âme de celui qui avait été son mari!

«Ma mère, dit Joann, ma mère...

– Et toi, mon fils, as-tu donc prié pour ton père, toi, prêtre du Dieu qui pardonne?»

Joann baissa la tête sans répondre.

Bridget reprit:

«Mes fils, jusqu'ici, vous avez tous les deux fait votre devoir; mais, ne l'oubliez pas, en vous dévouant, vous n'avez fait que votre devoir. Et même, si notre pays vous doit un jour son indépendance, le nom que nous portions autrefois, ce nom de Morgaz...

– Ne doit plus exister, ma mère! répondit Jean. Il n'y a pas de réhabilitation possible pour lui! On ne peut pas plus lui rendre l'honneur qu'on ne peut rendre vie aux patriotes que la trahison de notre père a conduits à l'échafaud! Ce que Joann et moi nous faisons, ce n'est point pour que l'infamie, attachée à notre nom, disparaisse!... Cela, c'est impossible!... Ce n'est pas un marché de ce genre que nous avons conclu! Nos efforts ne tendent qu'à réparer le mal fait à notre pays, non le mal fait à nous-mêmes!... N'est-ce pas, Joann?

– Oui, répondit le jeune prêtre. Si Dieu peut pardonner, je sais que cela est interdit aux hommes, et, tant que l'honneur restera une des lois sociales, notre nom sera de ceux qui sont voués à la réprobation publique!

– Ainsi, on ne pourra jamais oublier?... dit Bridget, qui baisait ses deux fils au front, comme si elle eût voulu en effacer le stigmate indélébile.

– Oublier! s'écria Jean... Retourne donc à Chambly, ma mère, et tu verras si l'oubli...

– Jean, dit vivement Joann, tais-toi!...

– Non Joann!... Il faut que notre mère le sache!... Elle a assez d'énergie pour tout entendre, et je ne lui laisserai pas l'espoir d'une réhabilitation qui est impossible!»

Et Jean, à voix basse, à mots entrecoupés, fit le récit de ce qui avait eu lieu, quelques jours avant, dans cette bourgade de Chambly, berceau de la famille Morgaz, et devant les ruines de la maison paternelle.

Bridget écoutait, sans qu'une larme jaillît de ses yeux. Elle ne pouvait même plus pleurer.

Mais était-il donc vrai qu'une pareille situation fût sans issue? Était-il donc impossible que le souvenir d'une trahison fût inoubliable, et que la responsabilité du crime retombât sur des innocents? Était-il donc écrit, dans la conscience humaine, que cette tache imprimée au nom d'une famille, rien ne pourrait l'effacer?

Pendant quelques instants, aucune parole ne fût échangée entre la mère et les deux fils. Ils ne se regardaient pas. Leurs mains s'étaient disjointes. Ils souffraient affreusement. Partout ailleurs, non moins qu'à Chambly, ils seraient des parias, des «outlaws» que la société repousse, qu'elle met, pour ainsi dire, en dehors de l'humanité.

Vers trois heures après minuit, Jean et Joann songèrent à quitter leur mère. Ils voulaient partir sans risque d'être vus. Leur intention était de se séparer au sortir de la bourgade. Il importait qu'on ne les aperçût pas ensemble sur la route par laquelle ils s'en iraient à travers le comté. Personne ne devait savoir que, cette nuit-là, la porte de Maison-Close s'était ouverte devant les seuls visiteurs qui l'eussent jamais franchie.

Les deux frères s'étaient levés. Au moment d'une séparation qui pouvait être éternelle, ils sentaient combien le lien de famille les rattachait les uns aux autres. Heureusement, Bridget ignorait que la tête de Jean fût mise à prix. Si Joann ne l'ignorait pas, cette terrible nouvelle n'avait point encore pénétré, du moins, dans la solitude de Maison-Close. Jean n'en voulut rien dire à sa mère. À quoi bon lui ajouter ce surcroît de douleurs? Et, d'ailleurs, Bridget avait-elle besoin de le savoir pour craindre de ne plus jamais revoir son fils?

L'instant de se réparer était venu.

«Où vas-tu Joann? demanda Bridget.

– Dans les paroisses du sud, répondit le jeune prêtre. Là, j'attendrai que le moment arrive de rejoindre mon frère, lorsqu'il se sera mis à la tête des patriotes canadiens.

– Et toi, Jean?...

– Je me rends à la ferme de Chipogan, dans le comté de Laprairie, répondit Jean. C'est là que je dois retrouver mes compagnons et prendre nos dernières mesures... au milieu de ces joies de famille qui nous sont refusées, ma mère! Ces braves gens m'ont accueilli comme un fils!... Ils donneraient leur vie pour la mienne!... Et, pourtant, s'ils apprenaient qui je suis, quel nom je porte!... Ah! misérable que nous sommes, dont le contact est une souillure!... Mais ils ne sauront pas... ni eux... ni personne!»

Jean était retombé sur une chaise, la tête dans ses mains, écrasé sous un poids qu'il sentait plus pesant chaque jour.

«Relève-toi! frère, dit Joann. Ceci, c'est l'expiation!... Sois assez fort pour souffrir!... Relève-toi et partons!

– Où vous reverrai-je, mes fils? demanda Bridget.

– Ce ne sera plus ici, ma mère, répondit Jean. Si nous triomphons, nous quitterons tous trois ce pays... Nous irons loin... là où personne ne pourra nous reconnaître! Si nous rendons son indépendance au Canada, que jamais il n'apprenne qu'il la doit aux fils d'un Simon Morgaz! Non!... jamais!...

– Et si tout est perdu?... reprit Bridget.

– Alors, ma mère, nous ne nous reverrons ni dans ce pays ni dans aucun autre. Nous serons morts!»

Les deux frères se jetèrent une dernière fois dans les bras de Bridget. La porte s'ouvrit et se referma.

Jean et Joann firent une centaine de pas sur la route; puis, ils se séparèrent, après avoir donné un dernier regard à Maison-Close, où la mère priait pour ses fils.

X

LA FERME DE CHIPOGAN

La ferme de Chipogan, située à sept lieues de bourg de Laprairie, dans le comté de ce nom, occupait un léger renflement du sol sur la rive droite d'un petit cours d'eau, tributaire du Saint-Laurent. M. de Vaudreuil possédait là, sur une superficie de quatre à cinq cents acres, une assez belle propriété de rapport, régie par le fermier Thomas Harcher.

En avant de la ferme, du côté du rio, s'étendaient de vastes champs, un damier de prairies verdoyantes, entourées de ces haies à claire-voie, connues dans le Royaume-Uni sous le nom de «fewees». C'était le triomphe du dessin régulier – saxon ou américain – dans toute sa rigueur géométrique. Des carrés, puis des carrés de barrières encadraient ces belles cultures, qui prospéraient, grâce aux riches éléments d'un humus noirâtre, dont la couche, épaisse de trois à quatre pieds, repose le plus généralement sur un lit de glaise. Telle est à peu près la composition du sol canadien jusqu'aux premières rampes des Laurentides.

Entre ces carrés, cultivés avec un soin minutieux, poussaient diverses sortes de ces céréales que le cultivateur récolte dans les campagnes de la moyenne Europe, le blé, le maïs, le riz, le chanvre, le houblon, le tabac, etc. Là foisonnaient aussi ce riz sauvage, improprement appelé «folle avoine», qui se multipliait dans les champs à demi noyés sur les bords du petit cours d'eau, et dont le grain bouilli donne un excellent potage.

Au village de Walhatta...

Des pâturages, fournis d'une herbe grasse, se développaient en arrière de la ferme jusqu'à la lisière de hautes futaies, massées sur une légère ondulation du sol, et qui allaient à perte de vue. Ces pâtures suffisaient amplement à l'alimentation des animaux domestiques que nourrissait la ferme de Chipogan, et dont Thomas Harcher eût pu prendre à cheptel une quantité plus considérable encore, tels que taureaux, vaches, bœufs, moutons, porcs, sans compter ces chevaux de la vigoureuse race canadienne, si recherchée par les éleveurs américains.

Aux alentours de la ferme, les forêts n'étaient pas de moindre importance. Elles couvraient autrefois tous les territoires limitrophes du Saint-Laurent, à partir de son estuaire jusqu'à la vaste région des lacs. Mais, depuis longues années, que d'éclaircies y on été pratiquées par le bras de l'homme! Que d'arbres superbes, dont la cime se balance parfois à cent cinquante pieds dans les airs, tombent encore sous ces milliers de haches, troublant le silence des bois immenses où pullulent les mésanges, les piverts, les aodes, les rossignols, les alouettes, les oiseaux de paradis aux plumes étincelantes, et aussi les charmants canaris, qui sont muets dans les provinces canadiennes! Les «lumbermen», les bûcherons, font là une fructueuse mais regrettable besogne, en jetant bas chênes, érables, frênes, châtaigniers, trembles, bouleaux, ormes, noyers, charmes, pins et sapins, lesquels sciés ou équarris, vont former ces chapelets de cages qui descendent le cours du fleuve. Si, vers la fin du dix-huitième siècle, l'un des plus fameux héros de Cooper, Nathaniel Bumpoo, dit Oeil-de-Faucon, Longue-Carabine ou Bas-de-Cuir, gémissait déjà sur ces massacres d'arbres, ne dirait-il pas de ces impitoyables dévastateurs ce qu'on dit des fermiers qui épuisent la fécondité terrestre par des pratiques vicieuses: ils ont assassiné le sol!

Il convient de faire observer, cependant, que ce reproche n'aurait pu s'appliquer au gérant de la ferme de Chipogan. Thomas Harcher était trop habile de son métier, il était servi par un personnel trop intelligent, il prenait avec trop d'honnêteté les intérêts de son maître pour mériter jamais cette qualification d'assassin. Sa ferme passait à juste titre pour un modèle d'exploitation agronomique, à une époque où les vieilles routines faisaient encore loi, comme si l'agriculture canadienne eut été de deux cents ans en arrière.

La ferme de Chipogan était donc l'une des mieux aménagées du district de Montréal. Les méthodes d'assolement empêchaient les terres de s'y appauvrir. On ne se contentait pas de les laisser se reposer à l'état de jachères. On y variait les cultures – ce qui donnait des résultats excellents. Quant aux arbres fruitiers, dont un large potager renfermait ces espèces diverses qui prospèrent en Europe, ils étaient taillés, émondés, soignés avec entente. Tous y donnaient de beaux fruits, à l'exception peut-être de l'abricotier et du pêcher, qui réussissent mieux dans le sud de la province de l'Ontario que dans l'est de la province de Québec. Mais les autres faisaient honneur au fermier, plus particulièrement ces pommiers qui produisent ce genre de pommes à pulpe rouge et transparente, connues sous le nom de «fameuses». Quant aux légumes, aux choux rouges, aux citrouilles, aux melons, aux patates, aux bleuets – nom de ces myrtilles des bois, dont les graines noirâtres emplissent les assiettes de dessert – on en récoltait de quoi alimenter deux fois pas semaine le marché de Laprairie. En somme, avec les centaines de minots de blé et autres céréales, récoltés à Chipogan, le rendement des fruits et légumes, l'exploitation de quelques acres de forêts, cette ferme de Chipogan assurait à M. de Vaudreuil une part importante de ses revenus. Et, grâce aux soins de Thomas Harcher et de sa famille, il n'était pas à craindre que ces terres, soumises à un surmenage agricole, finissent par s'épuiser et se changer en arides savanes envahies par le fouillis des broussailles.

Du reste, le climat canadien est favorable à la culture. Au lieu de pluie, c'est la neige qui tombe de la fin de novembre à la fin de mars, et protège le tapis vert des prairies. En somme, ce froid vif et sec est préférable aux averses continues. Il laisse les chemins praticables pour les travaux du sol. Nulle part, dans la zone tempérée, ne se rencontre une pareille rapidité de végétation, puisque les blés, semés en mars, sont mûrs en août, et que les foins se font en juin et juillet. Aussi, à cette époque, comme à l'époque actuelle, s'il y a un avenir assuré en Canada, est-ce surtout celui des cultivateurs.

Les bâtiments de la ferme étaient agglomérés dans une enceinte de palissades, hautes d'une douzaine de pieds. Une seule porte, solidement encastrée dans ses montants de pierre, y donnait accès. Excellente précaution au temps peu reculé où les attaques des indigènes étaient à craindre. Maintenant les Indiens vivent en bonne intelligence avec la population des campagnes. Et même, à deux lieues dans l'est, au village de Walhatta, prospérait la tribu des Mahogannis, qui rendaient parfois visite à Thomas Harcher, afin d'échanger les produits de leurs chasses contre les produits de la ferme.

Le principal bâtiment se composait d'une large construction à deux étages, un quadrilatère régulier, comprenant le nombre de chambres nécessaires au logement de la famille Harcher. Une vaste salle occupait la plus grande partie du rez-de-chaussée, entre la cuisine et l'office d'un côté, et, de l'autre, l'appartement spécialement réservé au fermier, à sa femme et aux plus jeunes de ses enfants.

En retour, sur la cour aménagée devant l'habitation, et, par derrière, sur le jardin potager, les communs faisaient équerre en s'appuyant aux palissades de l'enceinte. Là s'élevaient les écuries, les étables, les remises, les magasins. Puis, c'étaient les basses-cours, où pullulaient ces lapins d'Amérique, dont la peau, divisée en lanières tissées, sert à la confection d'une étoffe extrêmement chaude, et ces poules de prairie, ces phasianelles, qui se multiplient plus abondamment à l'état domestique qu'à l'état sauvage.

La grande salle du rez-de-chaussée était simplement, mais confortablement garnie de meubles de fabrication américaine. C'est là que la famille déjeunait, dînait, passait ses soirées. Agréable lieu de réunion pour les Harcher de tout âge, qui aimaient à se retrouver ensemble, lorsque les occupations quotidiennes avaient pris fin. Aussi on ne s'étonnera pas qu'une bibliothèque de livres usuels y tint la première place, et que la seconde fût occupée par un piano, sur lequel, chaque dimanche, filles ou garçons jouaient avec entrain les valses et quadrilles français qu'ils dansaient tour à tour.

L'exploitation de cette terre exigeait évidemment un assez nombreux personnel. Mais Thomas Harcher l'avait trouvé dans sa propre famille. Et, de fait, à la ferme de Chipogan, il n'y avait pas un seul serviteur à gages.

Thomas Harcher avait cinquante ans à cette époque. Acadien d'origine française, il descendait de ces hardis pêcheurs qui colonisèrent la Nouvelle-Écosse un siècle avant. C'était le type parfait du cultivateur canadien, de celui qui s'appelle, non le paysan mais «l'habitant» dans les campagnes du Nord-Amérique. De haute taille, les épaules larges, le torse puissant, les membres vigoureux, la tête forte, les cheveux à peine grisonnants, le regard vif, les dents bien plantée, la bouche grande comme il convient au travailleur dont la besogne exige une copieuse nourriture, enfin une aimable et franche physionomie, qui lui valait de solides amitiés dans les paroisses voisines, tel se montrait le fermier de Chipogan. En même temps, bon patriote, implacable ennemi des Anglo-Saxons, toujours prêt à faire son devoir et payer de sa personne.

Thomas Harcher eût vainement cherché dans la vallée du Saint-Laurent une meilleure compagne que sa femme Catherine. Elle était âgée de quarante-cinq ans, forte comme son mari, comme lui restée jeune de corps et d'esprit, peut-être un peu rude de visage et d'allure, mais bonne dans sa rudesse, ayant du courage à la besogne, enfin «la mère» comme il était «le père» dans toute l'acceptation du mot. À eux deux, un beau couple, et de si vaillante santé, qu'ils promettaient de compter un jour parmi les nombreux centenaires, dont la longévité fait honneur au climat canadien.

Peut-être aurait-on pu faire un reproche à Catherine Harcher; mais, ce reproche, les femmes du pays l'eussent toutes mérité, pour peu que l'on ajoutât foi aux commentaires de l'opinion publique. En effet, si les Canadiennes sont bonnes ménagères, c'est à la condition que leurs maris fassent le ménage, dressent le lit, mettent la table, plument les poulets, traient les vaches, battent le beurre, pèlent les patates, allument le feu, lavent la vaisselle, habillent les enfants, balaient les chambres, frottent les meubles, coulent la lessive, etc. Cependant Catherine ne poussait pas à l'extrême cet esprit de domination, qui rend l'époux esclave de sa femme dans la plupart des habitations de la colonie. Non! Pour être juste, il y a lieu de reconnaître qu'elle prenait sa part du travail quotidien. Néanmoins, Thomas Harcher se soumettait volontiers à ses volontés comme à ses caprices. Aussi, quelle belle famille lui avait donnée Catherine, depuis Pierre, patron du *Champlain*, son premier-né, jusqu'au dernier bébé, âgé de quelques semaines seulement, et qu'on s'apprêtait à baptiser en ce jour.

En Canada, on le sait, la fécondité des mariages est véritablement extraordinaire. Les familles de douze et quinze enfants y sont communes. Celles où l'on compte vingt enfants n'y sont point rares. Au delà de vingt-cinq, on en cite encore. Ce ne sont plus des familles, ce sont des tribus, qui se développent sous l'influence de mœurs patriarcales.

Si Ismaël Busch, le vieux pionnier de Fenimore Cooper, l'un des personnages du roman de la *Prairie*, pouvait montrer avec orgueil les sept fils, sans compter les filles, issus de son mariage avec la robuste Esther, de quel sentiment de supériorité l'eût accablé Thomas Harcher, père de vingt-six enfants, vivants et bien vivants, à la ferme de Chipogan!

Quinze fils et onze filles, de tout âge, depuis trois semaines jusqu'à trente ans. Sur les quinze fils, quatre mariés. Sur les onze filles, deux en puissance de maris. Et, de ces mariages, dix-sept petits-fils – ce qui, en y ajoutant le père et la mère, faisait un total de cinquante-deux membres, en ligne directe, de la famille Harcher.

Les cinq premiers-nés, on les connaît. C'étaient ceux qui composaient l'équipage du *Champlain*, les dévoués compagnons de Jean. Inutile de perdre son temps à énumérer les noms des autres enfants, ou à préciser d'un trait l'originalité de leur caractère. Garçons, filles, beaux-frères et belles-filles, ne quittaient jamais la ferme. Ils y travaillaient, sous le direction du chef. Les uns étaient employé aux champs, et l'ouvrage ne leur manquait guère. Les autres, occupés à l'exploitation des bois, faisaient le métier de «lumbermen», et ils avaient de la besogne. Deux ou trois des plus âgés chassaient dans les forêts voisines de Chipogan, et n'étaient point gênés de fournir le gibier nécessaire à l'immense table de famille. Sur ces territoires, en effet, abondent toujours les orignaux, les caribous – sortes de rennes de grande taille – les bisons, les daims, les chevreuils, les élans, sans parler de la diversité du petit gibier de poil ou de plume, plongeons, oies sauvages, canards, bécasses, bécassines, perdrix, cailles et pluviers.

Quant à Pierre Harcher et à ses frères, Rémy, Michel, Tony et Jacques, à l'époque où le froid les obligeait d'abandonner les eaux du Saint-Laurent, ils venaient hiverner à la ferme et se faisaient chasseurs de fourrures. On les citait parmi les plus intrépides squatters, les plus infatigables coureurs des bois, et ils approvisionnaient de peaux plus ou moins précieuses les marchés de Montréal et de Québec. En ce temps, les ours noirs, les lynx, les chats sauvages, les martres, les carcajous, les visons, les renards, les castors, les hermines, les loutres, les rats musqués, n'avaient pas encore émigré vers les contrées du nord, et c'était un bon commerce celui de ces pelleteries, alors qu'il n'était point nécessaire d'aller chercher fortune jusque sur les lointaines rives de la baie d'Hudson.

On le comprend, pour loger cette famille de parents, d'enfants et de petits-enfants, ce n'eût pas été trop d'une caserne. Aussi, était-ce bien une véritable caserne, cette bâtisse qui dominait de ses deux étages les communs de la ferme de Chipogan. En outre, il avait fallu garder quelques chambres aux hôtes que Thomas Harcher recevait passagèrement, des amis du comté, des fermiers du voisinage, des «voyageurs», c'est-à-dire ces mariniers qui dirigent les trains de bois par les affluents pour les conduire au grand fleuve. Enfin, il y avait l'appartement réservé à M. de Vaudreuil et à sa fille, lorsqu'ils venaient rendre visite à la famille du fermier.

Et, précisément, M. et Mlle de Vaudreuil venaient d'arriver ce jour-là – 5 octobre. Ce n'était pas seulement des rapports de maître à tenancier qui unissaient M. de Vaudreuil à Thomas Harcher et à tous les siens, c'était une affection réciproque, amitié d'une part, dévouement de l'autre, que rien n'avait jamais démentis depuis tant d'années. Et combien, surtout, ils se sentaient liés par la communauté de leur patriotisme! Le fermier, comme son maître, était dévoué corps et âme à la cause nationale.

Maintenant la famille se trouvait au grand complet. Depuis trois jours, Pierre et ses frères, après avoir laissé le *Champlain* désarmé au quai de Laprairie, étaient venus prendre leurs quartiers d'hiver à la ferme. Il n'y manquait que le fils adoptif, et non le moins aimé des hôtes de Chipogan.

Mais, dans la journée, on attendait Jean. Pour que Jean fît défaut à cette fête de famille, il aurait fallu qu'il fût tombé entre les mains des agents de Rip, et la nouvelle de son arrestation serait déjà répandue dans le pays.

C'est que Jean avait à s'acquitter d'un devoir, auquel il tenait autant que Thomas Harcher.

Le temps n'était pas éloigné où le seigneur de la paroisse acceptait d'être le parrain de tous les enfants de ses censitaires – ce qui se chiffrait par quelques centaines de pupilles. M. de Vaudreuil, il est vrai, n'en comptait encore que deux dans la descendance de son fermier. Cette fois, c'était Clary qui devait être la marraine de son vingt-sixième enfant, auquel Jean allait servir de parrain. Et la jeune fille était heureuse de ce lien qui les unirait l'un à l'autre pendant ces courts instants.

Du reste, ce n'était pas à propos d'un baptême seulement que la ferme de Chipogan allait se mettre en fête.

Lorsque Thomas Harcher avait reçu ses cinq fils:

«Mes gars, leur avait-il dit, soyez les bienvenus, car vous arrivez au bon moment.

– Comme toujours, notre père! avait répondu Jacques.

– Non, mieux que toujours. Si, aujourd'hui, nous sommes réunis pour le baptême du dernier bébé, demain, il y a la première communion de Clément et de Cécile, et, après-demain, la noce de votre sœur Rose avec Bernard Miquelon.

«Mes gars, soyez les bienvenus, car vous arrivez au bon moment.»

– On va bien dans la famille! avait répliqué Tony.

– Oui, pas mal, mes gars, s'était écrié le fermier, et il n'est pas dit que, l'an prochain, je ne vous convoquerai pas pour quelque autre cérémonie de ce genre!»

Et Thomas Harcher riait de son rire sonore, tout empreint de bonne gaieté gauloise, pendant que Catherine embrassait les cinq vigoureux rejetons, qui étaient les premiers-nés d'elle.

Le baptême devait se faire à trois heures après midi. Jean avait donc le temps d'arriver à la ferme. Dès qu'il serait là, on s'en irait processionnellement à l'église de la paroisse, distante d'une demi-lieue.

Thomas, sa femme, ses fils, ses filles, ses gendres, ses petits-enfants, avaient revêtu leurs plus beaux habits pour la circonstance, et, très vraisemblablement, ne les quitteraient pas de trois jours. Les filles avaient le corsage blanc et la jupe à couleurs éclatantes, avec les cheveux flottant sur les épaules. Les garçons, ayant dépouillé la veste de travail et le bonnet normand dont ils se coiffent d'habitude, portaient le costume des dimanches, capot d'étoffe noire, ceinture bariolée, souliers plissés en peau de bœuf du pays.

La veille, après avoir pris le bateau du traversier pour passer le Saint-Laurent en face de Laprairie, M. et Mlle de Vaudreuil avaient trouvé Thomas Harcher, qui les attendait avec son buggy, attelé de deux excellents trotteurs.

Pendant les trois lieues qui restaient à faire pour atteindre la ferme de Chipogan, M. de Vaudreuil s'était empressé de prévenir son fermier qu'il eût à se tenir sur ses gardes. La police ne pouvait ignorer que lui, de Vaudreuil, avait quitté la villa Montcalm, et il était possible qu'il fût l'objet d'une surveillance spéciale.

«Nous y aurons l'œil, notre maître, avait dit Thomas Harcher, chez qui l'emploi de cette locution n'avait rien de servile.

– Jusqu'ici, aucune figure suspecte n'a été vue aux alentours de Chipogan?

– Non, pas un de ces canouaches[1], sous votre respect!

– Et votre fils adoptif, avait demandé Clary de Vaudreuil, est-il arrivé à la ferme?

– Pas encore, notre demoiselle, et cela me cause quelque inquiétude.

– Depuis qu'il est séparé de ses compagnons, à Laprairie, on n'a pas eu de ses nouvelles?

– Aucune!»

1. Nom de mépris que les Canadiens donnent à certains sauvages de l'ouest.

Or, depuis que M. et Mlle de Vaudreuil étaient installés dans les deux plus belles chambres de l'habitation, cela va sans dire, Jean n'avait pas encore paru. Cependant, tout était préparé pour la cérémonie du baptême, et si le parrain n'arrivait pas cet après-midi, on ne saurait que faire.

Aussi Pierre et deux ou trois autres s'étaient-ils portés d'une bonne lieue sur la route. Mais Jean n'avait point été signalé, et midi venait de sonner à l'horloge de Chipogan.

Thomas et Catherine eurent alors un entretien au sujet de ce retard inexplicable.

«Que ferons-nous, s'il n'arrive pas avant trois heures? demanda le fermier?

– Nous attendrons, répondit simplement Catherine.

– Qu'attendrons-nous?

– Bien sûr, ce ne sera pas l'arrivée d'un vingt-septième enfant! riposta la fermière.

– D'autant plus, répliqua Thomas, que, sans qu'on puisse nous en faire un reproche, il pourrait bien ne jamais venir!

– Plaisantez, monsieur Harcher, plaisantez!...

– Je ne plaisante pas! Mais, enfin, si Jean tardait trop, peut-être faudrait-il se passer de lui?...

– Se passer de lui! s'écria Catherine. Non point, et comme je tiens à ce qu'il soit le parrain de l'un de nos enfants, nous attendrons qu'il se soit montré.

– Pourtant, si on ne le voit pas? répondit Thomas, qui n'entendait pas que le baptême fût indéfiniment reculé. Si quelque affaire l'a mis dans l'impossibilité de venir?...

– Pas de mauvais pronostics, Thomas, répondit Catherine, et un peu de patience, que diable! Si l'on ne baptise pas aujourd'hui, on baptisera demain.

– Bon! Demain, c'est la première communion de Clément et de Cécile, le seizième et la dix-septième!

– Eh bien, après-demain!

– Après-demain, c'est la noce de notre fille Rose avec ce brave Bernard Miquelon!

– Assez là-dessus, Thomas! On fera tout ensemble, s'il le faut. Mais, quand un bébé est en passe d'avoir un parrain comme Jean et une marraine comme mademoiselle Clary, il n'y a pas à se presser pour en aller prendre d'autres!

– Et le curé qui est prévenu!... fit encore observer Thomas à son intraitable moitié.

– J'en fais mon affaire, répliqua Catherine. C'est un excellent homme, notre curé! D'ailleurs, sa dîme ne lui échappera pas, et il ne voudra pas désobliger des clients comme nous!

Et, de fait, dans toute la paroisse, il était peu de paroissiens qui eussent autant donné d'occupations à leur curé que Thomas et Catherine!

Cependant, à mesure que les heures s'écoulaient, l'inquiétude devenait plus vive. Si la famille Harcher ignorait que son fils adoptif fût le jeune patriote, Jean-Sans-Nom, M. et Mlle de Vaudreuil, le sachant, pouvaient tout craindre pour lui.

Aussi voulurent-ils apprendre de Pierre Harcher dans quelles circonstances Jean s'était séparé de ses frères et de lui en quittant le *Champlain*.

«C'est au village de Caughnawaga que nous l'avons débarqué, répondit Pierre.

– Quel jour?

– Le 26 septembre, vers cinq heures du soir.

– Il y a donc neuf jours qu'il s'est séparé de vous? fit observer M. de Vaudreuil.

– Oui, neuf jours.

– Et il n'a pas dit ce qu'il allait faire?

– Son intention, répondit Pierre, était de visiter le comté de Chambly, où il n'avait pas encore été pendant toute notre campagne de pêche.

– Oui... c'est une raison, dit M. de Vaudreuil, et pourtant, je regrette qu'il se soit aventuré seul à travers un territoire, où les agents de la police doivent être sur pied.

– Je lui ai proposé de le faire accompagner par Jacques et par Tony, répondit Pierre, mais il a refusé.

– Et quelle est votre idée sur tout cela, Pierre? demanda Mlle de Vaudreuil.

– Mon idée, c'est que Jean avait formé depuis longtemps le projet d'aller à Chambly, tout en gardant d'en rien dire. Or, comme il avait été convenu que nous débarquerions à Laprairie, et que nous reviendrions tous ensemble à la ferme, après avoir désarmé le *Champlain*, il ne nous en a informé qu'au moment où nous étions devant Caughnawaga.

– Et, en vous quittant, il a bien pris l'engagement d'être ici pour le baptême?

– Oui, notre demoiselle, répondit Pierre. Il sait qu'il doit tenir le bébé avec vous et que, sans lui, d'ailleurs, la famille Harcher ne serait pas au complet!

Devant une promesse aussi formelle, il convenait d'attendre patiemment.

Toutefois, si la journée s'achevait sans que Jean n'eût paru, les craintes ne seraient que trop justifiées. Pour qu'un homme aussi déterminé que lui, ne vint pas au jour dit, c'est que la police se serait emparée de sa personne... Et alors, M. et Mlle de Vaudreuil ne le savaient que trop, il était perdu.

En ce moment, s'ouvrit la porte qui donnait accès dans la grande cour, et un sauvage parut sur le seuil.

Un sauvage –, c'est ainsi, en Canada, qu'on appelle encore les Indiens, même dans les actes officiels, comme on appelle «sauvagesses» leurs femmes qui portent le nom de «squaws» en langue iroquoise ou huronne.

Ce sauvage était précisément un Huron, et de race pure – ce qui se voyait à son visage imberbe, à ses pommettes saillantes et carrées, à ses petits yeux vifs. Sa haute taille, son regard assuré et pénétrant, la couleur de sa peau, la disposition de sa chevelure, en faisaient un type très reconnaissable de la race indigène de l'Ouest de l'Amérique.

Thomas Harcher les attendait avec son buggy.

Si les Indiens ont conservé leurs mœurs d'autrefois, les coutumes des tribus de l'ancien temps, l'habitude de s'agglomérer dans leurs villages, une prétention tenace à retenir certains privilèges que les autorités ne leur contestent point d'ailleurs, enfin une propension naturelle à vivre à part des «Visages Pâles», ils se sont quelque peu modernisés cependant – surtout sous le rapport du costume. Ce n'est que dans certaines circonstances qu'ils revêtent encore l'habillement de guerre.

Ce Huron, à peu près vêtu à la mode canadienne, appartenait à la tribu des Mahogannis, qui occupait une bourgade de quatorze à

L'Indien donnant à son geste une ampleur caractéristique.

quinze cents feux au nord du comté. Cette tribu, on l'a dit, n'était pas sans avoir des rapports avec la ferme de Chipogan, où le fermier leur faisait toujours bon accueil.

«Eh! que voulez-vous, Huron? s'écria-t-il, lorsque l'Indien se fut avancé et lui eut donné solennellement la poignée de main traditionnelle.

Thomas Harcher voudra sans doute répondre à la demande que je vais lui faire? répliqua le Huron, avec cette voix gutturale qui est particulière à sa race.

– Et pourquoi pas, répondit le fermier, si ma réponse peut vous intéresser?

– Mon frère m'écoutera donc, et jugera ensuite ce qu'il devra dire!»

Rien qu'à cette forme de langage, dans laquelle le sauvage ne parlait qu'à la troisième personne, à l'air digne de son attitude pour demander, très probablement, un renseignement des plus simples, on eût reconnu le descendant des quatre grandes nations qui possédaient autrefois le territoire du Nord-Amérique. On les divisait alors en Algonquins, en Hurons, en Montagnais, en Iroquois, qui comprenaient ces tribus diverses: Mohawks, Oneidas, Onondagas, Tuscaroras, Delawares, Mohicans, que l'on voit plus particulièrement figurer dans les récits de Fenimore Cooper. Actuellement, il ne reste que des débris épars de ces anciennes races.

Après avoir pris un temps de silence, l'Indien, donnant à son geste une ampleur caractéristique, reprit la parole.

«Mon frère connaît, nous a-t-on dit, le notaire Nicolas Sagamore, de Montréal?

– J'ai cet honneur, Huron.

– Ne doit-il pas venir à la ferme de Chipogan?

– Cela est vrai.

– Mon frère pourrait-il me faire savoir si Nicolas Sagamore est arrivé?

– Pas encore, répondit Thomas Harcher. Nous ne l'attendons que demain, pour dresser le contrat de mariage de ma fille Rose et de Bernard Miquelon.

– Je remercie mon frère de m'avoir renseigné.

– Est-ce que vous aviez une communication importante à faire à maître Nick?

– Très importante, répondit le Huron. Demain donc, les guerriers de la tribu quitteront notre village de Walhatta et viendront lui rendre visite.

– Vous serez les bien reçus à la ferme de Chipogan», répondit Thomas Harcher.

Sur quoi, le Huron, tendant de nouveau la main au fermier, se retira gravement.

Il n'était pas parti depuis un quart d'heure, que la porte de la cour se rouvrait. Cette fois, c'était Jean, dont la présence fut accueillie par d'unanimes cris de joie.

Thomas et Catherine Harcher, leurs enfants, leurs petits-enfants, se précipitèrent vers lui, et il fallut un peu de temps pour répondre aux compliments de tout ce monde, si heureux de le revoir. Les poignées de mains, les embrassades, s'échangèrent pendant cinq bonnes minutes.

L'heure pressant, M. de Vaudreuil, Clary et Jean ne purent échanger que quelques mots. D'ailleurs, puisqu'ils devaient passer ensemble trois jours à la ferme, ils auraient tout le loisir de s'entretenir de leurs affaires. Thomas Harcher et sa femme avaient hâte de se rendre à l'église. On n'avait que trop fait attendre le curé. Le parrain et la marraine étaient là. Il fallait partir.

«En route! En route! criait Catherine, qui allait de l'un à l'autre, gourmandant et ordonnant. Allons, mon fils, dit-elle à Jean, le bras à mademoiselle Clary. Et Thomas?... Où donc est Thomas?... Il n'en finit jamais!

– Thomas?...

– Me voici, femme!

– C'est toi qui porteras le poupon.

– C'est convenu!

– Et ne le laisse pas tomber!...

– Sois tranquille! J'en ai porté vingt-cinq à monsieur le curé, et j'ai l'habitude...

– C'est bien! répliqua Catherine en lui coupant la parole. En route!»

Le cortège quitta la ferme; mais, à cette époque de l'année, la température eût été assez basse, s'il ne fût tombé du ciel sans nuage comme une averse de soleil. On passait sous le berceau des arbres, à travers des sentiers sinueux, au bout desquels pointait le clocher de l'église. Un tapis de feuilles sèches couvraient le sol. Tous les jaunes si variés de l'automne se mélangeaient à la cime des châtaigniers, des bouleaux, des chênes, des hêtres, des trembles, dont le squelette branchu se montrait par places, alors que les pins et les sapins restaient encore couronnés de leurs panaches verdâtres.

À mesure que le cortège s'avançait, quelques amis de Thomas Harcher, des fermiers des environs, le rejoignaient en route. La file grossissait à vue d'œil, et on serait bien une centaine, quand on arriverait à l'église.

Il était jusqu'à des étrangers qui, par curiosité ou par désœuvrement, se mettaient de la partie, lorsqu'ils se trouvaient sur le passage du cortège.

Pierre Harcher remarqua même un homme, dont l'attitude lui parut suspecte. Bien évidemment, cet inconnu n'était pas du pays. Pierre ne l'y avait jamais vu, et il lui sembla que cet intrus cherchait à dévisager les gens de la ferme.

Pierre avait raison de se défier de cet homme. C'était un des policiers qui avaient reçu l'ordre de «filer» M. de Vaudreuil depuis son départ de la villa Montcalm. Rip, lancé à la piste de Jean-Sans-Nom, que l'on croyait caché aux environs de Montréal, avait détaché cet agent avec mandat d'observer non seulement M. de Vaudreuil, mais aussi la famille de Thomas Harcher, dont on connaissait les opinions réformistes.

Cependant, en marchant l'un près de l'autre, M. de Vaudreuil, sa fille et Jean s'entretenaient du retard que celui-ci avait éprouvé pour se rendre à la ferme.

«J'ai su par Pierre, dit Clary, que vous l'avez quitté afin d'aller visiter Chambly et les paroisses voisines.

– En effet, répondit Jean.

– Venez-vous directement de Chambly?

– Non, j'ai dû parcourir le comté de Saint-Hyacinthe, d'où je n'ai pu revenir aussitôt que je l'aurais voulu. J'ai été forcé de faire un détour par la frontière.

– Est-ce que les agents étaient sur vos traces? demanda M. de Vaudreuil.

– Oui, répondit Jean, mais j'ai pu, sans trop de peine, les dérouter encore une fois.

– Chaque heure de votre vie est un danger! répondit Mlle de Vaudreuil. Il n'y a pas un instant où vos amis ne tremblent pour vous! Depuis que vous avez quitté la villa Montcalm, nos inquiétudes n'ont pas cessé!

– Aussi, répondit Jean, ai-je hâte d'en finir avec cette existence qu'il ne faut disputer continûment, hâte d'agir au grand jour, face à face avec l'ennemi! Oui! il est temps que le combat s'engage, et cela ne tardera pas! Mais, en ce moment, oublions l'avenir pour le présent! C'est une sorte de trêve, de halte avant la bataille! Ici, monsieur de Vaudreuil, je ne suis que le fils adoptif de cette brave et honnête famille!»

Le cortège était arrivé. C'est à peine si la petite église suffirait à contenir la foule qui avait grossi en route.

Le curé se tenait sur le seuil, près de la modeste vasque de pierre, qui servait aux cérémonies baptismales des innombrables nouveau-nés de la paroisse.

Thomas Harcher présenta, avec une légitime fierté, le vingt-sixième rejeton, issu de son mariage avec la non moins fière Catherine. Clary de Vaudreuil et Jean se placèrent l'un près de l'autre, pendant que le curé faisait les onctions d'usage.

«Et vous le nommez?... demanda-t-il.

– Jean, comme son parrain», répondit Thomas Harcher, en tendant la main au jeune homme.

Ce qui est à noter, c'est que les anciennes coutumes françaises se retrouvent encore au milieu des villes et des campagnes de la province canadienne. Dans les paroisses rurales, plus particulièrement, c'est la dîme qui entretient le clergé catholique. Elle est du vingt-sixième de tous les fruits et récoltes de la terre. Et – par suite d'une tradition, à la fois touchante et curieuse – ce n'est pas sur les récoltes seulement que se prélève cette dîme du vingt-sixième.

Aussi, Thomas Harcher ne s'étonna-t-il point, lorsque, le baptême achevé, le curé dit à voix haute:

«Cet enfant appartient à l'église, Thomas Harcher. S'il est le filleul du parrain et de la marraine que vous lui avez choisis, c'est aussi mon pupille, à moi! Les enfants ne sont-ils pas comme la récolte de la famille? Eh bien, de même que vous m'auriez donné votre vingt-sixième gerbe de blé, c'est votre vingt-sixième enfant que l'église prélève en ce jour!

– Nous reconnaissons son droit, monsieur le curé, répondit Thomas Harcher, et, ma femme et moi, nous nous y soumettons de bonne grâce!»

L'enfant fut alors porté au presbytère, où il fut triomphalement accueilli.

De par les traditions de la dîme, le petit Jean appartenait à l'église. Comme tel, il serait élevé aux frais de la paroisse.

Et, lorsque le cortège se remit en route pour revenir à la ferme de Chipogan, les cris de joie éclatèrent par centaines en l'honneur de Thomas et Catherine Harcher.

XI

LE DERNIER DES SAGAMORES

Le lendemain, les cérémonies recommencèrent. Nouveau cortège qui se rendit à l'église, dès la première heure. Même recueillement à l'aller, même entrain au retour.

Les jeunes Clément et Cécile Harcher, l'un dans son habit noir, qui en faisait comme un petit homme, l'autre dans son costume blanc, qui en faisait comme une petite fiancée, figuraient parmi les premiers communiants venus des fermes avoisinantes. Si les autres «habitants» n'étaient pas aussi riches en progéniture que Thomas Harcher de Chipogan, ils n'en avaient pas moins un nombre très respectable de rejetons. Le comté de Laprairie était véritablement comblé des bénédictions du Seigneur, et, à cet égard, il eût pu lutter avec les plus fécondes bourgades de la Nouvelle-Écosse.

Ce jour-là, Pierre ne revît plus l'étranger, dont la présence l'avait inquiété la veille. En effet, cet agent était reparti. Avait-il soupçonné quelque chose relativement à Jean-Sans-Nom? Était-il allé faire son rapport au chef de la police de Montréal? On le saurait avant peu, sans doute.

Lorsque la famille fut rentrée à la ferme, elle n'eut plus qu'à prendre place au déjeuner. Tout était prêt, grâce aux semonces multiples que Thomas Harcher avaient reçues de Catherine. Il avait dû s'occuper successivement de la table, de l'office, de la cave, de la cuisine, avec l'aide de ses fils s'entend, qui eurent leur bonne part des gourmades maternelles.

Thomas Harcher avait à s'occuper de la table.

«Il est bon de les y habituer! répétait volontiers Catherine. Cela leur paraîtra plus naturel, lorsqu'ils seront en ménage!»

Excellent apprentissage, en vérité.

Mais, s'il fallut tant se démener pour le déjeuner de ce jour, que serait-ce donc pour le repas du lendemain! Une table qui allait être dressée pour une centaine de convives! Oui! tout autant, en comptant les parents du marié et ses amis des environs. Et encore, convient-il de ne pas oublier maître Nick et son second clerc, que l'on

Catherine, faisant signe à ses onze filles de faire la révérence.

attendait le jour même pour la signature du contrat. Une incomparable noce, dans laquelle le fermier Harcher prétendait rivaliser avec le fermier Gamache de cervantesque mémoire!

Mais ce serait l'affaire du lendemain. Aujourd'hui, il ne s'agissait que de faire bon accueil au notaire. L'un des fils Harcher devait aller le cherche à Laprairie pour trois heures sonnant, dans le buggy de famille.

À propos de maître Nick, Catherine avait cru devoir rappeler à son mari que l'excellent homme était grand mangeur en même temps que fine bouche, et elle n'entendait pas – c'était sa manière habituelle d'admonester les gens –, elle n'entendait pas que l'honorable tabellion ne fût point servi à souhait.

«Il le sera, répondit le fermier! Tu peux être tranquille, ma bonne Catherine!

– Je ne le suis pas, répondit la matrone, et ne le serai que lorsque tout sera fini! Au dernier moment, il manque toujours quelque chose; et je n'entends pas cela!»

Thomas Harcher s'en alla à sa besogne, répétant:

«L'excellente femme!... Un peu précautionneuse, sans doute! Elle n'entend pas ceci!... Elle n'entend pas cela!.. Et je vous prie de croire cependant qu'elle n'est point sourde!»

Cependant, depuis la veille, M. de Vaudreuil et Clary avaient pu longuement entretenir Jean au sujet de son voyage à travers les comtés du Bas-Canada. De son côté, le jeune patriote avait été mis au courant de ce que le comité de Montcalm avait fait depuis son départ. André Farran, William Clerc et Vincent Hodge étaient revenus fréquemment à la villa, où M. de Vaudreuil avait également reçu la visite de l'avocat Sébastien Gramont. Puis, celui-ci était reparti pour Québec, où il devait retrouver les principaux députés de l'opposition.

Ce jour-là, après le déjeuner, qui avait été servi au retour de l'église, M. de Vaudreuil voulut profiter du buggy pour se rendre à la bourgade. Il aurait le temps de conférer avec le président du comité de Laprairie, et reviendrait en même temps que le notaire pour la signature du contrat.

Mlle de Vaudreuil et Jean l'accompagnèrent sur cette jolie route de Chipogan, ombragée de grands ormes, qui côtoie un petit rio d'eaux courantes, tributaire du Saint-Laurent. Ils avaient pris les devants avec lui, et ne furent rejoints par le buggy qu'à une demi-lieue de la ferme.

M. de Vaudreuil s'installa à côté de Pierre Harcher, et il eut bientôt disparu au trot du rapide attelage.

Jean et Clary revinrent alors sur leurs pas, en remontant à travers les bois ombreux et tranquilles, massés à la lisière du rio. Rien n'y gênait leur marche, ni les buissons, ni les branches, qui, dans les forêts canadiennes, se relèvent au lieu de pendre vers le sol. De temps à autre, la hache d'un lumberman retentissait, en rebondissant sur de vieux troncs d'arbres. Quelques coups de fusil se faisaient aussi entendre au lointain, et parfois un couple de daims apparaissait entre les halliers qu'ils franchissaient d'un bond. Mais chasseurs et bûcherons ne sortaient point de l'épaisseur des futaies, et c'était au milieu d'une profonde solitude que Mlle de Vaudreuil et Jean gagnaient lentement du côté de la ferme.

Tous deux allaient bientôt se séparer!... Où pourraient-ils se revoir, et en quel lieu? Leur cœur se serrait douloureusement à la pensée de ce prochain éloignement.

«Ne comptez-vous pas revenir bientôt à la villa Montcalm? demanda Clary.

– La maison de M. de Vaudreuil doit être particulièrement surveillée, répondit Jean, et, dans son intérêt même, mieux vaut qu'on ignore nos relations...

– Et pourtant, vous ne pouvez songer à chercher un asile à Montréal?

– Non, bien qu'il soit peut-être plus aisé d'échapper aux poursuites au milieu d'une grande ville. Je serais plus en sûreté dans l'habitation de M. Vincent Hodge, de M. Farran ou de M. Clerc qu'à la villa Montcalm...

– Mais non mieux accueilli! répondit la jeune fille.

– Je le sais, et je n'oublierai jamais que, pendant les quelques jours que j'ai passés près de vous, votre père et vous m'avez traité comme un fils, comme un frère!

– Comme nous le devions, répondit Clary. Être unis par le même sentiment de patriotisme, n'est-ce pas être unis par le même sang! Il me semble, parfois, que vous avez toujours fait partie de notre famille! Et maintenant, si vous êtes seul au monde...

– Seul au monde, répéta Jean, qui avait baissé la tête. Oui! seul... seul!...

– Eh bien, après le triomphe de la cause, notre maison sera la vôtre! Mais, en attendant, je comprends que vous cherchiez une retraite plus sûre que la villa Montcalm. Vous la trouverez, et, d'ailleurs, quel est le Canadien dont la demeure refuserait de s'ouvrir pour un proscrit...

– Il n'en est pas, je le sais, répondit Jean, et aucun ne serait assez misérable pour me trahir...

– Vous trahir! s'écria Mlle de Vaudreuil. Non!... Le temps des trahisons est passé! Dans tout le Canada, on ne trouverait plus ni un Black, ni un Simon Morgaz!»

Ce nom, prononcé avec horreur, fit monter la rougeur au front du jeune homme, et il dût se détourner pour cacher son trouble. Clary de Vaudreuil ne s'en était point aperçue; mais, lorsque Jean revint près d'elle, son visage exprimait une si visible souffrance qu'elle lui dit, inquiète:

«Mon Dieu!... Qu'avez-vous?...

– Rien... ce n'est rien! répondit Jean. Des palpitations auxquelles je suis parfois sujet!... Il me semble que mon cœur va éclater!... C'est fini maintenant!»

Clary le regarda longuement, comme pour lire jusqu'au fond de sa pensée.

Il reprit alors, afin de changer le cours de cette conversation si torturante pour lui:

«Le plus prudent sera de me réfugier dans un village des comtés voisins, où je resterai en communication avec M. de Vaudreuil et ses amis...

– Sans vous éloigner de Montréal, cependant? fit observer Clary.

– Non, répondit Jean, car, très probablement, c'est dans les paroisses environnantes que l'insurrection éclatera. D'ailleurs, peu importe où j'irai!

– Peut-être, reprit Clary, serait-ce encore la ferme de Chipogan qui vous offrirait le plus sûr abri?...

– Oui... peut-être!...

– Il serait difficile de découvrir votre retraite au milieu de cette nombreuse famille de notre fermier...

– Sans doute, mais si cela arrivait, il en pourrait résulter de graves conséquences pour Thomas Harcher! Il ignore que je suis Jean-Sans-Nom, dont la tête est mise à prix...

– Croyez-vous donc, reprit vivement Clary, que, s'il venait à l'apprendre, il hésiterait...

– Non, certes! reprit Jean. Ses fils et lui sont des patriotes! Je les ai vus à l'épreuve, pendant que nous faisions ensemble notre campagne de propagande. Mais je ne voudrais pas que Thomas Harcher fût victime de son affection pour moi! Et, si la police me trouvait chez lui, elle l'arrêterait!... Eh bien non!... Plutôt me livrer...

– Vous livrer!» murmura Clary d'une voix, qui traduisait douloureusement le déchirement de son âme.

Jean baissa la tête. Il comprenait bien quelle était la nature du sentiment auquel il s'abandonnait comme malgré lui. Il sentait quel lien le serrait de plus en plus à Clary de Vaudreuil. Et pourtant, pouvait-il aimer cette jeune fille? L'amour d'un des fils de Simon Morgaz!... Quel opprobre!... Et quelle trahison, aussi, puisqu'il ne lui avait pas dit de quelle famille il sortait!... Non!... il fallait la fuir, ne jamais la revoir!... Et, lorsqu'il fût redevenu maître de lui-même:

«Demain, dit-il, dans la nuit, j'aurai quitté la ferme de Chipogan, et je ne reparaîtrai qu'à l'heure de la lutte!... Je n'aurai plus à me cacher alors!»

La figure de Jean-Sans-Nom, qui s'était animée un instant, reprit son calme habituel.

Clary le regardait avec une indéfinissable impression de tristesse. Elle aurait voulu pénétrer plus avant dans la vie du jeune patriote. Mais comment l'interroger, sans le blesser par quelque question indiscrète?

Cependant, après lui avoir tendu sa main qu'il effleura à peine, elle dit:

«Jean, pardonnez-moi si ma sympathie pour vous me fait peut-être sortir d'une réserve que je devrais garder!... Il y a un mystère dans votre vie... tout un passé de malheurs!... Jean, vous avez beaucoup souffert?...

– «Beaucoup!» répondit Jean.

Et, comme si cet aveu lui eût échappé involontairement, il ajouta aussitôt:

«Oui, beaucoup souffert... puisque je n'ai pas encore pu rendre à mon pays le bien qu'il est en droit d'attendre de moi!

– En droit d'attendre... répéta Mlle de Vaudreuil, en droit d'attendre de vous?...

– Oui... de moi, répondit Jean, comme de tous les Canadiens, dont c'est le devoir de se sacrifier pour rendre à leur pays son indépendance.

La jeune fille avait compris ce qu'il y avait d'angoisses cachées sous cet élan de patriotisme!... Elle aurait voulu les connaître pour les partager, pour les adoucir peut-être!... Mais que pouvait-elle, puisque Jean persistait à se tenir dans des réponses évasives?

Cependant, Clary crut devoir ajouter, sans manquer à la réserve que lui imposait la situation du jeune homme:

«Jean, j'ai l'espoir que la cause nationale triomphera bientôt!... Ce triomphe, elle le devra surtout à votre dévouement, à votre courage, à l'ardeur que vous aurez inspirée à ses partisans! Alors, vous aurez droit à leur reconnaissance...

– Leur reconnaissance, Clary de Vaudreuil? répondit Jean, en s'éloignant d'un mouvement brusque. Non!... jamais!

– Jamais?... Si les Franco-Canadiens que vous aurez rendus libres vous demandent de rester à leur tête...

– Je refuserai.

– Vous ne le pourrez pas!...

– Je refuserai, vous dis-je!» répéta Jean d'un ton si affirmatif que Clary en demeura interdite. Et alors, plus doucement, il reprit:

«Clary de Vaudreuil, nous ne pouvons prévoir l'avenir. J'espère, pourtant, que les événements tourneront à l'avantage de notre cause. Mais, ce qui vaudrait mieux pour moi, ce serait de succomber en la défendant...

– Succomber!... vous!... s'écria la jeune fille, dont les yeux se noyèrent de larmes. Succomber, Jean!... Et vos amis?...

– Des amis!... à moi... des amis! répondit Jean.

Et son attitude était bien celle d'un misérable que toute une vie d'opprobre aurait mis au ban de l'humanité.

«Jean, reprit Mlle de Vaudreuil, vous avez affreusement souffert autrefois, et vous souffrez toujours! Et, ce qui rend votre situation plus douloureuse, c'est de ne pouvoir... non!... de ne vouloir vous confier à personne... pas même à moi, qui prendrait si volontiers une part de vos peines!... Eh bien... je saurai attendre, et je ne vous demande rien que de croire à mon amitié...

– Votre amitié!...» murmura Jean.

Et il se recula de quelques pas, comme si rien que son amitié aût pu flétrir cette pure jeune fille!

Et pourtant, les seules consolations qui l'eussent aidé à supporter cette horrible existence, n'était-ce pas celles qu'il aurait trouvées dans l'intimité de Clary de Vaudreuil? Pendant le temps passé à la villa Montcalm, son cœur s'était senti pénétré de cette ardente sympathie qu'il lui inspirait et qu'il ressentait pour elle... Mais non! C'était impossible... Le malheureux!... Si jamais Clary apprenait de qui il était le fils, elle le repousserait avec horreur!... Un Morgaz!... Aussi, comme il l'avait dit à sa mère, au cas où Joann et lui survivraient à cette dernière tentative, ils disparaîtraient!... Oui!... Une fois le devoir accompli, la famille déshonorée irait si loin, si loin que l'on n'entendrait plus parler d'elle!

Silencieusement et tristement, Clary et Jean revinrent ensemble à la ferme!

Vers quatre heures, un gros tumulte se produisit devant la porte de la cour. Le buggy rentrait. Signalé de loin par les cris de joie des invités, il ramenait, en même temps que M. de Vaudreuil, maître Nick et son jeune clerc.

Quel accueil on fit à l'aimable notaire de Montréal – l'accueil qu'il méritait, d'ailleurs – tant on était heureux de sa visite à la ferme de Chipogan!

«Monsieur Nick... bonjour, monsieur Nick! s'écrièrent les aînés, tandis que les cadets le serraient dans leurs bras et que les petits lui sautaient aux jambes.

«Oui, mes amis, c'est moi! dit-il en souriant. C'est bien moi et non un autre! Mais du calme! Il n'est pas nécessaire de déchirer mon habit pour vous en assurer!

– Allons, finissez, les enfants! s'écria Catherine.

– Vraiment, reprit le notaire, je suis enchanté de vous voir et de me voir chez mon cher client Thomas Harcher!

– Monsieur Nick, que vous êtes bon de vous être dérangé! répondit le fermier.

– Eh! je serais venu de loin, s'il l'avait fallu, même de plus loin que du bout du monde, du soleil, des étoiles... oui, Thomas, des étoiles!...

– C'est un honneur pour nous, monsieur Nick, dit Catherine, en faisant signe à ses onze filles de faire la révérence.

– Et pour moi un plaisir!... Ah! que vous êtes toujours belle, madame Catherine!... Voyons!... Quand cesserez-vous de rajeunir, s'il vous plaît?

– Jamais!... Jamais! s'écrièrent à la fois les quatorze fils de la fermière.

– Il faut que je vous embrasse, dame Catherine, reprit maître Nick.

– Vous permettez, dit-il au fermier, après avoir fait claquer les joues de sa vigoureuse moitié.

– Tant qu'il vous plaira, répondit Thomas Harcher, et même davantage, si ça vous fait plaisir!

– Allons, à ton tour, Lionel, dit le notaire en s'adressant à son clerc. Embrasse madame Catherine...

– Bien volontiers! répondit Lionel, qui reçut un double baiser en échange du sien.

– Et maintenant, reprit maître Nick, j'espère qu'elle sera gaie, la noce de la charmante Rose, que j'ai fait plus d'une fois sauter sur mes genoux, quand elle était petite!

– Où est-elle?

– Me voici, monsieur Nick, répondit Rose, toute florissante de santé et de belle humeur.

– Oui, charmante, en vérité, répéta le notaire, et trop charmante pour que je ne l'embrasse pas sur les deux joues, bien dignes du nom qu'elle porte!»

Et c'est ce qu'il fit bel et bien. Mais cette fois, à son grand regret, Lionel ne fut point invité à partager cette aubaine.

«Où est le fiancé? dit alors maître Nick. Est-ce qu'il aurait oublié, par hasard, que c'est aujourd'hui que nous signons le contrat?... Où est-il, le fiancé?

– Me voici, répondit Bernard Miquelon.

– Ah! le joli garçon... l'aimable garçon! s'écria maître Nick. Je l'embrasserais volontiers, lui aussi, pour finir...

– À votre aise, monsieur Nick, répondit le jeune homme, en ouvrant les bras.

– Bon! répondit maître Nick en hochant la tête, j'imagine que Bernard Miquelon aimera beaucoup mieux un baiser de Rose que de moi?... Aussi, Rose, embrasse ton futur mari à ma place et sans tarder!»

Ce que Rose, un peu confuse, fit aux applaudissements de toute la famille.

«Eh! j'y pense, vous devez avoir soif, monsieur Nick, dit Catherine, et votre clerc aussi?

– Très soif, ma bonne Catherine.

– Extrêmement soif, ajouta Lionel.

– Eh bien, Thomas, que fais-tu là à nous regarder? Mais va donc à l'office! Un bon toddy pour monsieur Nick, que diable! et un non moins bon pour son clerc!... Est-ce qu'il faut que je te le répète?»

Non! Une seule fois suffisait, et le fermier, suivi de trois de ses filles, s'empressa de courir vers l'office.

Pendant ce temps, maître Nick, qui venait d'apercevoir Clary de Vaudreuil, s'était rapproché d'elle.

«Eh bien, ma chère demoiselle, dit-il, à la dernière visite que j'ai faite à la villa Montcalm, nous nous étions donné rendez-vous à la ferme de Chipogan, et je suis heureux...»

«Honneur à Nicolas Sagamore!!!»

La phrase du notaire fut interrompue par une exclamation de Lionel, dont la surprise était bien naturelle. Ne voilà-t-il pas qu'il se trouvait en face du jeune inconnu, qui avait si sympathiquement accueilli ses essais poétiques, quelques semaines avant?

«Mais... c'est monsieur... monsieur...» répétait-il.

M. de Vaudreuil et Clary se regardèrent, saisis d'une vive inquiétude. Comment Lionel connaissait-il Jean? Et, s'il le connaissait, savait-il ce que la famille Harcher ignorait encore, c'est-à-dire que celui auquel la ferme donnait asile fût Jean-Sans-Nom, traqué par les agents de Gilbert Argall?

« En effet... dit à son tour le notaire qui se retourna vers le jeune homme. Je vous reconnais, monsieur! C'est bien vous qui avez été notre compagnon de route, lorsque mon clerc et moi nous avons pris le stage pour nous rendre, au commencement de septembre, à la villa Montcalm?

– C'est bien moi, oui, monsieur Nick, répondit Jean, et c'est avec grand plaisir, n'en doutez pas, que je vous retrouve à la ferme de Chipogan, ainsi que votre jeune poète...

– Dont la poésie a reçu une mention honorable de la Lyre-Amicale! s'écria le notaire. C'est décidément un nourrisson des Muses que j'ai l'honneur de posséder dans mon étude pour griffonner mes actes!

– Recevez mes compliments, mon jeune ami, dit Jean. Je n'ai point oublié votre charmant refrain:

Naître avec toi, flamme follette,
Mourir avec toi, feu follet!

– Ah! monsieur! » répondit Lionel, très fier des éloges que lui valaient ces vers, restés dans la mémoire d'un véritable connaisseur.

En entendant cet échange d'aménités, M. et Mlle de Vaudreuil furent absolument rassurés sur le compte du jeune proscrit. Maître Nick leur narra alors en quelles circonstances ils s'étaient rencontrés sur la route de Montréal à l'île Jésus, et Jean lui fut présenté comme le fils adoptif de la famille Harcher. L'explication finit par de bonnes poignées de main de part et d'autre.

Cependant Catherine criait d'une voix impérieuse:

« Allons, Thomas!... Allons!... Il n'en finit jamais!... Et ces deux toddys!... Veux-tu donc laisser monsieur Nick et monsieur Lionel mourir de soif?...

– C'est prêt, Catherine, c'est prêt! répondit le fermier. Ne t'impatiente pas!... »

Et Thomas Harcher, apparaissant sur le seuil, invita le notaire à le suivre dans la salle à manger.

Si maître Nick ne se fit point prier, Lionel ne se fit pas prier davantage. Là, prenant place l'un et l'autre à une table garnie de tasses coloriées et de serviettes d'une éclatante blancheur, ils se rafraîchirent de ce toddy – agréable breuvage, composé de genièvre, de sucre, de cannelle, et flanqué de deux rôties croustillantes. Cet en-cas devait permettre d'attendre l'heure du dîner sans trop défaillir.

Puis, chacun s'occupa des derniers préparatifs pour la grande fête du lendemain, dont on parlerait longtemps, sans doute, à la ferme de Chipogan.

Maître Nick, lui, allait de l'un à l'autre. Il avait un mot aimable pour chacun, tandis que M. de Vaudreuil, Clary et Jean s'entretenaient de choses plus sérieuses, en se promenant sous les arbres du jardin.

Vers cinq heures, tous, parents, invités, se réunirent dans la grande salle, pour la signature du contrat de mariage. Il va de soi que maître Nick devait présider cette importante cérémonie, et ce qu'il allait déployer de dignité et de grâce tabellionnesque, on n'aurait pu l'imaginer.

À cette occasion, divers cadeaux de noce furent remis entre les mains des fiancés. Pas un des frères ou des beaux-frères, pas une des sœurs ou des belles-sœurs, qui n'eût fait quelque emplette au profit de Rose Harcher et Bernard Miquelon. Et, tant en bijoux de valeur qu'en ustensiles d'une utilité plus pratique, ces présents devaient amplement suffire pour l'entrée en ménage des jeunes mariés. D'ailleurs, Rose, devenue madame Miquelon, ne songeait point à quitter Chipogan. Bernard et les enfants, qui ne lui manqueraient certainement pas, c'était un accroissement de personnel auquel il serait fait bon accueil à la ferme de Thomas Harcher.

Inutile de dire que les plus précieux cadeaux furent offerts par M. et Mlle de Vaudreuil. Pour Bernard Miquelon, une excellente carabine de chasse, qui eût pu rivaliser avec l'arme favorite de Bas-de-Cuir; pour Rose, une parure de cou, qui la fit paraître plus charmante encore. Quant à Jean, il remit à la sœur de ses braves compagnons un coffret, muni de tous ces fins outils de couture, de broderie, de tapisserie, qui ne pouvaient que faire le plus grand plaisir à une bonne ménagère.

Et, à chaque don, les applaudissements d'éclater, les cris de se joindre aux applaudissements! Et, on peut le croire, ils redoublèrent lorsque maître Nick – solennellement – passa au doigt des fiancés leur anneau de mariage, qu'il avait acheté chez le meilleur joaillier de

Montréal, et dont le double cercle d'or portait déjà leurs noms en exergue. Puis, le contrat fut lu – à haute et intelligible voix, comme on dit en style de notaire. Il y eut quelque attendrissement, lorsque maître Nick fit connaître que M. de Vaudreuil, par amitié pour son fermier Thomas Harcher, pour reconnaître ses bons soins, ajoutait une somme de cinq cents piastres à la dot de la fiancée.

Cinq cents piastres! Quand, un demi-siècle avant, une fiancée, pourvue d'une dot de cinquante francs passait pour un riche parti dans les provinces canadiennes.

«Maintenant, mes amis, dit maître Nick, nous allons procéder à la signature du contrat – les fiancés d'abord, puis les père et mère, puis M. et Mlle de Vaudreuil, puis...

– Nous signerons tous!» cria-t-on avec un tel entrain que le notaire en fut assourdi.

Et alors, grands et petits, amis et parents, vinrent, chacun son tour, apposer leur paraphe au bas de l'acte, qui assurait l'avenir des jeunes conjoints.

Cela prit du temps! En effet, les passants entraient maintenant dans la ferme, attirés par le joyeux tumulte de l'intérieur. Ils mettaient leur signature sur l'acte, auquel il faudrait ajouter des pages et des pages, si cela continuait. Et pourquoi tout le village et même tout le comté n'aurait-il pas afflué, puisque Thomas Harcher offrait au choix des visiteurs les boissons les plus variées, cok-tails, vight-caps, tom-jerries, hot-scotchs, et surtout des pintes de whisky, qui coule aussi naturellement vers les gosiers canadiens que le Saint-Laurent vers l'Atlantique.

Maître Nick se demandait donc si la cérémonie prendrait jamais fin. D'ailleurs, le digne homme, épanoui, ne tarissait pas, disait un mot gai à chacun, tandis que Lionel, passant la plume de l'un à l'autre, faisait observer qu'il faudrait bientôt en prendre une nouvelle, car elle s'usait à cette interminable queue de signatures qui s'allongeait sans cesse.

«Enfin, est-ce tout? demanda maître Nick, après une heure de vacation.

– Pas encore! s'écria Pierre Harcher, qui s'était avancé jusqu'au seuil de la grande porte, afin de voir s'il ne passait plus personne sur la route.

– Et qui vient donc?... cria maître Nick.

– Une troupe de Hurons!

– Qu'ils entrent, qu'ils entrent! répliqua le notaire. Leurs signatures n'en feront pas moins honneur aux fiancés! Quel contrat, mes amis, quel contrat! J'en ai bien dressé des centaines dans ma vie, mais jamais qui aient réuni les noms de tant de braves gens au bas de leur dernière page!

En ce moment, les sauvages parurent et furent accueillis par de retentissants cris de bienvenue. D'ailleurs, il n'avait point été nécessaire de les inviter à entrer dans la cour. C'est bien là qu'ils venaient, au nombre d'une cinquantaine – hommes et femmes. Et, parmi eux, Thomas Harcher reconnut le Huron qui s'était présenté la veille, pour demander si maître Nick ne se trouvait pas à la ferme de Chipogan.

Pourquoi cette troupe de Mohagannis avait-elle quitté son village de Walhatta? Pourquoi ces Indiens arrivaient-ils en grande cérémonie, afin de rendre visite au notaire de Montréal?

C'était pour un motif de haute importance, ainsi qu'on va bientôt le savoir.

Ces Hurons – et ils ne le font que dans les circonstances solennelles – étaient revêtus de leur costume de guerre. La tête coiffée de plumes multicolores, leurs longs et épais cheveux, descendant jusqu'à l'épaule d'où retombait le manteau de laine bariolé, le torse recouvert d'une casaque en peau de daim, les pieds chaussés de mocassins en cuir d'orignal, tous étaient armés de ces longs fusils qui, depuis bien des années, ont remplacé chez les tribus indiennes l'arc et les flèches de leurs ancêtres. Mais la hache traditionnelle, le tomahawk de guerre, pendait toujours à la courroie d'écorce qui leur ceignait la taille.

En outre – détail qui accentuait plus encore la gravité de la démarche qu'ils venaient faire à la ferme de Chipogan – une couche de peinture toute fraîche enluminait leur visage. Le bleu d'azur, le noir de fumée, le vermillon, accentuaient d'un relief étonnant leur nez aquilin, troué de larges narines, leur bouche grande, meublée de deux rangées de dents courbes et régulières, leurs pommettes saillantes et carrées, leurs yeux petits et vifs, dont l'orbite noir flamboyait comme une braise.

À cette députation de la tribu s'était jointe quelques femmes de Walhatta – sans doute, les plus jeunes et les plus jolies des Mahogan-niennes. Ces squaws portaient un corsage d'étoffe brodée, dont les manches découvraient l'avant-bras, une jupe à couleurs éclatantes, des «mitasses» en cuir de caribou, garnies de piquants de hérissons, et lacées sur leurs jambes, de souples mocassins, soutachés de grains de verroterie, dans lesquels s'emprisonnaient leurs pieds, dont une Française eût pu envier la petitesse.

Ces Indiens avaient doublé, si c'est possible, l'air de gravité qui leur est habituel. Ils s'avancèrent cérémonieusement jusqu'au seuil de la grande salle, où se tenaient M. et Mlle de Vaudreuil, le notaire, Thomas et Catherine Harcher, tandis que le reste de l'assistance se massait dans la cour.

«Nicolas Sagamore est-il à la ferme de Chipogan?

– Il y est, répondit Thomas Harcher.

– Et j'ajoute que le voici», s'écria le notaire, très surpris que sa personne pût être l'objet de cette visite.

Le Huron se retourna vers lui, releva fièrement la tête, et, d'un ton plus imposant encore:

«Le chef de notre tribu, dit-il, vient d'être rappelé par le grand Wacondah, le Mitsimanitou de nos pères. Cinq lunes se sont écoulées depuis qu'il parcourt les heureux territoires de chasse. L'héritier direct de son sang est maintenant Nicolas, le dernier des Sagamores. À lui appartient désormais le droit d'enterrer le tomahawk de paix ou de déterrer la hache de guerre!»

Un profond silence de stupéfaction accueillit cette déclaration si inattendue. Dans le pays, on savait bien que maître Nick était d'origine huronne, qu'il descendait des grands de la tribu des Mahogannis; mais nul n'eût jamais imaginé – et lui moins que personne – que l'ordre d'hérédité pût l'appeler à la tête d'une peuplade indienne.

Et, alors, au milieu du silence que nul n'avait osé interrompre, l'Indien reprit en ces termes:

C'est de cette façon que se termina le deuxième jour de la fête.

« À quelle époque mon frère voudra-t-il venir s'asseoir au feu du Grand Conseil de sa tribu, revêtu du manteau traditionnel de ses ancêtres ? »

Le porte-parole de la députation ne mettait pas même en doute l'acceptation du notaire de Montréal, et il lui présentait le manteau mahogannien.

Et comme maître Nick, absolument interloqué, ne se décidait pas à répondre, un cri retentit, auquel cinquante autres se joignirent à la fois :

«Honneur!... Honneur à Nicolas Sagamore!»

C'était Lionel qui l'avait jeté, ce cri d'enthousiasme! S'il était fier de la haute fortune qui arrivait à son patron, s'il pensait que l'éclat en rejaillirait sur les clercs de son étude et plus spécialement sur lui-même, s'il se réjouissait à l'idée qu'il marcherait désormais aux côtés du grand chef des Mahogannis, ce serait perdre son temps que d'y insister.

Cependant, M. de Vaudreuil et sa fille ne pouvaient s'empêcher de sourire en voyant la mine stupéfaite de maître Nick. Le pauvre homme! Tandis que le fermier, sa femme, ses enfants, ses amis, lui adressaient leurs sincères félicitations, il ne savait auquel entendre.

Alors l'Indien posa de nouveau sa question, qui n'admettait pas d'échappatoire:

«Nicolas Sagamore consent-il à suivre ses frères au wigwam de Walhattaq?»

Maître Nick restait bouche béante. Bien entendu, il ne consentirait jamais à se démettre de ses fonctions, pour aller régner sur une tribu huronne. Mais, d'autre part, il ne voulait point blesser par un refus les Indiens de sa race, qui l'appelait par droit de succession à un tel honneur.

«Mahogannis, dit-il enfin, je ne m'attendais pas... Je suis indigne, vraiment!... Vous comprenez... mes amis... je ne suis ici qu'en qualité de notaire!..»

Il balbutiait, il cherchait ses mots, il ne trouvait rien de net à répondre.

Thomas Harcher lui vint en aide.

«Hurons, dit-il, maître Nick est maître Nick, du moins jusqu'à ce que la cérémonie du mariage soit accomplie. Après, s'Il lui convient, il quittera la ferme de Chipogan et sera libre de retourner avec ses frères à Walhatta!

– Oui!... après la noce!» s'écria toute l'assistance, qui tenait à conserver son notaire.

Le Huron remua doucement la tête, et, après avoir pris l'avis de la députation:

«Mon frère ne peut hésiter, dit-il. Le sang des Mahogannis coule dans ses veines et lui impose des droits et des devoirs qu'il ne voudra pas refuser...

– Des droits!... des droits!... Soit! murmura maître Nick. Mais, des devoirs...

– Accepte-t-il? demanda l'Indien.

– S'il accepte!... s'écria Lionel. Je le crois bien! Et, pour témoigner de ses sentiments, il faut qu'il revête à l'instant le manteau royal des Sagamores!...

– Il ne se taira donc pas, l'imbécile!» répétait maître Nick entre ses dents.

Et, volontiers, le pacifique notaire eût calmé d'une taloche l'enthousiasme intempestif de son clerc.

M. de Vaudreuil vit bien que maître Nick ne demandait qu'à gagner du temps. Aussi, s'adressant à l'Indien, il lui dit que, certainement, le descendant des Sagamores ne songeait point à se soustraire aux devoirs que lui imposait sa naissance. Mais, quelques jours, quelques semaines peut-être, étaient nécessaires, afin qu'il pût régler sa situation à Montréal. Il convenait donc de lui donner le temps de mettre ordre à ses affaires.

«Cela est sage, répondit l'Indien, et puisque mon frère accepte, qu'il reçoive en gage de son acceptation le tomahawk du grand chef, appelé par le Wacondah à chasser dans les prairies heureuses, et qu'il le passe à sa ceinture!»

Maître Nick dut prendre l'arme favorite des tribus indiennes, et, tout déconfit, comme il n'avait point de ceinture, il la posa piteusement sur son épaule.

La députation fit alors entendre le «hugh» traditionnel des sauvages du Far-West, sorte d'exclamation approbative, en usage dans le langage indien.

Quant à Lionel, il ne se possédait pas de joie, bien que son patron lui parût particulièrement embarrassé d'une situation qui prêterait à rire dans la confrérie des notaires canadiens. Avec sa nature de poète, il entrevoyait déjà qu'il serait appelé à célébrer les hauts faits des

Mahogannis, à mettre en vers lyriques le chant de guerre des Sagamores, avec la crainte, toutefois, de ne pas trouver un rime à tomahawk.

Les Hurons allaient se retirer, tout en regrettant que maître Nick, empêché par ses fonctions, n'eût pas abandonné la ferme pour les suivre, lorsque Catherine eut une idée, dont le notaire ne lui sut aucun gré, sans doute.

«Mahogannis, dit-elle, c'est une fête de mariage qui nous réunit en ce jour à la ferme de Chipogan. Voulez-vous y rester en compagnie de votre nouveau chef? Nous vous offrons l'hospitalité, et, demain, vous prendrez place au festin, dans lequel Nicolas Sagamore occupera le siège d'honneur!»

Un tonnerre d'applaudissements éclata, lorsque Catherine Harcher eut formulé son obligeante proposition, et il se prolongea de plus belle, lorsque les Mahogannis eurent accepté une invitation qui leur était faite de si bon cœur.

Quant à Thomas Harcher, il n'aurait qu'à augmenter la table de noce d'une cinquantaine de couverts – ce qui n'était pas pour l'embarrasser car la salle était vaste, et même plus que suffisante pour ce surcroît de convives.

Maître Nick dut alors se résigner, puisqu'il ne pouvait faire autrement, et il reçut l'accolade des guerriers de sa tribu qu'il eût volontiers envoyés au diable.

Pendant la soirée, il y eut danses des garçons et des filles, qui s'en donnèrent à toutes «gigues», comme on disait en Canada, surtout dans les rondes à la mode française, accompagnées de ce joyeux refrain:

> Dansons à l'entour,
> Toure-toure,
> Dansons à l'entour!

et aussi dans les «scotch-reels» d'origine écossaise, qui étaient si recherchés au commencement du siècle.

Et, c'est de cette façon que se termina le deuxième jour de fête à la ferme de Chipogan.

XII

LE FESTIN

Le grand jour était arrivé – le dernier aussi des cérémonies successives de baptême, de communion et de mariage, qui avaient mis en joie les hôtes de Chipogan. Le mariage de Rose Harcher et de Bernard Miquelon, après avoir été célébré pendant la matinée devant l'officier de l'état civil, le serait ensuite à l'église. Par suite, dans l'après-midi, le repas des noces réunirait les convives dont le nombre s'était considérablement accru dans les circonstances que l'on connaît. Vraiment, il était temps d'en finir, ou le comté de Laprairie et même le district de Montréal eussent pris place à la table hospitalière de Thomas Harcher.

Le lendemain, on se séparerait. M. et Mlle de Vaudreuil retourneraient à la villa Montcalm. Jean quitterait la ferme et ne reparaîtrait sans doute qu'au jour où il viendrait se mettre à la tête du parti réformiste. Quant à ses compagnons du Champlain, ils continueraient le métier de chasseurs, de coureurs des bois, qu'ils exerçaient durant la saison hivernale, en attendant l'heure de rejoindre leur frère adoptif, tandis que la famille reprendrait les travaux habituels de la ferme. Pour les Hurons, ils regagneraient le village de Walhatta, où la tribu comptait faire à Nicolas Sagamore un accueil triomphal lorsqu'il viendrait fumer pour la première fois le calumet au foyer de ses ancêtres.

On l'a vu, maître Nick avait été aussi peu charmé que possible des hommages dont il était l'objet. Bien décidé, d'ailleurs, à ne point échanger son étude pour le titre de chef de tribu, il en avait causé avec

M. de Vaudreuil, avec Thomas Harcher. Et son ahurissement était tel qu'il était difficile de ne point rire quelque peu de l'aventure.

«Vous plaisantez! répétait-il. On voit bien que vous n'avez pas un trône prêt à s'ouvrir sous vos pieds!

– Mon cher Nick, il ne faut pas prendre cela au sérieux! répondait M. de Vaudreuil.

– Et le moyen de le prendre autrement?

– Ces braves gens n'insisteront pas, quand ils auront reconnu que vous ne mettez aucun empressement à vous rendre au wigwam des Mahogannis!

– Ah! vous ne les connaissez guère! s'écriait maître Nick. Eux, ne pas insister! Mais ils me relanceront jusqu'à Montréal!... Ils feront des démonstrations auxquelles je ne pourrai échapper!... Ils assiégeront ma porte!... Et que dira ma vieille Dolly?... Il n'est pas impossible que je finisse par me promener avec des mocassins aux pieds et des plumes sur la tête!»

Et l'excellent homme, qui n'avait guère envie de rire, finissait par partager l'hilarité de ses auditeurs.

Mais, c'était avec son clerc qu'il avait surtout maille à partir. Lionel – par malice – le traitait déjà comme s'il eût accepté la succession du Huron défunt. Il ne l'appelait plus maître Nick! Fi donc! Il ne lui parlait qu'à la troisième personne, en usant du langage emphatique des Indiens. Et, comme il convient à tout guerrier des Prairies, il lui avait donné le choix entre les surnoms de «Corne-d'Orignal» ou de «Lézard Subtil» – ce qui valait œil-de-Faucon ou Longue-Carabine!

Vers onze heures, dans la cour de la ferme, se forma le cortège, qui devait accompagner les jeunes mariés. Ce fut vraiment bien ordonné et digne d'inspirer un jeune poète, si la muse de Lionel ne l'eût entraîné désormais à de plus hautes conceptions.

En tête marchaient Bernard Miquelon et Rose Harcher, l'un tenant le petit doigt de l'autre, tous deux charmants et rayonnants. Puis. M. et Mlle de Vaudreuil à côté de Jean; après eux, les pères et mères, frères et sœurs des mariés; enfin, maître Nick et son clerc, escortés des membres de la députation huronne. Le notaire n'avait pu se dérober à cet honneur. À l'extrême regret de Lionel, il ne manquait à

En tête marchaient Bernard Miquelon et Rose Harcher.

son patron que le costume indigène, le tatouage du torse et le coloriage de la face pour représenter dignement la lignée des Sagamores.

Les cérémonies s'accomplirent avec toute la pompe que comportait la situation de la famille Harcher dans le pays. Il y eut grandes sonneries de cloches, grand accompagnement de chants et de prières, grandes détonations d'armes à feu. Et, dans ce bruyant concert de coups de fusil, les Hurons firent leur partie avec un à propos et un ensemble, auquel n'eût pas manqué d'applaudir Nathaniel Bumpoo, le célèbre ami des Mohicans.

Une escouade de nègres, spécialement engagés pour ce service.

De là, le cortège revint à la ferme, processionnellement. Rose Miquelon au bras de son mari, cette fois. Aucun incident n'avait troublé cette matinée.

Chacun alors se dispersa à sa fantaisie. Peut-être, maître Nick éprouva-t-il quelque peine, lorsqu'il voulut quitter ses frères mahogganiens pour aller respirer plus à l'aise dans la société de ses amis de race canadienne. Et, plus piteux que jamais, il ne cessait de répéter à M. de Vaudreuil:

«En vérité, je ne sais pas comment je me débarrasserai de ces sauvages!»

Entre temps, si quelqu'un fut occupé, surmené, gourmandé, de midi à trois heures – heure à laquelle devait être servi le repas de noces, conformément aux anciennes coutumes, – ce fût bien Thomas Harcher. Certes, Catherine, ses fils et ses filles s'empressèrent de lui venir en aide! Mais les soins qu'exigeait un festin de cette importance ne lui laissèrent pas une minute de répit.

En effet, ce n'était pas seulement une diversité d'estomacs impérieux qu'il s'agissait de contenter, c'étaient autant de goûts auxquels il fallait satisfaire. Aussi, le menu du repas comprenait-il toute la variété des mets ordinaires et extraordinaires qui composent la cuisine canadienne.

Sur l'immense table – à laquelle cent cinquante convives allaient prendre place – étaient disposés autant de cuillers et de fourchettes enveloppées d'une serviette blanche, et un gobelet de métal. Pas de couteaux, chacun devant se servir de celui qu'il avait dans sa poche. Pas de pain, non plus, la galette sucrée d'érable étant seule admise dans les repas de noces. Des plats, dont la nomenclature va être indiquée, les uns, froids, figuraient déjà sur la table, tandis que les autres, chauds, seraient servis tour à tour. C'étaient des terrines de soupe bouillante, d'où s'échappait une vapeur parfumée; des variétés de poissons frits ou bouillis, venus des eaux douces du Saint-Laurent et des lacs, truites, saumons, anguilles, brochets, poissons blancs, aloses, touradis et maskinongis; des chapelets de canards, de pigeons, de cailles, de bécasses, de bécassines, et des fricassées d'écureuils; puis, comme pièce de résistance, des dindes, des oies, des outardes, engraissées dans la basse-cour de la ferme, les unes dorées au feu pétillant de leurs rôtissoires, les autres noyées d'une mare de jus aux épices; et encore, des pâtés chauds aux huîtres, des godiveaux de viandes hachées, relevés de gros oignons, des gigots de mouton à l'eau, des échines de sanglier rôties, des sagamites d'origine indigène, des tranches de faon et de daim en grillades; enfin, ces deux merveilles de venaison par excellence, qui devraient attirer en Canada les gourmets des deux mondes, la langue de bison, si recherchée des chasseurs des Prairies, et la bosse dudit ruminant, cuite à l'étouffée dans sa fourrure naturelle, garnie de feuilles odorantes! Que l'on ajoute à cette nomenclature les saucières où tremblotaient des «relish» de vingt espèces, les montagnes de légumes, mûris aux derniers jours de l'été indien, les pâtisseries de toutes sortes et plus particulièrement des croquecignoles ou beignets, pour la confection desquels les filles de Catherine Harcher jouissaient d'une réputation sans égale, les fruits variés dont le jardin avait fourni toute une récolte, et, de plus, en cent flacons de formes diverses, le cidre, la bière, en attendant le vin, l'eau-de-vie, le rhum, le genièvre, réservés aux libations du dessert.

La vaste salle avait été très artistement décorée en l'honneur de Bernard et de Rose Miquelon. De fraîches guirlandes de feuillages ornaient les murs. Quelques arbustes semblaient avoir poussé tout exprès dans les angles. Des centaines de bouquets de fleurs odorantes ornaient la baie des fenêtres. En même temps, fusils, pistolets, carabines – toutes les armes d'une famille où l'on comptait tant de chasseurs – formaient çà et là d'étincelantes panoplies.

Les jeunes époux occupaient le milieu de la table, disposée en fer à cheval, comme le sont ces chutes du Niagara, qui, à cent cinquante lieues dans le sud-ouest, précipitaient leurs étourdissantes cataractes. Et c'étaient bien des cataractes, qui allaient s'engouffrer dans l'abîme de ces estomacs franco-canadiens!

De chaque côté des mariés, avaient pris place M. et Mlle de Vaudreuil, Jean et ses compagnons du Champlain. En face, entre Thom et Catherine Harcher, trônait maître Nick avec les principaux guerriers de sa tribu, désireux de voir, sans doute, comment fonctionnait leur nouveau chef. Et, à cet égard, Nicolas Sagamore se promettait de montrer un appétit digne de sa lignée. Il va sans dire que, contrairement aux traditions et pour cette circonstance exceptionnelle, les enfants avaient été admis à la grande table, entre les parents et les amis, autour desquels circulait une escouade de nègres, spécialement engagés pour ce service.

À cinq heures, le premier assaut avait été donné. À six heures, il y eut une suspension d'armes, non pour enlever les morts, mais pour donner aux vivants le temps de reprendre haleine. Ce fut alors que commencèrent les toasts portés aux jeunes époux, les speechs en l'honneur de la famille Harcher.

Puis vinrent les joyeuses chansons de noce, car, suivant l'ancienne mode, dans toute réunion, à dîner comme à souper, dames et messieurs ont l'habitude de chanter alternativement, surtout de vieux refrains de France.

Enfin Lionel récita un gracieux épithalame, composé tout exprès pour la circonstance.

«Bravo, Lionel, bravo!» s'écria maître Nick, qui avait noyé dans son verre les ennuis de sa souveraineté future.

Au fond, le brave homme était très fier des succès de son jeune poète, et il proposa de boire à la santé du «galant lauréat de la Lyre-Amicale!»

À cette proposition, les verres furent choqués en se levant vers Lionel, heureux et confus à la fois. Aussi, crut-il ne pouvoir mieux répondre qu'en portant ce toast:

«À Nicolas Sagamore! À cette dernière branche du noble tronc auquel le Grand-Esprit a voulu suspendre les destinées de la nation huronne!»

Les applaudissements détonnèrent. Les Mahogannis s'étaient redressés autour de la table, brandissant leurs tomahawks, avec autant de fougue que s'ils eussent été prêts à s'élancer contre les Iroquois, les Mungos ou toute autre tribu ennemie du Far-West. Maître Nick, avec sa bonne figure placide, paraissait bien pacifique pour de si belliqueux guerriers! En vérité, cet étourdi de Lionel aurait mieux fait de se taire.

Lorsque l'effervescence fut calmée, on s'attaqua au second service avec un nouvel entrain.

Du moins, au milieu de ces bruyantes manifestations, Jean, Clary de Vaudreuil et son père avaient eu toute facilité pour s'entretenir à voix basse. C'était dans la soirée qu'ils allaient se séparer. Si M. et Mlle de Vaudreuil ne devaient prendre congé de leurs hôtes que le lendemain, Jean avait résolu de partir dès la nuit venue, afin de chercher une retraite plus sûre hors de la ferme de Chipogan.

«Et pourtant, lui fit observer M. de Vaudreuil, comment la police s'aviserait-elle de chercher Jean-Sans-Nom parmi les membres de la famille de Thomas Harcher?

– Qui sait si ses agents ne sont pas sur mes traces? répondit Jean, comme s'il eût été pris d'un pressentiment. Et, si cela arrivait, lorsque le fermier et ses fils apprendraient qui je suis...

– Ils vous défendraient, répondit vivement Clary, ils se feraient tuer pour vous!

– Je le sais, dit Jean, et alors, pour le prix de l'hospitalité qu'ils m'ont donnée, je laisserais après moi la ruine et le malheur! Thomas Harcher et ses enfants, contraints de s'enfuir pour avoir pris ma défense!... Et jusqu'où n'iraient pas les représailles!... Aussi, ai-je hâte d'avoir quitté la ferme!

– Pourquoi ne reviendriez-vous pas secrètement à la villa Montcalm? dit alors M. de Vaudreuil. Les risques que vous voulez épargner à Thomas Harcher, n'est-il pas de mon devoir de m'y exposer, et je suis prêt à le remplir! Dans mon habitation, le secret de votre retraite sera bien gardé!

– Cette proposition, monsieur de Vaudreuil, répondit Jean, mademoiselle votre fille me l'a déjà faite en votre nom, mais j'ai dû refuser.

– Cependant, reprit M. de Vaudreuil en insistant, ce serait très utile pour les dernières mesures que vous avez à prendre. Vous pourriez chaque jour communiquer avec les membres du comité. À l'heure du soulèvement, Farran, Clerc, Vincent Hodge, moi, serions prêts à vous suivre. N'est-il pas probable que le premier mouvement se produira dans le comté de Montréal?

– C'est probable, en effet, répondit Jean, ou tout au moins dans un des comtés voisins, suivant les positions qui seront occupées par les troupes royales.

– Eh bien, dit Clary, pourquoi ne pas accepter la proposition de mon père? Votre intention est-elle donc de parcourir encore les paroisses du district? N'avez-vous point achevé votre campagne de propagande?

– Elle est achevée, répondit Jean; je n'ai plus qu'à donner le signal...

– Qu'attendez-vous donc pour le faire? demanda alors M. de Vaudreuil.

– J'attends une circonstance qui achèvera d'exaspérer les patriotes contre la tyrannie anglo-saxonne, répliqua Jean, et cette circonstance se présentera prochainement. Aussi, dans quelques jours, les députés de l'opposition vont refuser au gouverneur général le droit qu'il prétend avoir de disposer des revenus publics, sans l'autorisation de la Chambre. En outre, je sais de source certaine que le Parlement anglais a l'intention d'adopter une loi qui permettrait à lord Gosford de suspendre la constitution de 1791. Dès lors, les Canadiens français ne trouveraient plus aucune garantie dans le régime représentatif attribué à la colonie, et qui, pourtant, leur laisse si peu de liberté d'action! Nos amis, et avec eux les députés libéraux, tenteront de résister à cet excès de pouvoir. Très probablement, lord Gosford, pour mettre un frein aux revendications des réformistes, prendra un arrêté de dissolution, ou tout au moins de prorogation de la Chambre. Ce jour-là, le pays se soulèvera, et nous n'aurons plus qu'à le diriger.

– Vous avez raison, répondit M. de Vaudreuil, il n'est pas douteux qu'une telle provocation de la part des loyalistes amènerait la révolte générale. Mais le Parlement anglais osera-t-il aller jusque-là? Et, si cet attentat contre les droits des Franco-Canadiens se produit, êtes-vous assuré que ce sera bientôt?

– Dans quelques jours, dit Jean. Sébastien Gramont m'en a avisé.

– Et, jusque-là, demanda Clary, comment ferez-vous pour échapper...

– Je saurai dépister les agents.

– Avez-vous donc en vue un refuge?...

– J'en ai un.

– Vous y serez en sûreté?

– Plus que partout ailleurs.

– Loin d'ici?

– À Saint-Charles, dans le comté de Verchères.

– Soit, dit M. de Vaudreuil. Personne ne peut être meilleur juge que vous de ce qu'exigent les circonstances. Si vous pensez devoir tenir absolument secret le lieu de votre retraite, nous n'insisterons pas.

Un homme se tenait sur le seuil.

Mais n'oubliez pas qu'à toute heure de jour ou de nuit, la villa Montcalm vous est ouverte.

– Je le sais, monsieur de Vaudreuil, répondit Jean, et je vous en remercie.»

Il va de soi qu'au milieu des exclamations incessantes des convives, du tumulte croissant de la salle, personne n'avait rien pu entendre de cette conversation, qui avait lieu à voix basse. Parfois, elle avait été interrompue par quelque toast plus bruyant, par une éclatante repartie, par un joyeux refrain à l'adresse des jeunes époux. Et, en ce mo-

«En avant, Hurons!» hurla Lionel.

ment, il semblait qu'elle dût prendre fin, après les dernières paroles échangées entre Jean et M. de Vaudreuil, lorsqu'une question de Clary amena une réponse de nature à surprendre son père et elle-même.

À quel sentiment obéissait la jeune fille en faisant cette question?

Était-ce, sinon un soupçon, du moins un regret de ce que Jean parût décidé à se tenir encore dans une certaine réserve? Cela devait être, puisqu'elle lui dit:

«Il y a donc quelque part, pour vous donner asile, une maison plus hospitalière que la nôtre?

– Plus hospitalière?... Non, mais autant, répondit Jean, non sans émotion.

– Et laquelle?...

– La maison de ma mère!»

Jean prononça ces paroles avec un tel sentiment d'affection filiale que Mlle de Vaudreuil en fut profondément attendrie. C'était la première fois que Jean, dont le passé était si mystérieux, faisait une allusion à sa famille. Il n'était donc pas seul au monde, ainsi que ses amis pouvaient le croire. Il avait une mère, qui vivait secrètement dans cette bourgade de Saint-Charles. Sans doute, Jean allait la voir quelquefois. La maison maternelle lui était ouverte, lorsqu'il lui fallait un peu de tranquillité et de repos! Et, actuellement, c'était là qu'il irait attendre l'heure de se jeter dans la lutte!

Clary n'avait rien répondu. Sa pensée l'entraînait vers cette maison lointaine. Ah! quelle joie c'eût été pour elle de connaître la mère du jeune proscrit! Elle en faisait une femme héroïque, comme son fils, une patriote qu'elle aurait aimée, qu'elle aimait déjà. Certainement, elle la verrait un jour. Sa vie n'était-elle pas indissolublement liée désormais à celle de Jean-Sans-Nom, et qui pourrait jamais rompre ce lien? Oui! Au moment de se séparer de lui, pour toujours peut-être, elle sentait la puissance du sentiment qui les rattachait l'un à l'autre!

Cependant, le repas touchait à sa fin, et la gaieté des convives, surexcités par les libations du dessert, se propageait sous mille formes. Des compliments aux mariés partaient des divers côtés de la table. C'était un tumulte des plus joyeux, duquel s'échappaient parfois ces cris:

«Honneur et bonheur aux jeunes époux!

– Vivent Bernard et Rose Miquelon!»

Et l'on portait aussi la santé de M. et Mlle de Vaudreuil, la santé de Catherine et de Thomas Harcher.

Maître Nick avait grandement fait accueil au repas. S'il n'avait pu conserver la dignité froide d'un Mahoganni, c'est que, véritablement, c'était absolument contraire à sa nature ouverte et communicative. Mais, il faut le dire, les représentants de sa tribu, eux aussi, s'étaient quelque peu départis de leur gravité atavique sous l'influence de la bonne chère et du bon vin. Ils choquaient leurs verres, à la mode française, pour saluer la famille Harcher, dont ils étaient les hôtes d'un jour.

Au dessert, Lionel, qui ne pouvait tenir en place, circulait autour de la table avec un compliment à l'adresse de chaque convive. C'est alors qu'il lui vint à l'idée de s'adresser à maître Nick d'une voix redondante:

«Nicolas Sagamore ne prononcera-t-il pas quelques paroles au nom de la tribu des Mahogannis?»

Dans l'heureuse disposition d'esprit où il se trouvait, maître Nick ne reçut point mal la proposition de son jeune clerc, bien que celui-ci eût employé le langage emphatique des Indiens.

«Tu penses, Lionel?... répondit-il.

– Je pense, grand chef, que l'instant est venu de prendre la parole pour féliciter les jeunes époux!

– Puisque tu crois que c'est l'instant, répondit maître Nick, je vais essayer!»

Et l'excellent homme, se levant, réclama le silence par un geste empreint de dignité huronne.

Le silence se fit aussitôt.

«Jeunes époux, dit-il, un vieil ami de votre famille ne peut vous quitter, sans exprimer sa reconnaissance pour...»

Soudain maître Nick s'arrêta. La phrase commencée resta suspendue à ses lèvres. Ses regards étonnés s'étaient dirigés vers la porte de la grande salle.

Un homme se tenait sur le seuil, sans que personne eût remarqué son arrivée.

Cet homme, maître Nick venait de le reconnaître, et il s'écriait avec un accent où la surprise se mêlait à l'inquiétude:

«Monsieur Rip!»

XIII

COUPS DE FUSIL AU DESSERT

Le chef de la maison Rip and Co., cette fois, n'était pas suivi de son propre personnel.

Au dehors allaient et venaient une dizaine d'agents de Gilbert Argall, accompagnés d'une quarantaine de volontaires royaux, qui occupaient la principale entrée de la cour. Très probablement, la maison était cernée.

S'agissait-il donc d'une simple visite domiciliaire, ou était-ce une arrestation qui menaçait le chef de la famille Harcher?

En tout cas, il avait fallu un motif d'une gravité exceptionnelle, pour que le ministre de la police eût jugé nécessaire d'envoyer une escouade aussi nombreuse à la ferme de Chipogan.

Au nom de Rip, prononcé par le notaire, M. et Mlle de Vaudreuil se sentirent terrifiés. Eux savaient que Jean-Sans-Nom était dans cette salle. Ils savaient que c'était plus particulièrement à Rip qu'avait été donné le mandat de diriger les recherches contre lui. Et que pouvaient-ils penser, sinon que Rip, ayant enfin découvert sa retraite, venait procéder à son arrestation? Si Jean tombait entre les mains de Gilbert Argall, il était perdu.

Se contenant par un suprême effort de volonté, Jean n'avait même pas tressailli. C'est à peine si la pâleur de sa figure s'était accentuée. Aucun mouvement, même involontaire, n'avait pu le trahir. Et, pourtant, il venait de reconnaître Rip, avec lequel il s'était déjà rencontré, le jour où le stage le transportait avec maître Nick et Lionel de

Montréal à l'île Jésus! Rip, l'agent lancé à sa poursuite depuis plus de deux mois! Rip, le provocateur, qui avait causé l'infamie de sa famille, en poussant à la trahison son père Simon Morgaz!

Malgré tout, il garda son sang-froid, il ne laissa rien paraître de la haine qui bouillonnait en lui, tandis que M. de Vaudreuil et sa fille tremblaient à ses côtés.

Cependant, si Jean connaissait Rip, Rip ne le connaissait pas. Il ignorait que le voyageur qu'il avait entrevu un instant sur la route de Montréal, fût le patriote dont la tête était mise à prix. Ce qu'il savait, c'était que Jean-Sans-Nom devait être à la ferme de Chipogan, et voici comment il avait pu retrouver sa trace.

Quelques jours avant, le jeune proscrit, rencontré à cinq ou six lieues de Saint-Charles, après avoir quitté Maison-Close, avait été signalé à sa sortie du comté de Verchères pour être un étranger suspect. S'apercevant que l'éveil était donné, il avait dû s'enfuir à l'intérieur du comté, et, non sans avoir failli à plusieurs reprises tomber entre les mains de la police, il était parvenu à se réfugier dans la ferme de Thomas Harcher.

Mais les agents de la maison Rip n'avaient point perdu sa piste comme il le croyait, et ils avaient eu bientôt la quasi-certitude que la ferme de Chipogan lui donnait asile. Rip fut aussitôt prévenu. Sachant, non seulement que cette ferme appartenait à M. de Vaudreuil, mais que celui-ci y était actuellement, il ne douta plus que l'étranger qui s'y trouvait fût Jean-Sans-Nom. Après avoir donné ordre à quelques-uns de ses hommes de se mêler aux nombreux invités de Thomas Harcher, il fit son rapport à Gilbert Argall, qui mit une escouade de police à sa disposition ainsi qu'un détachement des volontaires de Montréal.

Voilà dans quelles conditions Rip venait d'arriver sur le seuil de la porte, tenant pour certain que Jean-Sans-Nom était au nombre des hôtes du fermier de Chipogan.

Il était cinq heures du soir. Bien que les lampes ne fussent pas allumées, il faisait encore jour à l'intérieur. En un instant, Rip avait parcouru l'assistance du regard, sans que Jean eût attiré son attention plus spécialement que les autres convives réunis dans la salle.

Cependant, Thomas, voyant la cour occupée par une troupe d'hommes, venait de se levre, et s'adressant à Rip:

«Qui êtes-vous? lui demanda-t-il.

– Un agent, chargé d'une mission du ministre de la police, répondit Rip.

– Que venez-vous faire ici?

– Vous allez le savoir.

– N'êtes-vous point Thomas Harcher de Chipogan, fermier de M. de Vaudreuil?

– Oui, et je vous demande de quel droit vous avez envahi ma maison?

– Conformément au mandat qui m'a été donné, je viens procéder à une arrestation.

– Une arrestation... s'écria le fermier, une arrestation chez moi!... Et qui venez-vous y arrêter?

– Un homme dont la tête a été mise à prix par décret du gouverneur général, et qui est ici!

– Il se nomme?...

– Il se nomme, répondit Rip d'une voix forte, ou plutôt il se fait appeler Jean-Sans-Nom!»

Cette réponse fut suivie d'un long murmure. Quoi! c'était Jean-Sans-Nom que Rip venait arrêter, et il affirmait qu'il se trouvait à la ferme de Chipogan!

L'attitude du fermier, de sa femme, de ses enfants, de tous ses hôtes, fut si naturellement celle d'une stupéfaction profonde que Rip put croire à une erreur de ses agents égarés sur une fausse piste. Néanmoins, il réitéra sa demande, et, cette fois, d'une façon encore plus affirmative.

«Thomas Harcher, reprit-il, l'homme que je cherche est ici, et je vous somme de le livrer!»

À ces mots, Thomas Harcher regarda sa femme, et Catherine, lui saisissant le bras, s'écria:

«Mais réponds donc à ce qu'on te demande!

– Oui, Thomas, répondez! ajouta maître Nick. Il me semble que la réponse est facile!

– Très facile, en effet!» dit le fermier.

Et, se retournant vers Rip:

«Jean-Sans-Nom que vous cherchez, dit-il, n'est pas à la ferme de Chipogan.

– Et moi, j'affirme qu'il y est, Thomas Harcher, répondit froidement Rip.

– Non, vous dis-je, il n'y est pas!... Il n'a jamais paru ici!... Je ne le connais même pas!... Mais j'ajoute que s'il était venu me demander asile, je l'aurais reçu, et que s'il était chez moi, je ne le livrerais pas!»

Aux démonstrations significatives qui accueillirent la déclaration du fermier, Rip ne pouvait se tromper. Thomas Harcher s'était fait l'interprète des sentiments de toute l'assistance. En admettant que Jean-Sans-Nom se fût réfugié à la ferme, pas un seul de ses hôtes n'aurait eu la lâcheté de le trahir.

Jean, toujours impassible, écoutait. M. de Vaudreuil et Clary n'osaient même plus le regarder, par crainte d'attirer sur lui l'attention de Rip.

«Thomas Harcher, reprit celui-ci, vous n'ignorez pas, sans doute, qu'une proclamation, en date du 3 septembre 1837, offre une prime de six mille piastres à quiconque arrêtera Jean-Sans-Nom ou fera connaître sa retraite?

– Je ne l'ignore pas, répondit le fermier, et nul ne l'ignore en Canada. Mais il ne s'est pas trouvé jusqu'ici un seul Canadien assez misérable pour accomplir une si odieuse trahison... et il ne s'en trouvera jamais!...

– Bien dit, Thomas!» s'écria Catherine, à laquelle ses enfants et ses amis se joignirent.

Rip ne se démonta pas.

«Thomas Harcher, reprit-il, si vous connaissez la proclamation du 3 septembre 1837, peut-être ne connaissez-vous pas le nouvel arrêté que le gouverneur général vient de prendre hier, à la date du 6 octobre?

– C'est vrai, je ne le connais pas, répondit le fermier, et, s'il est du genre de l'autre, s'il provoque à la délation, vous pouvez vous dispenser de le faire connaître!

– Vous l'entendrez pourtant!» répliqua Rip.

Et, déployant un papier contresigné de Gilbert Argall, il lut ce qui suit:

«Est adjoint à tout habitant des villes et des campagnes canadiennes de refuser aide et protection au proscrit Jean-Sans-Nom. Peine de mort pour quiconque lui aura donné asile.»

«Par le gouverneur général,
«Le ministre de la police,
Gilbert Argall.»

Ainsi, le gouvernement anglais avait osé aller jusqu'à de tels moyens! Après avoir mis à prix la tête de Jean-Sans-Nom, il prononçait maintenant la peine capitale contre quiconque lui aurait donné ou lui donnerait asile!

Cet acte inqualifiable entraîna les protestations les plus violentes de la part des assistants. Thomas Harcher, ses fils, ses invités, quittaient déjà leur place pour se jeter sur Rip, pour le chasser de la ferme avec son escouade d'agents et de volontaires, lorsque maître Nick les arrêta d'un geste.

La figure du notaire était devenue grave. À l'égal de tous les patriotes réunis dans cette salle, il éprouvait cette horreur si naturelle que devait inspiré l'arrêté de lord Gosford, dont Rip venait de donner communication.

«Monsieur Rip, dit-il, celui que vous cherchez n'est point à la ferme de Chipogan. Thomas Harcher vous en a donné l'assurance, et je vous la réitère à mon tour. Vous n'avez donc que faire ici, et vous auriez mieux fait de garder en poche ce regrettable document. Croyez-moi, monsieur Rip, vous seriez bien avisé en ne nous imposant pas plus longtemps votre présence!

– Bien, Nicolas Sagamore! s'écria Lionel.

– Oui!... Retirez-vous... à l'instant! reprit le fermier, dont la voix tremblait de colère. Jean-Sans-Nom n'est pas ici! Mais qu'il vienne me demander asile, et, malgré les menaces du gouverneur, je le recevrai... Maintenant, sortez de chez moi!... Sortez!...

– Oui!... Oui!... Sortez!... répéta Lionel, dont maître Nick eût vainement essayer de calmer l'exaspération.

– Prenez garde, Thomas Harcher! répondit Rip. Vous n'aurez pas raison contre la loi ni contre la force qui est chargée de l'appuyer! Agents ou volontaires, j'ai cinquante hommes avec moi... Votre maison est cernée...

– Sortez!... Sortez!...»

Et ces cris s'élevaient unanimement, en même temps que des menaces directes contre Rip.

«Je ne sortirai qu'après avoir constaté l'identité de toutes les personnes présentes!» répondit Rip.

Sur un signe de lui, les agents, groupés dans sa cour, se rapprochèrent de la porte, prêts à pénétrer dans la salle. À travers les fenêtres, M. et Mlle de Vaudreuil apercevaient les volontaires, disposés autour de la maison.

En prévision d'une collision imminente, les enfants et les femmes, à l'exception de Mlle de Vaudreuil et de Catherine, venaient de se retirer dans les chambres voisines. Pierre Harcher, ses frères et ses amis, avaient décroché leurs armes suspendues aux murs. Et, pourtant, si inférieurs par le nombre, comment pourraient-ils empêcher Rip d'accomplir son mandat?

Aussi M. de Vaudreuil, allant de fenêtre en fenêtre, cherchait à voir si Jean aurait la possibilité de s'échapper par les derrières de la ferme, en se jetant à travers le jardin. Mais, de ce côté non moins que de l'autre, la fuite était impraticable.

Au milieu de ce tumulte, Jean restait immobile près de Clary, qui n'avait pas voulu s'éloigner.

Maître Nick tenta alors un dernier effort de conciliation, au moment où les agents allaient envahir la salle.

«Monsieur Rip, monsieur Rip, dit-il, vous allez faire verser du sang, et bien inutilement, je vous assure!... Je vous le répète, je vous en donne ma parole!... Jean-Sans-Nom, que vous avez mandat d'arrêter, n'est point à la ferme...

Ce jour-là, force n'était point restée à la loi.

– Et il y serait, je vous le répète, que nous le défendrions jusqu'à la mort! s'écria Thomas Harcher.

– Bien!... bien!... s'écria Catherine, enthousiasmée par l'attitude de son mari.

– Ne vous mêlez pas de cette affaire, monsieur Nick! répondit Rip. Cela ne vous regarde pas, et vous auriez à vous en repentir plus tard!... Je ferai mon devoir, quoi qu'il puisse arriver!... Maintenant, place!... place!...»

Une dizaine d'agents s'engagèrent dans la salle, tandis que Thomas Harcher et ses fils s'élançaient contre eux, afin de les repousser et de fermer la porte.

Et, se démenant toujours, maître Nick répétait, sans parvenir à se faire entendre:

«Jean-Sans-Nom n'est pas ici, monsieur Rip, je vous affirme qu'il n'y est pas...

– Il y est!» dit une voix forte, qui domina le tumulte.

Tous s'arrêtèrent.

Jean, immobile, les bras croisés, regardant Rip en face, reprit simplement:

«Jean-Sans-Nom est ici, et c'est moi!»

M. de Vaudreuil avait saisi le bras du jeune patriote, pendant que Thomas Harcher et les autres, s'écriaient:

«Lui!... Lui!... Jean-Sans-Nom!»

Jean indiqua d'un geste qu'il voulait prendre la parole. Un profond silence s'établit.

«Je suis celui que vous cherchez, dit-il en s'adressant à Rip. Je suis Jean-Sans-Nom.»

Se retournant aussitôt vers le fermier et ses fils:

«Pardon, Thomas Harcher, pardon mes braves compagnons, ajouta-t-il, si je vous ai caché qui j'étais, et merci pour l'hospitalité que j'ai trouvée depuis cinq ans à la ferme de Chipogan. Mais, cette hospitalité que j'avais acceptée, tant qu'elle ne créait pas un danger pour vous, je n'en voudrais plus à présent qu'il y va de la vie pour quiconque me donnerait refuge!... Oui, merci de la part de celui qui ne fut ici que votre fils adoptif, et qui est Jean-Sans-Nom pour son pays!»

Un indescriptible mouvement d'enthousiasme accueillit cette déclaration.

«Vive Jean-Sans-Nom!... Vive Jean-Sans-Nom!...» cria-t-on de toutes parts.

Puis, lorsque les cris eurent cessé:

«Eh bien, reprit Thomas Harcher, puisque j'ai dit que nous défendrions Jean-Sans-Nom, défendons-le, mes fils!... Défendons-le jusqu'à la mort?»

Jean voulut en vain s'interposer, afin d'empêcher une lutte par trop inégale. On ne l'écouta pas. Pierre et les aînés se jetèrent sur les agents, qui obstruaient le seuil, et ils les repoussèrent avec l'aide de leurs amis. La porte fut aussitôt refermée et barricadée de gros meubles. Pour s'introduire dans la salle, et même dans la maison, il faudrait pénétrer par les fenêtres, qui s'ouvraient à une dizaine de pieds au-dessus du sol.

C'était donc un assaut à donner – et dans l'obscurité, car la nuit commençait à se faire. Rip, qui n'était point homme à reculer, ayant d'ailleurs pour lui le nombre, prit ses mesures pour exécuter son mandat en lançant les volontaires contre la maison.

Pierre Harcher, ses frères et ses compagnons, postés aux fenêtres, se tinrent prêts à engager le feu.

«Nous te défendrons, malgré toi, s'il le faut!» disaient-ils à Jean, qui n'était plus maître de les arrêter.

Au dernier moment, le fermier avait obtenu de Clary de Vaudreuil et de Catherine qu'elles rejoindraient les autres femmes et les enfants dans une des chambres latérales, où elles seraient à l'abri des coups de fusils. Il ne restait donc plus dans la salle que les hommes en état de se battre – une trentaine en tout.

En effet, il ne fallait point compter sur les Mahogannis parmi les défenseurs de la ferme. Indifférents à cette scène, ces Indiens ne s'étaient point départis de leur réserve habituelle. Cette affaire ne les regardait pas – non plus que maître Nick et son clerc, qui n'avaient point à prendre parti pour ou contre l'autorité. De même, ce que le notaire entendait conserver dans cette échauffourée, c'était une neutralité absolue. Tout en se gardant de recevoir aucun coup, puisqu'il était résolu à n'en point rendre, il ne cessait donc d'interpeller Lionel, qui jetait feu et flamme. Bah! le jeune clerc ne l'écoutait guère, excité qu'il était à défendre dans Jean-Sans-Nom, non seulement le héros populaire, mais aussi le sympathique auditeur, qui avait fait si bon accueil à ses essais poétiques.

«Pour la dernière fois, je t'interdis de te mêler de cela! répéta maître Nick.

– Et pour la dernière fois, répondait Lionel, je m'étonne qu'un descendant des Sagamores refuse de me suivre sur les sentiers de la guerre!

– Je ne suivrai aucun sentier, si ce n'est celui de la paix, maudit garçon, et tu vas me faire plaisir de quitter cette salle, où tu n'as que quelque mauvais coup à recevoir.

– Jamais!» s'écria le belliqueux poète.

Et s'élançant vers l'un des Mahogannis, il saisit la hache qui pendait à la ceinture de celui-ci.

De son côté, dès qu'il vit ses compagnons absolument décidés à repousser la force par la force, Jean prit le parti d'organiser la résistance. Pendant la collision, peut-être parviendrait-il à s'échapper, et, désormais, quoi qu'il pût arriver, le fermier et les siens, en rébellion ouverte avec les agents de l'autorité, ne seraient pas plus compromis qu'ils ne l'étaient déjà. Il s'agissait tout d'abord de repousser Rip et son escorte. On verrait ensuite ce qu'il conviendrait de faire. Si les assaillants essayaient de briser les portes de la maison, cela demanderait du temps. Et, avant qu'ils eussent reçu des renforts de Laprairie ou de Montréal, agents et volontaires pouvaient être rejetés hors de la cour.

Pour cela, Jean se résolut à faire une sortie qui dégageât les approches de la ferme.

Les dispositions furent prises en conséquence. Au début, une vingtaine de coups de feu éclatèrent à travers les fenêtres de la façade, – ce qui obligea Rip et ses hommes à reculer le long des palissades.

La porte ayant alors été rapidement ouverte, Jean, suivi de M. de Vaudreuil, de Thomas Harcher, de Pierre, de ses frères et de leurs amis, se précipita dans la cour.

Quelques volontaires gisaient déjà sur le sol. Il y eut bientôt aussi des blessés parmi les défenseurs, qui, au milieu d'une demi-obscurité, s'étaient élancés sur les assiégeants. Une lutte corps à corps s'engagea, à laquelle Rip prit très bravement part. Toutefois, ses hommes commençaient à perdre du terrain. Si l'on parvenait à les repousser hors de la cour et à fermer la grande porte, ils ne pourraient que très difficilement franchir les hautes palissades de la ferme.

C'est à cela que tendirent tous les efforts de Jean, bien secondé par ses braves compagnons. Peut-être alors, les abords de Chipogan étant dégagés, lui serait-il possible de s'enfuir à travers la campagne, et, s'il le fallait, au delà de la frontière canadienne, en attendant l'heure de reparaître à la tête des insurgés.

Il va sans dire que si Lionel s'était intrépidement mêlé au groupe des combattants, maître Nick n'avait pas voulu quitter la salle. Très décidé à conserver la plus stricte neutralité, il n'en faisait pas moins des vœux pour Jean-Sans-Nom et pour tous ses défenseurs, parmi lesquels il comptait tant d'amis personnels.

Malheureusement, en dépit de tout leur courage, les habitants de la ferme ne purent l'emporter contre le nombre des agents et des volontaires, qui parvinrent à reprendre l'avantage. Ils durent rétrograder peu à peu vers la maison, puis y chercher refuge. La salle ne tarderait pas à être envahie. Toute issue serait coupée, et Jean-Sans-Nom n'aurait plus qu'à se rendre.

En réalité, les forces des assiégés diminuaient sensiblement. Déjà, deux des aînés de Thomas Harcher, Michel et Jacques, ainsi que trois ou quatre de leurs compagnons, avaient dû être transportés dans une des chambres contiguës, où Clary de Vaudreuil, Catherine et les autres femmes leur donnaient des soins.

La partie était perdue, si un renfort inespéré n'arrivait pas à Jean-Sans-Nom et à ses compagnons, d'autant plus que les munitions allaient bientôt leur manquer.

Soudain un revirement se produisit:

Lionel venait de se précipiter dans la salle, couvert de sang par suite d'une blessure, peu grave heureusement, qui lui avait déchiré l'épaule.

Maître Nick l'aperçut.

«Lionel!... Lionel!... s'écria-t-il. Tu n'as pas voulu m'écouter!... Insupportable enfant!»

Et saisissant son jeune clerc par le bras, il voulut l'entraîner dans la chambre des blessés.

Lionel s'y refusa.

«Ce n'est rien!... Ce n'est rien!... dit-il. Mais, Nicolas Sagamore, laisserez-vous vos amis succomber, quand vos guerriers n'attendent qu'un mot pour les secourir!...

– Non!... Non!... s'écria maître Nick! Je n'en ai pas le droit!... M'insurger contre les autorités régulières!»

Et, en même temps, voulant tenter un suprême effort, il se jeta au milieu des combattants pour les arrêter par ses objurgations.

Cela ne lui réussit point. Il fut aussitôt enveloppé par les agents, qui ne lui épargnèrent pas les bourrades, et rudement emporté au milieu de la cour.

C'en était trop pour les guerriers mahogannis, dont les instincts belliqueux ne purent souffrir un tel attentat. Leur grand chef arrêté, maltraité!... Un Sagamore aux mains de ses ennemis, les Visages-Pâles!

Il n'en fallut pas davantage, et le cri de guerre de la tribu retentit dans la mêlée.

«En avant!... En avant, Hurons!...» hurla Lionel, qui ne se possédait plus.

L'intervention des Indiens vint brusquement changer la face des choses. La hache à la main, ils se précipitèrent sur les assaillants. Ceux-ci, épuisés par une lutte qui durait depuis une heure, reculèrent à leur tour.

Jean-Sans-Nom, Thomas Harcher et leurs amis sentirent qu'un dernier effort permettrait de rejeter Rip et sa bande hors de l'enceinte. Ils reprirent l'offensive. Les Hurons les y aidèrent vivement, après avoir délivré maître Nick, qui se surprit à les encourager de sa voix sinon de son bras, encore inhabile à manier le tomahawk de ses ancêtres.

Et voilà comment un notaire de Montréal, le plus pacifique des hommes, fut compromis pour avoir défendu une cause, qui ne regardait ni les Mahogannis ni leur chef.

Agents et volontaires furent bientôt contraints de repasser la porte de la cour, et, comme les Indiens les poursuivirent pendant un mille au delà, les environs de la ferme de Chipogan furent entièrement dégagés.

Mauvaise affaire, décidément, et qui figurerait avec perte dans le prochain bilan de la maison Rip and Co.

Ce jour-là, force n'était point restée à la loi, mais au patriotisme.

FIN DE LA PREMIÈRE PARTIE

DEUXIÈME PARTIE

I

PREMIÈRES ESCARMOUCHES

L'affaire de la ferme de Chipogan avait eu un retentissement considérable. Du comté de Laprairie, il s'était rapidement propagé à travers les provinces canadiennes. L'opinion publique n'aurait pu trouver une occasion plus favorable pour se manifester. Il ne s'agissait pas uniquement d'une collision entre la police et les «habitants» des campagnes – collision dans laquelle les agents de l'autorité et les volontaires royaux avaient eu le dessous. Ce qui était plus grave, c'était la circonstance qui avait motivé l'envoi d'une escouade à Chipogan. Jean-Sans-Nom venait de reparaître dans le pays. Le ministre Gilbert Argall, avisé de sa présence à la ferme, avait voulu l'y faire arrêter. L'arrestation ayant échouée, le personnage dans lequel s'incarnait la revendication nationale était libre, et l'on pressentait qu'il saurait prochainement faire usage de sa liberté.

Où Jean-Sans-Nom s'était-il réfugié, après avoir quitté Chipogan? Les plus actives, les plus minutieuses, les plus sévères recherches n'avaient pu révéler le lieu de sa retraite. Rip, cependant, bien que très désappointé de l'insuccès de ses démarches, ne désespérait pas de prendre sa revanche. En dehors de l'intérêt personnel, l'honneur de sa maison était en jeu. Il jouerait la partie jusqu'à ce qu'il l'eût gagnée. Le gouvernement savait à quoi s'en tenir là-dessus. Il ne lui avait ni retiré sa confiance ni épargné ses encouragements. Maintenant, Rip connaissait le jeune patriote pour s'être trouvé face à face avec lui. Ce ne serait plus en aveugle qu'il se mettrait à sa poursuite.

Depuis le coup manqué de Chipogan, quinze jours – du 7 au 23 – s'étaient écoulés. La dernière semaine d'octobre venait de s'achever, et Rip, quoi qu'il eût fait, n'avait encore obtenu aucun résultat.

Voici, d'ailleurs, ce qui s'était passé, après les incidents dont la ferme avait été le théâtre.

Dès le lendemain, Thomas Harcher s'était vu dans l'obligation d'abandonner Chipogan. Après avoir autant que possible mis ordre à ses affaires les plus pressantes, il s'était jeté avec ses fils aînés à travers les forêts du comté de Laprairie ; après avoir franchi la frontière américaine, il s'était réfugié dans un des villages limitrophes, impatient de voir la tournure que prendraient les événements. Saint-Albans, sur les bords du lac Champlain, lui offrait toute sécurité. Les agents de Gilbert Argall ne pouvaient l'y atteindre.

Si le mouvement national. préparé par Jean-Sans-Nom, réussissait, si le Canada, recouvrant son autonomie, échappait à l'oppression anglo-saxonne, Thomas Harcher reviendrait tranquillement à Chipogan. Si ce mouvement échouait, au contraire, il y avait lieu d'espérer que l'oubli se ferait avec le temps. Sans doute, une amnistie viendrait couvrir les actes du passé, et les choses reprendraient peu à peu leur ancien cours.

En tout cas, une maîtresse femme était restée à la ferme. Pendant le saison d'hiver, qui suspendait les travaux agricoles, les intérêts de M. de Vaudreuil n'auraient point à souffrir sous la direction de Catherine Harcher.

De leur côté, Pierre et ses frères ne laisseraient pas d'exercer le métier de chasseurs sur les territoires voisins de la colonie canadienne. Dans six mois, très probablement, rien ne les empêcherait de recommencer leur campagne de pêche entre les deux rives du Saint-Laurent.

Thomas Harcher n'avait eu que trop raison de se mettre en lieu sûr. Dans les vingt-quatre heures, Chipogan avait été occupé militairement par un détachement de réguliers, venus de Montréal. Catherine Harcher, n'ayant plus rien à craindre pour son mari et ses fils aînés plus directement compromis dans l'affaire, fit bonne contenance. En somme, la police, maintenue par le gouverneur général dans un habile système d'indulgence, n'exerça aucune représailles contre elle. L'énergique femme sut faire respecter des garnisaires elle et les siens.

Il ne fut de la villa Montcalm comme de la ferme de Chipogan. Les autorités la surveillèrent, sans l'occuper toutefois. Aussi, M. de Vaudreuil, convaincu d'avoir pris fait et cause pour le jeune proscrit, s'était-il bien gardé de retourner dans son habitation de l'île Jésus. Un mandat d'arrêt avait été lancé contre lui par le ministre Gilbert Argall. S'il n'eut pris la fuite, on l'eût incarcéré à la prison de Montréal, et il n'aurait pu venir prendre place dans les rangs de l'insurrection. Où alla-t-il chercher refuge? Chez un de ses amis politiques, sans doute. En tout cas, il s'y rendit très secrètement, car il fut impossible de découvrir la maison qui lui donnait asile.

Seule, Clary de Vaudreuil revint à la villa Montcalm. De là, elle resta en communication avec MM. Vincent Hodge, Farran, Clerc et Gramont. Quant à Jean-Sans-Nom, elle savait que c'était chez sa mère, à Saint-Charles, qu'il avait dû se mettre en sûreté. D'ailleurs, à diverses reprises, par des mains amies, elle reçut plusieurs lettres de lui. Et, si Jean ne l'entretenait que de la situation politique, elle sentait bien qu'un autre sentiment troublait le cœur du jeune patriote.

Il reste maintenant à dire ce qu'étaient devenus maître Nick et son clerc.

On n'a pas oublié la part que les Hurons avaient prise à l'affaire de Chipogan. Sans leur intervention, les volontaires n'eussent point été repoussés, et Jean-Sans-Nom fût tombé au pouvoir des agents de Rip.

Or, cette intervention des Mahogannis, qui l'avait provoquée? Était-ce le pacifique notaire de Montréal? Non, certainement. Au contraire, tous ses efforts n'avaient tendus qu'à empêcher l'effusion de sang. Il ne s'était jeté dans la mêlée que pour retenir les deux partis. À cet instant, si les guerriers de Walhatta s'étaient mêlés à la lutte, c'était uniquement parce que Nicolas Sagamore, empoigné par les assaillants, risquait d'être traité comme un rebelle. Quoi de plus naturel, dès lors, que les guerriers indiens eussent voulu défendre leur chef. Cela, il est vrai, avait amené la reculade, puis la dispersion de la troupe, au moment où elle allait forcer les portes de l'habitation. De là à rendre maître Nick responsable de ce dénouement, il n'y avait qu'un pas, et maître Nick dut craindre, non sans raison, que ce pas fût franchi au détriment de sa propre personne.

Il s'ensuit donc que le digne notaire avait lieu de se croire très gravement compromis à propos d'une simple bagarre d'arrestation qui ne le regardait pas. Aussi, ne se souciant point de revenir à son office de Montréal, avant que l'apaisement n'eût été fait sur cette échauffourée, se laissa-t-il entraîner sans peine au village de Walhatta, dans le wigwam de ses ancêtres. L'étude serait donc fermée pendant un laps de temps, dont il était impossible d'apprécier la durée. La clientèle en souffrirait, la vieille Dolly serait au désespoir. Mais qu'y faire? Mieux valait encore être Nicolas Sagamore au milieu de sa tribu mahoganienne que maître Nick détenu à la prison de Montréal, sous l'inculpation de rébellion envers les agents de la force publique.

Lionel, cela va sans dire, avait suivi son patron au fond de ce village indien, perdu sous les épaisses forêts du comté de Laprairie. Lui, d'ailleurs, s'était bel et bien battu contre les volontaires et n'aurait pu échapper au châtiment. Toutefois, si maître Nick se lamentait *in petto*, Lionel s'applaudissait de la tournure que l'affaire avait prise. Il ne regrettait point d'avoir défendu Jean-Sans-Nom, le héros acclamé des populations franco-canadiennes. Il espérait même que les choses n'en resteraient pas là et que les Indiens se déclareraient en faveur des insurgés. Maître Nick n'était plus maître Nick: c'était un chef de Hurons. Lionel n'était plus son second clerc: c'était le bras droit du dernier des Sagamores.

Pourtant, il était à craindre que le gouverneur général ne voulût châtier les Mahogannis, coupables d'être intervenus à Chipogan. Mais la prudence imposa à lord Gosford une réserve que justifiaient les circonstances. Des représailles eussent peut-être fourni aux peuplades indigènes une occasion de venir en aide à leurs frères, de se soulever en masse – complication redoutable dans les conjonctures actuelles. Pour cette raison, lord Gosford jugea sage de ne point poursuivre les guerriers de Walhatta, non plus que le nouveau chef appelé à leur tête par les droits de lignée. Maître Nick ni Lionel ne furent point inquiétés dans leur retraite.

Du reste, lord Gosford suivait avec une extrême attention les menées des réformistes, qui continuaient d'agiter les paroisses du haut et du Bas-Canada. Le district de Montréal était plus spécialement soumis à la vigilance de la police. On s'attendait à un mouvement insurrectionnel des paroisses voisines du Richelieu. Les mesures furent prises pour l'enrayer dès le début, s'il était impossible de le prévenir. Les soldats de l'armée royale, dont sir John Colborne avait pu disposer, venaient d'établir leurs cantonnements sur les territoires du comté de Montréal et des comtés auxquels il confinait. Les partisans de la réforme n'ignoraient donc point que la lutte serait difficile à soutenir. Cela n'était pas pour les arrêter. La cause nationale, pensaient-ils, entraînerait la foule entière des Franco-Canadiens. Ceux-ci n'attendaient qu'un signal pour courir aux armes, depuis que l'affaire de Chipogan avait révélé la présence de Jean-Sans-Nom. Si le populaire agitateur ne l'avait pas donné, c'est que les décisions antilibérales, auxquelles il prévoyait que le Cabinet britannique s'abandonnerait, ne s'étaient pas produites jusqu'alors.

Jusque-là, du fond de cette mystérieuse Maison-Close, où il avait rejoint sa mère, Jean ne cessait d'observer attentivement l'état des esprits. Durant les six semaines qui s'étaient écoulées depuis son arrivée à Saint-Charles, l'abbé Joann était venu nuitamment lui rendre plusieurs fois visite. Par son frère, Jean avait été tenu au courant des éventualités politiques. Ce qu'il espérait des tendances oppressives des chambres anglaises, c'est-à-dire la suspension de la constitution de 1791, puis la dissolution ou la prorogation de l'assemblée canadienne qui devait en résulter n'était qu'en projet. Aussi, dans son ardeur, Jean avait-il été vingt fois sur le point de quitter Maison-Close pour se jeter ostensiblement à travers le comté, pour appeler à lui les patriotes avec l'espérance que la population des villes et des campagnes se lèverait à sa voix, que tous feraient bon usage des armes dont il avait pourvu les centres réformistes lors de sa dernière période de pêche sur le Saint-Laurent. Peut-être, dès le début, les loyalistes seraient-ils accablés sous le nombre – ce qui ne laisserait aux autorités d'autre alternative que de se soumettre? Mais l'abbé Joann l'avait détourné de ce dessein, lui montrant qu'un premier échec serait désastreux, qu'il entraînerait l'anéantissement de toutes les chances à venir. Et, en effet, les troupes, réunies autour de Montréal, étaient prêtes à se porter sur n'importe quel point des comtés limitrophes où la rébellion éclaterait.

Il convenait donc d'agir avec une extrême circonspection, et mieux valait attendre que l'exaspération publique fût portée au comble par les mesures tyranniques du Parlement et les exactions des agents de la Couronne.

De là ces retards, qui se prolongeaient indéfiniment, à l'extrême impatience des Fils de la Liberté.

L'énergique femme sut faire respecter elle et les siens.

Lorsque Jean s'était enfui de Chipogan, il comptait bien que le mois d'octobre ne s'écoulerait pas avant qu'une insurrection générale eût soulevé le Canada.

Or, au 23 octobre, rien n'indiquait encore que ce mouvement fût prochain, lorsque l'occasion, prévue par Jean, provoqua une première manifestation.

Sur le rapport des trois commissaires, nouvellement désignés par le gouvernement anglais, la Chambre des lords et la Chambre des communes s'étaient hâtées d'adopter les propositions suivantes: em-

Les paroisses accoururent aux meetings.

ploi des deniers publics sans l'autorisation de l'assemblée canadienne, mise en accusation des principaux députés réformistes, modification de la constitution en exigeant de l'électeur français un cens double du cens de l'électeur anglais, irresponsabilité des ministres devant les Chambres.

Ces mesures injustes et violentes troublèrent le pays tout entier. Il y eut révolte des sentiments patriotiques de la race franco-canadienne. C'était là plus que les citoyens n'en pouvaient supporter, et les paroisses des deux rives du Saint-Laurent accoururent aux meetings.

Le 15 septembre, à Laprairie, se tient une assemblée à laquelle assistent le délégué de France, qui avait reçu à cet égard des ordres du gouvernement français, et le chargé d'affaires des États-Unis à Québec.

À Sainte-Scholastique, à Saint-Ours, principalement dans les comtés du Bas-Canada, on demande la rupture immédiate avec la Grande-Bretagne, on provoque les réformistes à passer des paroles aux actes, on décide de faire appel au concours des Américains.

Une caisse est fondée pour recueillir les plus minimes comme les plus généreuses cotisations, afin de soutenir la cause populaire.

Des cortèges défilent, bannière haute, avec ces devises qui sont acclamées:

«Fuyez, tyrans! Le peuple se réveille!»

«Union des peuples, terreur des grands!»

«Plutôt une lutte sanglante que l'oppression d'un pouvoir corrompu!»

Un pavillon noir, sur lequel se dessine une tête de mort avec deux os en croix, dénonce les noms de ces gouverneurs détestés, Craig, Dalhousie, Aylmer, Gosford. Enfin, à l'honneur de l'ancienne France, un pavillon blanc porte d'un côté l'aigle américain environné d'étoiles, de l'autre l'aigle canadien, tenant dans son bec une branche d'érable avec ces mots:

«Notre avenir! Libres comme l'air!»

On voit à quel degré s'élève la surexcitation des esprits. L'Angleterre peut craindre que la colonie brise d'un seul coup le lien qui la rattache à elle. Les représentants de son autorité au Canada prennent d'importantes mesures en prévision d'une lutte suprême, tout en ne voulant voir que les menées d'une faction là où il s'agit d'un élan national.

Le 23 octobre, une assemblée se réunit à Saint-Charles, cette même bourgade où Jean-Sans-Nom s'était réfugié chez sa mère, et qui allait devenir le théâtre d'événements tristement célèbres. Les six comtés de Richelieu, de Saint-Hyacinthe, de Rouville, de Chambly, de Verchères, de l'Acadie, ont envoyé leurs représentants. Treize députés doivent y prendre la parole, et parmi eux, Papineau, alors au point culminant de sa popularité. Plus de six mille personnes, hommes, femmes, enfants, accourus de dix lieues à la ronde, sont campés dans une vaste prairie, appartenant au docteur Duvert, autour d'une colonne surmontée du bonnet de la Liberté. Et pour qu'il fût bien compris que l'élément militaire faisait cause commune avec l'élément civil, une compagnie de miliciens agite ses armes au pied de cette colonne.

Papineau prononce un discours, après quelques autres orateurs plus fougueux que lui, et peut-être parut-il trop modéré en conseillant de se maintenir sur le terrain de l'agitation constitutionnelle. Aussi, le docteur Nelson, président de l'assemblée, lui répond-il au milieu d'acclamations frénétiques, disant: «que le temps était arrivé de fondre les cuillers pour en faire des balles!» Ce que le docteur Côté, représentant de l'Acadie, accentue par ces énergiques et excitantes paroles:

«Le temps des discours est passé! C'est du plomb qu'il faut envoyer à nos ennemis, maintenant!»

Treize propositions sont alors adoptées, tandis que les hurrahs se mêlent aux salves de la mousqueterie milicienne.

Ces propositions, telles que les résume M.O. David dans sa brochure *Les Patriotes,* commençant par une affirmation des droits de l'homme, établissent le droit et la nécessité de résister à un gouvernement tyrannique, engagent les soldats anglais à déserter l'armée royale, encouragent le peuple à refuser d'obéir aux magistrats et aux officiers de milice, nommés par le gouvernement, puis à s'organiser comme les Fils de la Liberté.

Enfin, Papineau et ses collègues défilent devant la colonne symbolique, pendant qu'un hymne est lancé à toute voix par un chœur de jeunes gens.

Il semblait, en ce moment, que l'enthousiasme n'aurait pu aller au delà. Et cela arriva, cependant, après quelques instants de silence, lorsque apparut un nouveau personnage. C'est un jeune homme, au regard passionné, à la figure ardente. Il se hisse sur le socle de la colonne, et, dominant les milliers de spectateurs rassemblés au meeting de Saint-Charles, sa main agite le drapeau de l'indépendance canadienne. Plusieurs le reconnaissent. Mais, avant eux, l'avocat Gramont a jeté son nom, et la foule le répète au milieu des hurrahs: «Jean-Sans-Nom!... Jean-Sans-Nom!»

Jean venait de quitter Maison-Close. Pour la première fois depuis la dernière prise d'armes de 1835, il se montrait publiquement; puis, après avoir joint son nom à celui des protestataires, il disparaissait... Mais on l'avait revu, et l'effet fut immense.

Ces divers incidents, qui s'étaient produits à Saint-Charles, furent aussitôt connus du Canada tout entier. On ne saurait imaginer l'élan qu'ils produisirent. D'autres meetings se tinrent dans la plupart des paroisses du district. En vain l'évêque de Montréal, Mgr Lartigue, essaya-t-il de calmer les esprits par un mandement empreint de modération évangélique. L'explosion était prochaine. M. de Vaudreuil, dans sa retraite, Clary, à la villa Montcalm, en étaient avisés par deux billets dont ils connaissaient bien l'écriture. Même information arrivait à Thomas Harcher et à ses fils, réunis à Saint-Albans, ce village américain, d'où ils se tenaient prêts à franchir la frontière.

À cette époque de l'année, l'hiver s'était déjà annoncé avec cette brusquerie particulière au climat du Nord-Amérique. Là, les longues plaines n'offrent aucun obstacle aux rafales venues des régions polaires, et le Gulf-stream, en s'écartant vers l'Europe, ne les réchauffe pas de ses eaux généreuses. Il n'y avait pas eu de transition, pour ainsi dire, entre les chaleurs de l'été et les froids de la période hivernale. La pluie tombait presque sans répit, traversée parfois d'un fugitif rayon de soleil dépourvu de calorique. En quelques jours, les arbres, dépouillés jusqu'à l'extrémité de leurs branches, avaient inondé la terre d'une averse de feuilles que la neige allait bientôt recouvrir sur toute l'étendue du territoire canadien. Mais ni les assauts de la bourrasque, ni la rude température de ce climat, ne devaient empêcher les patriotes de se lever au premier signal.

C'est en ces conditions – le 6 novembre – qu'une collision mit les deux partis aux prises à Montréal.

Le premier lundi de chaque mois, les Fils de la Liberté se rassemblent dans les grandes villes pour faire une démonstration publique. Ce jour-là, les patriotes de Montréal voulurent que cette démonstration eût un retentissement considérable. Rendez-vous fut convenu au cœur même de la cité, entre les murs d'une cour attenant à la rue Saint-Jacques.

À cette nouvelle, les membres du *Doric-club* firent placarder une proclamation disant que l'heure était venue «d'écraser la rébellion à sa naissance». Les loyalistes, les constitutionnels, les bureaucrates, étaient invités à se concentrer sur la place d'Armes.

La réunion populaire se tint au jour et à l'endroit indiqués. Papineau s'y fit chaleureusement applaudir. D'autres orateurs, et parmi eux, Brown, Guimet, Édouard Rodier, provoquèrent d'enthousiastes acclamations.

Soudain une grêle de pierres assaillit la cour. C'étaient les loyalistes qui attaquaient les patriotes. Ceux-ci, armés de bâtons, se formèrent en quatre colonnes, s'élancèrent au dehors, se jetèrent sur les membres du *Doric-club*, les ramenèrent vivement jusqu'à la place d'Armes. Alors des coups de pistolet éclatèrent de part et d'autres. Brown reçut un choc violent qui l'étendit à terre, et l'un des plus déterminés réformistes, le chevalier de Lorimier, eut la cuisse traversée d'une balle.

Cependant, les membres du *Doric-club*, bien qu'ils eussent été repoussés, ne s'étaient pas tenus pour battus. Aux applaudissements des bureaucrates, sachant que les habits rouges allaient leur venir en aide, ils se dispersèrent à travers les rues de Montréal, brisèrent à coups de pierres les fenêtres de la maison de Papineau, saccagèrent les presses du *Vindicator*, feuille libérale qui combattait depuis longtemps pour la cause franco-canadienne.

À la suite de cette échauffourée, les patriotes furent traqués avec acharnement. Des mandats d'arrestation, lancés par ordre de lord Gosford, obligèrent les principaux chefs à prendre la fuite. Toutes les maisons, d'ailleurs, s'ouvrirent pour leur offrir refuge. M. de Vaudreuil, qui avait donné de sa personne, dut regagner le secret asile où la police l'avait cherché vainement depuis l'affaire de Chipogan.

Il en fut de même pour Jean-Sans-Nom, qui reparut bientôt dans les circonstances suivantes:

Après la sanglante manifestation du 6 novembre, quelques notables citoyens avaient été arrêtés aux environs de Montréal – entre autres M. Demaray et le docteur Davignon, de Saint-Jean d'Iberville, qu'un détachement de cavalerie se disposait à ramener dans la journée du 22 novembre.

L'un des plus hardis partisans de la cause nationale, le représentant du comté de Chambly, L.-M. Viger – «le beau Viger» comme on l'appelait dans les rangs de l'insurrection –, fut averti de l'arrestation de ses deux amis. L'homme qui vint l'en prévenir lui était encore inconnu.

«Qui êtes-vous? lui demanda-t-il.

– Peu importe! répondit cet homme. Les prisonniers, enchaînés dans une voiture, ne tarderont pas à traverser la paroisse de Longueuil, et il faut les délivrer!

– Êtes-vous seul?

– Mes amis m'attendent.

– Où les rejoindrons-nous?

– Sur la route.

– Je vous suis.»

Et c'est ce qui fut fait. Les partisans ne manquèrent ni à Viger ni à son compagnon. Ils arrivèrent à l'entrée de Longueuil, suivis d'une foule de patriotes qu'ils postèrent en avant du village. Mais l'alerte avait été donnée, et un détachement de royaux accoururent pour prêter main-forte aux cavaliers qui escortaient la voiture. Leur chef avertit les habitants que, s'ils se joignaient à Viger, leur village serait livré aux flammes.

«Rien à faire ici, dit l'inconnu, lorsque ces menaces lui eurent été rapportés. Venez...

– Où? demanda Viger.

– À deux milles de Longueuil, répondit-il. Ne donnons pas aux bureaucrates un prétexte pour se livrer à des représailles. Elles ne viendront que trop tôt peut-être!

– Partons!» dit Viger.

Tous deux reprirent la route à travers champs, suivis de leurs hommes. Ils atteignirent la ferme Trudeau, et se placèrent dans un champ voisin. Il était temps. Un nuage de poussière se levait à un quart de mille, annonçant l'approche des prisonniers et de leur escorte.

La voiture arriva. Aussitôt Viger s'avançant vers le chef du détachement:

Un détachement accourut pour prêter main-forte.

«Halte, lui dit-il, et livrez-nous les prisonniers au nom du peuple!

– Attention! cria l'officier en se retournant vers ses hommes. Faites vite!...

– Halte!» répéta l'inconnu.

Soudain, un homme s'élança pour l'appréhender. C'était un agent de la maison Rip and Co. – un de ceux qui se trouvaient à la ferme de Chipogan.

«Halte! et livrez-nous les prisonniers!»

«Jean-Sans-Nom! s'écria-t-il, dès qu'il se vit en face du jeune proscrit.

– Jean-Sans-Nom!» répéta Viger, qui s'élança vers son compagnon.

Et aussitôt, avec un entrain irrésistible, les cris d'enthousiasme retentirent.

Au moment où il donnait l'ordre à ses hommes de s'emparer de Jean-Sans-Nom, l'officier fut renversé par un vigoureux Canadien, qui s'était jeté hors du champ, tandis que les autres, rangés derrière la clôture, attendaient les ordres de Viger – ordres que celui-ci multipliait d'une voix retentissante, comme s'il eût pu disposer d'une centaine de combattants.

Pendant ce temps, Jean avait rejoint la voiture, entouré de quelques-uns de ses partisans, aussi décidés à le défendre qu'à délivrer MM. Demaray et Davignon.

Mais, après s'être relevé, l'officier venait de commander le feu. Six à sept coups de fusil éclatèrent. Viger fut frappé de deux balles – non mortellement – l'une lui ayant effleuré la jambe, l'autre enlevé le bout du petit doigt. Il riposta d'un coup de pistolet et atteignit au genou le chef de l'escorte.

Alors la panique se mit parmi les chevaux du détachement, dont plusieurs avaient été atteints par les balles et qui s'emportèrent. Les royaux, croyant avoir affaire à un millier d'hommes, se dispersèrent à travers la campagne. La voiture restée libre, Jean-Sans-Nom et Viger se précipitèrent aux portières qu'ils ouvrirent. Les prisonniers furent délivrés et emmenés triomphalement jusqu'au village de Boucherville.

Mais, après l'affaire, lorsque Viger et les autres cherchèrent Jean-Sans-Nom, il n'était plus là. Sans doute, il avait espéré garder l'incognito jusqu'à l'issue de cette rencontre, et rien, en effet, n'aurait pu lui faire supposer qu'il se trouverait en présence de l'un des agents de Rip, et que sa personnalité serait révélée à ses compagnons. Aussi, dès que le combat avait pris fin, s'était-il hâté de disparaître, sans que personne eût pu voir de quel côté il se dirigeait, Toutefois, ce dont aucun ne doutait maintenant, c'est qu'on le reverrait à l'heure où s'engagerait l'action qui déciderait de l'indépendance canadienne.

II

SAINT-DENIS ET SAINT-CHARLES

Le jour de la prise d'armes ne pouvait être éloigné. Déjà les deux partis étaient en présence. Quel serait le théâtre du combat? Évidemment, les comtés confinant au comté de Montréal, dans lesquels l'effervescence prenait rapidement des proportions inquiétantes pour le gouvernement, entre autres, les comtés de Verchères et de Saint-Hyacinthe. On signalait plus particulièrement deux des riches paroisses, traversées par le cours du Richelieu et situées à quelques lieues l'une de l'autre – Saint-Denis, où les réformistes avaient centralisé leurs forces, Saint-Charles, où Jean, qui était revenu à Maison-Close, se préparait à donner le signal de l'insurrection.

Le gouverneur général avait pris toutes les mesures que commandaient les circonstances. Surprendre celui-ci dans son palais, l'emprisonner, substituer l'autorité populaire à l'autorité royale, les réformistes ne pouvaient plus compter sur cette éventualité. Il fallait même prévoir que l'attaque viendrait des bureaucrates. Aussi, leurs adversaires s'étaient-ils cantonnés dans les positions où la résistance pouvait s'organiser en de meilleures conditions. Puis, de la défensive passer à l'offensive, c'est à quoi tendraient leurs efforts. Une première victoire remportée dans le comté de Saint-Hyacinthe, c'était le soulèvement des populations riveraines du Saint-Laurent, c'était l'anéantissement de la tyrannie anglo-saxonne depuis le lac Ontario jusqu'à l'embouchure du fleuve.

Lord Gosford ne l'ignorait pas. Il ne disposait que de forces restreintes, qui seraient accablées sous le nombre, si la révolte se généralisait. Il importait donc de la frapper au cœur par un double coup à Saint-Denis et à Saint-Charles – ce qui fut tenté, après l'affaire de Longueuil.

Sir John Colborne, commandant en chef, divisa l'armée anglo-canadienne en deux colonnes.

À la tête de l'une était le lieutenant-colonel Witherall; à la tête de l'autre, le colonel Gore.

Le colonel Gore, ses préparatifs rapidement faits, partit de Montréal dans la journée du 22 novembre. Sa colonne, composée de cinq compagnies de fusiliers et d'un détachement de cavalerie, n'avait pour toute artillerie qu'une pièce de campagne. Il arriva à Sorel le soir du même jour. Bien que le temps fût affreux, la route presque impraticable, il n'hésita pas à se mettre en chemin au milieu d'une nuit très sombre.

Son projet était d'aller prendre contact avec les insurgés à Saint-Charles, après avoir dispersé ceux de Saint-Denis, et, préalablement à toute agression, de procéder à des arrestations régulières, par l'entremise du député-shérif qui l'accompagnait.

Le colonel Gore avait quitté Sorel depuis quelques heures, lorsque le lieutenant Weir, du 32e régiment, y arriva pour lui remettre une dépêche de sir John Colborne. La dépêche était urgente, le lieutenant repartit aussitôt, prit une route de traverse, fit une telle diligence qu'il atteignit Saint-Denis avant les soldats de Gore, et tomba entre les mains des patriotes.

Le docteur Nelson, chargé de la défense, interrogea ce jeune officier, lui arracha l'aveu que les royaux étaient en marche, qu'ils seraient en vue dans la matinée, et il le remit à la garde de quelques hommes, avec injonction d'avoir pour lui les égards dus à un prisonnier.

Les préparatifs furent alors achevés en toute hâte. Entre autres compagnies de patriotes, il y avait là celles que l'on désignait sous les noms de «Castors» et de «Raquettes», habiles au maniement des armes et dont la conduite fut très brillante en cette affaire. Sous les ordres du docteur Nelson, se trouvaient Papineau et quelques députés, le commissaire général Philippe Pacaud, puis MM. de Vaudreuil, Vincent Hodge, André Farran, William Clerc, Sébastien Gramont.

Sur un mot qu'ils avaient reçu de Jean, ils étaient venus rallier les réformistes, en se dérobant non sans peine à la police montréalaise.

Clary de Vaudreuil, pareillement, venait d'arriver près de son père, qu'elle n'avait pas revu depuis le départ de Chipogan. Après le mandat d'arrêt lancé contre lui, forcé de rompre toute communication avec la villa Montcalm, M. de Vaudreuil était extrêmement inquiet d'y savoir sa fille seule, exposée à tant de dangers. Aussi, lorsqu'il eut pris la résolution de se rendre à Saint-Denis, lui proposa-t-il de l'y rejoindre. C'est ce que Clary fit sans hésiter, ne doutant pas du succès définitif, puisque Jean – elle le savait – allait se mettre à la tête des patriotes. M. et Mlle de Vaudreuil étaient donc réunis dans cette bourgade, où la maison d'un ami, le juge Froment, leur donnait asile.

Cependant une mesure fut décidée alors, à laquelle Papineau dut se soumettre, quoique bien à contre-cœur. Le docteur Nelson et quelques autres, appuyant cette décision de leurs conseils, représentèrent à ce courageux député que sa place n'était pas sur le théâtre de la lutte, que sa vie était trop précieuse pour qu'il l'exposât sans nécessité. Il se vit donc contraint de quitter Saint-Denis, afin de se transporter en un lieu sûr, où les agents de sir Gilbert Argall ne pourraient le découvrir.

Toute la nuit fut occupée à fondre des balles, à fabriquer des cartouches. Le fils du docteur Nelson et ses compagnons, M. de Vaudreuil et ses amis, se mirent à la besogne, sans perdre un instant. Par malheur, l'armement laissait beaucoup à désirer. Les fusils, peu nombreux, n'étaient que des fusils à pierre, qui rataient souvent et dont la portée se limitait à une centaine de pas. Pendant la campagne du Saint-Laurent, on ne l'a pas oublié, Jean avait distribué des munitions et des armes. Mais, comme chaque comité en avait eu sa part en prévision d'un soulèvement général, ces armes n'avaient pu être concentrées sur un point déterminé – ce qui eût été si nécessaire à Saint-Charles et à Saint-Denis, où le premier choc allait se produire.

Cependant le colonel Gore s'avançait au milieu de cette nuit froide et sombre. Un peu avant d'arriver à Saint-Denis, deux Canadiens français, tombés entre ses mains, lui apprirent que les insurgés ne le laisseraient pas traverser la paroisse et qu'ils lutteraient jusqu'à la mort.

Aussitôt, le colonel Gore, sans donner un instant de repos à ses hommes, les harangua, leur disant qu'ils n'avaient aucun quartier à attendre. Après quoi, les divisant en trois détachements, il plaça l'un dans un petit bois qui couvrait la bourgade à l'est, l'autre le long de la rivière, tandis que le troisième, traînant son unique bouche à feu, continuait à suivre la route royale.

À six heures du matin, le docteur Nelson, MM. Vincent Hodge et de Vaudreuil montèrent à cheval, afin d'opérer une reconnaissance sur le chemin de Saint-Ours. L'obscurité était si profonde encore que tous trois faillirent tomber dans l'avant-garde des réguliers. Revenant immédiatement en arrière, ils rentrèrent à Saint-Denis. Ordre fut donné de couper les ponts, de sonner à toute volée les cloches de l'église. En quelques minutes, les patriotes se trouvèrent réunis sur la place.

Combien étaient-ils? De sept à huit cents au plus, un petit nombre armés de fusils, les autres armés de faux, de fourches et de piques, mais tous décidés à se faire tuer pour repousser les soldats du colonel Gore.

Voici comment le docteur Nelson disposa ceux de ses hommes qui étaient en état de faire le coup de feu: au deuxième étage d'une maison de pierre, bordant la route, une soixantaine, et parmi eux, M. de Vaudreuil et Vincent Hodge; à vingt-cinq pas de là, derrière les murs d'une distillerie appartenant au docteur, une trentaine, et parmi eux, William Clerc et André Farran; au fond d'un magasin qui y attenait, une dizaine de partisans, et dans leurs rangs, le député Gramont. Les autres, réduits à combattre à l'arme blanche, s'étaient abrités derrière les murs de l'église, prêts à se précipiter sur les assaillants.

C'est à ce moment – vers neuf heures et demie du matin – que s'accomplit un événement tragique, qui ne fut jamais bien expliqué, même lors du procès criminel auquel il donna lieu plus tard.

Le lieutenant Weir, qu'une escouade conduisait sur la route, ayant aperçu l'avant-garde du colonel Gore, tenta de s'échapper, afin de la rejoindre; mais, ayant fait un faux pas, il n'eut pas le temps de se relever et fut tué à coups de sabres.

Les détonations éclatèrent alors. Un premier boulet, lancé contre la maison de pierre, emporta deux Canadiens, postés au deuxième étage, tandis qu'un troisième était mortellement atteint à l'une des fenêtres. Pendant quelques minutes, de nombreux coups de mousqueterie s'échangèrent des deux parts. Les soldats, faciles à viser, payèrent chèrement la dédaigneuse imprudence avec laquelle ils s'exposaient au feu de ces «paysans», comme disait leur chef. Ils furent décimés par les défenseurs de la maison de pierre, et trois de leurs canonniers tombèrent, mèche à la main, près de la pièce qu'ils servaient.

Malgré tout, les projectiles faisaient brèche, et le deuxième étage de l'habitation n'offrit bientôt plus aucune sécurité:

«Au rez-de-chaussée! cria le docteur Nelson.

– Oui, répondit Vincent Hodge, et, de là, nos tirerons de plus près sur les habits-rouges!»

Tous redescendirent, et la mousqueterie recommença avec une nouvelle violence. Les réformistes montraient un courage extraordinaire. Il en venait jusque sur la route, qui s'exposait à découvert. Le docteur envoya son aide de camp, O. Perrault, de Montréal, pour leur porter l'ordre de se retirer. Perrault, frappé de deux balles, tomba mort.

Pendant une heure, les coups de fusils se croisèrent – en somme, au désavantage des assaillants bien qu'ils fussent blottis derrière des clôtures et des piles de bois.

C'est alors que le colonel Gore, voyant ses munitions s'épuiser, ordonna au capitaine Markman de tourner la position des patriotes.

Cet officier le tenta, non sans perdre la plupart de ses hommes. Lui-même, atteint d'une balle, fut renversé de cheval et dut être emporté par ses soldats.

L'affaire tournait mal pour les royaux. Aussitôt des cris éclatèrent sur la route, et ils comprirent que c'étaient eux qui allaient être cernés.

Un homme venait de surgir – celui-là même autour duquel les Franco-Canadiens avaient l'habitude de se rallier comme autour d'un drapeau.

«Jean-Sans-Nom!... Jean-Sans-Nom!» crièrent-ils en agitant leurs armes.

C'était Jean, à la tête d'une centaine d'insurgés, venus de Saint-Antoine, de Saint-Ours et de Contrecœur. Ils avaient traversé le Richelieu sous les balles, sous les boulets qui volaient à la surface du fleuve, et dont l'un brisa même l'aviron du bac sur lequel Jean se tenait debout.

«En avant, Raquettes et Castors!» s'écria-t-il, en lançant ses compagnons.

À sa voix, les patriotes se ruèrent sur les royaux. Ceux qui résistaient encore dans la maison assiégée, encouragés par ce renfort inattendu, firent une sortie. Le colonel dut battre en retraite dans la direction de Sorel, laissant plusieurs prisonniers et sa pièce de canon aux mains des vainqueurs. Il comptait une trentaine de blessés et autant de morts, contre douze morts et quatre blessés du côté des réformistes.

Telle fut la bataille de Saint-Denis. En quelques heures, la nouvelle de cette victoire se répandit à travers les paroisses voisines du Richelieu et même jusqu'aux comtés riverains du Saint-Laurent.

C'était un encourageant début pour les partisans de la cause nationale, mais un début seulement. Aussi, comme ils attendraient les ordres de leurs chefs, Jean leur jeta-t-il ces mots, pour leur donner rendez-vous à une nouvelle victoire: «Patriotes, à Saint-Charles!»

On n'a point oublié, en effet, que cette bourgade était menacée par la colonne Whiterall.

Une heure plus tard, M. de Vaudreuil et Jean, après avoir pris congé de Clary, instruite par eux du succès de cette journée, avaient rejoint leurs compagnons qui se dirigeaient sur Saint-Charles.

Là, deux jours après, allait se décider le sort de l'insurrection de 1837.

Cette bourgade, grâce à la concentration des réformistes, était devenue le principal théâtre de la rébellion, et c'est vers ce point que le lieutenant-colonel Whiterall se portait avec des forces relativement considérables.

Aussi Brown, Desrivières, Gauvin et autres avaient-ils fortement organisé la défense. Ils pouvaient compter sur cette ardente population, qui s'était déjà prononcée en expulsant un des notables, accusé d'être favorable aux Anglo-Canadiens. Ce fut même autour de la maison de ce notable, transformée en forteresse, que Brown, le chef des insurgés, établit un camp, où devaient se réunir les forces dont il disposait.

Un premier boulet emporta deux Canadiens.

De Saint-Denis à Saint-Charles, la distance ne dépassant pas six milles, les détonations de l'artillerie s'entendaient d'une bourgade à l'autre, pendant la journée du 23. Avant la nuit, les habitants de Saint-Charles apprirent que les royaux avaient été contraints de battre en retraite vers Sorel. L'impression produite par cette première victoire fut profonde. De toutes les maisons, portes largement ouvertes, les familles sortaient, en proie à une sorte de délire patriotique. Il n'y en avait qu'une qui demeurait fermée – Maison-Close, située au tournant de la grande route, par cela même un peu loin du camp.

L'habitation de Bridget était ainsi moins menacée que les habitations voisines, pour le cas où le camp serait attaqué et forcé par les troupes royales.

Bridget, restée seule, attendait, prête à recevoir ses fils, si les circonstances les obligeaient à venir lui demander asile. Mais l'abbé Joann visitait les paroisses du Haut-Canada, prêchant l'insurrection; et Jean, ne se cachant plus, avait reparu à la tête des patriotes. Son nom courait maintenant à travers les comtés du Saint-Laurent. Si fermée que fût Maison-Close, ce nom y était arrivé, et, avec lui, la nouvelle de cette victoire de Saint-Denis à laquelle il était intimement mêlé.

Bridget se demandait si Jean n'allait pas venir au camp de Saint-Charles, s'il ne rendrait pas visite à sa mère, s'il ne franchirait pas la porte de sa demeure, pour lui dire ce qu'il avait fait, ce qu'il allait faire, pour l'embrasser encore une fois? En réalité, cela dépendrait des phases de l'insurrection. Aussi Bridget se tenait-elle prête, à toute heure de nuit, à toute heure de jour, pour recevoir son fils à Maison-Close.

En apprenant la défaite de Saint-Denis, lord Gosford, craignant que les vainqueurs ne vinssent renforcer les patriotes de Saint-Charles, avait donné l'ordre de faire rétrograder la colonne Whiterall.

Il était trop tard. Les courriers, envoyés de Montréal par sir John Colborne, furent arrêtés en route, et la colonne, au lieu de se porter en arrière, continua son mouvement sur Saint-Charles.

Dès lors, il n'était plus au pouvoir de personne d'empêcher le choc entre les insurgés de cette bourgade et les soldats de l'armée régulière.

Le 24 même, Jean-Sans-Nom était venu rejoindre les défenseurs du camp de Saint-Charles.

Avec Jean étaient accourus MM. de Vaudreuil, André Farran, William Clerc, Vincent Hodge et Sébastien Gramont. Deux jours avant, le fermier Harcher et ses cinq fils, après avoir quitté le village de Saint-Albans, avaient franchi la frontière américaine et s'étaient portés vers Saint-Charles, résolus à faire leur devoir jusqu'au bout.

D'ailleurs, il convient de le reconnaître, personne ne doutait du succès définitif, ni les chefs politiques du parti de l'opposition, ni

M. de Vaudreuil et ses amis, ni Thomas Harcher, ni Pierre, Rémy, Michel, Tony et Jacques, ses vaillants fils, ni aucun des habitants de la bourgade, surexcités à la pensée qu'il viendrait d'eux, ce dernier coup porté à la tyrannie anglo-saxonne.

Cependant, avant d'attaquer Saint-Charles, le lieutenant-colonel Whiterall avait avisé Brown et ses compagnons que, s'ils voulaient se soumettre, il ne leur serait rien fait.

Cette proposition fut repoussée unanimement par les compagnons de Brown. Pour que les royaux l'eussent faite, il fallait qu'ils se sentissent incapables de forcer le camp. Non! on ne leur permettrait pas d'arriver à Saint-Denis pour y exercer de sanglantes représailles! Dès que la colonne Witherall se présenterait, on la repousserait, on la disperserait. C'était une nouvelle défaite qui attendait les royalistes – défaite complète, cette fois, et qui assurerait la victoire définitive!

Ainsi pensait-on dans les rangs des patriotes.

Ce serait se méprendre, pourtant, que de croire que les défenseurs du camp fussent nombreux. Rien qu'une poignée d'hommes, mais l'élite du parti. Tant chefs que soldats, ils n'étaient que deux cents au plus, armés de faux, de piques, de bâtons, de fusils à pierre, et pour répondre à l'artillerie royale, n'ayant que deux canons à peu près hors de service.

Tandis qu'ils se préparaient à la recevoir, la colonne Whiterall marchait rapidement sans être arrêtée par les obstacles que l'hiver accumule en ces régions. Le temps était froid, la terre sèche. Aussi, les hommes allaient-ils d'un bon pas, et les bouches à feu roulaient sur le sol durci, sans avoir à se tirer des neiges ou des fondrières.

Les réformistes les attendaient. Enthousiasmés par leur dernière victoire, électrisés par la présence de chefs tel que Brown, Desrivières, Gauvin, Vincent Hodge, Vaudreuil, Amiot, A. Papineau, Marchessault, Maynard, et, surtout, Jean-Sans-Nom, on a vu le cas qu'ils avaient fait des propositions du lieutenant-colonel Witherall. À sa demande de se rendre et de mettre bas les armes, ils étaient prêts à répondre à coups de fusil, à coups de faux, à coups de pique.

Cependant le camp, établi vers l'extrémité de la bourgade, offrait certains désavantages auxquels il n'était plus temps de remédier. S'il était couvert d'un côté par la rivière, défendu de l'autre par un épais abatis d'arbres qui entourait la maison Debartzch, une colline le dominait en arrière.

Or, les insurgés étaient en nombre trop insuffisant pour occuper cette colline. Que les royaux parvinssent à y prendre position, il n'y aurait plus d'autre abri contre leurs coups que la maison Debartzch, qui avait été percée de meurtrières. Dans ce cas, pourrait-elle résister à un assaut, et, s'ils étaient réduits à la condition d'assiégés, Brown et ses compagnons seraient-ils en force pour y tenir tête aux assaillants?

Vers deux heures après midi, de lointaines clameurs se firent entendre. Puis il y eut un grand désordre. Une bande de femmes, d'enfants, de vieillards, se rabattait à travers champs vers Saint-Charles.

C'étaient les habitants de la campagne qui fuyaient. Au loin tourbillonnaient d'épaisses fumées s'élevant des maisons incendiées sur la route. Les fermes brûlaient à perte de vue. La colonne Witherall s'avançait au milieu des ruines et des massacres qui marquaient son passage.

Brown parvint à arrêter ceux des fuyards, encore en état de combattre, et, laissant le commandement à Marchessault, il s'élança sur la route, afin de rallier les hommes valides. Ayant pris toutes ses dispositions en vue de prolonger la résistance, Marchessault fit mettre ses compagnons à l'abri des abatis qui couvraient le camp.

«C'est ici, dit-il, que se décidera le sort du pays! C'est ici qu'il faut se défendre...

– Jusqu'à la mort!» répondit Jean-Sans-Nom.

En ce moment, les premières détonations retentirent aux abords du camp, et l'on peut comprendre que, dès le début de l'affaire, les royaux allaient manœuvrer tout à leur avantage.

En effet, s'exposer au feu des insurgés, postés le long des abatis, et qui lui avaient déjà tué quelques hommes, c'eût été de la part du lieutenant-colonel Witherall faire preuve de maladresse. Disposant de trois à quatre cents fantassins et cavaliers, de deux pièces d'artillerie, il lui était aisé, après avoir dominé le camp de Saint-Charles, d'en écraser les défenseurs. Aussi donna-t-il l'ordre de tourner les retranchements et d'occuper la colline située en arrière.

Ce mouvement s'exécuta sans difficulté. Les deux bouches à feu furent hissées au sommet, placées en batterie, et le combat s'engagea avec une égale énergie de part et d'autre. Et cela se fit même si rapidement que Brown, occupé à rallier les fuyards qui se répandaient sur la campagne, ne put rentrer au camp et fut entraîné jusqu'à Saint-Denis.

Les patriotes, quoique insuffisamment abrités, se défendaient avec un courage admirable. Marchessault, M. de Vaudreuil, Vincent Hodge, Clerc, Farran, Gramont, Thomas Harcher et ses fils, tous ceux qui étaient armés de fusils, répondaient coup pour coup au feu des assiégeants. Jean-Sans-Nom les excitait rien que par sa présence. Il allait de l'un à l'autre. Mais ce qu'il lui aurait fallu, c'était le champ de bataille, c'était la mêlée, pour y entraîner les plus braves et saisir l'ennemi corps à corps. Son élan se paralysait dans cette lutte à distance.

Elle dura, néanmoins, tant que les retranchements tinrent bon. Si les défenseurs du camp avaient abattu plus d'un habit-rouge, ils n'étaient pas sans avoir éprouvé des pertes très sensibles. Une douzaine des leurs, atteints par les balles ou les boulets, étaient tombés, les uns blessés, les autres morts. Parmi ceux-ci, il y avait Rémy Harcher, étendu dans une mare de sang, la poitrine trouée d'un biscaïen. Lorsque ses frères le relevèrent pour le transporter derrière la maison, ce n'était plus qu'un cadavre. André Farran, l'épaule fracassée, s'y trouvait déjà. M. de Vaudreuil et Vincent Hodge, après l'avoir mis à l'abri de la mousqueterie, étaient revenus prendre leur poste de combat.

Mais, bientôt, il allait être nécessaire d'évacuer ce dernier refuge. Les abatis, détruits par les boulets, laissaient libre accès au camp. Le lieutenant-colonel Witherall, ayant donné l'ordre de charger les assiégés à la baïonnette. Ce fut «une véritable boucherie», disent les récits de ce sanglant épisode de l'insurrection franco-canadienne.

Là périrent de vaillants patriotes, qui, leurs munitions épuisées, ne se battaient plus qu'à coups de crosse. Là furent tués les deux Hébert, moins heureux que A. Papineau, Amiot et Marchessault, qui parvinrent à se frayer passage au milieu des assaillants, après une résistance héroïque. Là tombèrent d'autres partisans de la cause nationale, dont le nombre ne fut jamais connu, car la rivière entraîna nombre de cadavres.

Parmi les personnages qui sont plus étroitement liés à cette histoire, on compta aussi quelques victimes. Si Jean-Sans-Nom s'était battu comme un lion, toujours en tête des siens, toujours en avant dans la mêlée, ouvertement, cette fois, connu de ceux qui étaient avec lui et contre lui, si ce fut miracle qu'il s'en réchappât sans une blessure, d'autres avaient été moins heureux. Après Rémy, ses deux frères, Michel et Jacques, atteints par la mitraille et grièvement blessés, avaient été emportés par Thomas et Pierre Harcher hors du camp et soustraits aux massacres atroces qui suivirent la victoire des royaux.

William Clerc et Vincent Hodge, eux non plus, ne s'étaient pas épargnés. Vingt fois, on les avait vus se jeter au milieu des assiégeants, fusil et pistolet à la main. Au plus fort du combat, ils avaient suivi Jean-Sans-Nom jusqu'à la batterie établie au sommet de la colline. Et, à ce moment, Jean aurait été tué, si Vincent Hodge n'eût détourné le coup que lui portait le servant de l'une des pièces.

«Merci, monsieur Hodge! lui dit Jean. Mais peut-être avez-vous eu tort!... Ce serait fini maintenant!»

Et, en effet, il aurait mieux valu que le fils de Simon Morgaz fût tombé à cette place, puisque la cause de l'indépendance allait succomber sur le champ de bataille de Saint-Charles!

Déjà Jean-Sans-Nom s'était rejeté dans la mêlée, lorsqu'il aperçut au pied de la colline M. de Vaudreuil, gisant sur le sol, baigné dans son sang.

M. de Vaudreuil avait été renversé d'un coup de sabre, tandis que les cavaliers de Witherall chargeaient aux abords du camp, afin d'achever la dispersion des insurgés.

En cet instant, ce fut comme une voix que Jean entendit au dedans de lui-même, une voix qui lui criait:

«Sauvez mon père.»

À la faveur des fumées de la mousqueterie, Jean rampa jusqu'à M. de Vaudreuil sans connaissance, mort peut-être. Il le prit dans ses bras, il l'emporta le long des retranchements; puis, tandis que les cavaliers poursuivaient les rebelles avec un acharnement inouï, il parvint à gagner le haut quartier de Saint-Charles, au milieu des maisons incendiées, et se réfugia sous le porche de l'église.

Il était alors cinq heures du soir. Le ciel eût été sombre déjà, si d'éclatantes flammes ne se fussent dressées au-dessus des ruines de la bourgade.

L'insurrection, victorieuse à Saint-Denis, venait d'être vaincue à Saint-Charles. Et l'on ne pouvait pas même dire que chacun des deux partis fussent manche à manche! Non! Cette défaite devait avoir de pires résultats pour la cause nationale que la victoire n'avait eu d'avantages réels. D'ailleurs, venue après, elle annihilait toutes les espérances que les réformistes avaient pu concevoir.

Ceux des combattants qui n'avaient pas succombé, furent contraints de s'enfuir, avant d'avoir reçu un ordre de ralliement. William Clerc, accompagné d'André Farran qui n'avait été que légèrement blessé, dut se jeter à travers la campagne. Ce ne fut qu'au prix de mille dangers que tous deux parvinrent à franchir la frontière, ignorant absolument quel était le sort de M. de Vaudreuil et de Vincent Hodge.

Et qu'allait devenir Clary de Vaudreuil dans cette maison de Saint-Denis, où elle attendait des nouvelles? N'avait-elle pas tout à craindre des représailles des loyalistes, si elle ne réussissait à s'enfuir?

C'est à cela que pensait Jean, blotti au fond de la petite église. Si M. de Vaudreuil n'avait pas repris connaissance, son cœur battait encore, mais faiblement. Avec des soins immédiats, peut-être aurait-il été possible de le sauver? Où et comment lui donner ces soins?

Il n'y avait pas à hésiter. Il fallait, dès cette nuit, le transporter a Maison-Close.

Maison-Close n'était pas éloignée – quelques centaines de pas à peine, en descendant la principale rue de la bourgade. Au milieu de l'obscurité, dès que les soldats de Witherall auraient quitté Saint-Charles, ou quand ils se seraient cantonnés pour passer la nuit, Jean prendrait le blessé et irait le déposer dans la maison de sa mère.

Sa mère!... M. de Vaudreuil chez Bridget... chez la femme de Simon Morgaz!... Et si jamais il apprenait sous quel toit Jean l'avait transporté!...

Eh bien! est-ce que lui, le fils de Simon Morgaz, ne s'était pas fait l'hôte de la villa Montcalm?... Est-ce qu'il n'était pas devenu le compagnon d'armes de M. de Vaudreuil?... Est-ce qu'il ne venait pas de l'arracher à la mort?... Est-ce que ce serait pire pour M. de Vaudreuil qu'il dût la vie aux soins d'une Bridget Morgaz?

Il ne l'apprendrait pas, d'ailleurs. Rien ne trahirait l'incognito sous lequel se cachait la misérable famille.

Le projet de Jean était arrêté, il n'avait qu'à attendre le moment de le mettre à exécution – quelques heures au plus.

Et alors sa pensée se reporta vers cette maison de Saint-Denis, où Clary de Vaudreuil allait apprendre la défaite des patriotes. En ne voyant pas revenir son père, ne penserait-elle pas qu'il avait succombé?... Serait-il possible de la prévenir que M. de Vaudreuil avait été transporté à Maison-Close, de l'arracher elle-même aux dangers qui la menaçaient dans cette bourgade, livrée aux vengeances des vainqueurs.

Ces inquiétudes accablaient Jean. Et, aussi, quelles tortures en présence de ce dernier désastre, si terrible pour la cause nationale? Tout ce qui avait pu être conçu d'espérances, après la victoire de Saint-Denis, tout ce qui en eût été la conséquence immédiate, le soulèvement des comtés, l'insurrection gagnant la vallée du Richelieu et du Saint-Laurent, l'armée royale réduite à l'impuissance, l'indépendance reconquise, et Jean ayant réparé vis-à-vis de son pays le mal que lui avait fait la trahison paternelle... tout était perdu... tout!

Tout?... Pourtant, n'y aurait-il plus lieu de reprendre la lutte? Le patriotisme serait-il tué dans le cœur des Franco-Canadiens, parce que quelques centaines de patriotes avaient été écrasés à Saint-Charles?... Non!... Jean se remettrait à l'œuvre... Il lutterait jusqu'à la mort.

Bien que la nuit fût déjà très sombre, la bourgade s'emplissait encore des hurrahs des soldats, des cris des blessés, à travers les rues éclairées de larges flammes; après avoir détruit; le camp, l'incendie s'était communiqué aux habitations voisines. Où s'était-il arrêté?... Si le feu avait gagné l'extrémité de la bourgade?... Si Maison-Close était détruite?... Si Jean ne retrouvait plus ni sa maison ni sa mère?

Jean-Sans-Nom s'était battu comme un lion.

Cette crainte le terrifia. Lui, il pourrait toujours s'enfuir dans la campagne, gagner les forêts du comté, s'échapper pendant la nuit. Avant le jour, il serait hors d'atteinte. Mais M. de Vaudreuil, que deviendrait-il? S'il tombait entre les mains des royaux, il était perdu, car les blessés ne furent même pas épargnés en cette sanglante affaire!

Enfin, vers huit heures, un apaisement sembla se produire à Saint-Charles. Ou les habitants en avaient été chassés, ou, après le départ de la colonne de Whiterall, ils s'étaient réfugiés dans les quelques maisons sauvées de l'incendie. Maintenant les rues étaient désertes. Il fallait en profiter.

Jean s'avança jusqu'à la porte de l'église. Puis, l'entr'ouvrant, il jeta un rapide regard sur la petite place et descendit les marches du porche.

Personne sur cette place, à demi éclairée par le reflet des flammes lointaines.

Jean revint près de M. de Vaudreuil, qui était étendu près d'un pilier. Il le souleva, il le prit entre ses bras. Même pour un homme aussi vigoureux que Jean, c'était un assez lourd fardeau que ce corps, qu'il fallait transporter jusqu'au coude de la grande route, à l'endroit où s'élevait Maison-Close.

Jean traversa la place et se glissa le long de la rue voisine.

Il était temps. À peine Jean avait-il fait une vingtaine de pas, que des clameurs retentissaient, en même temps que le sol résonnait sous le pied des chevaux.

C'était le détachement de cavalerie qui rentrait à Saint-Charles. Avant de le lancer contre les fuyards, le lieutenant-colonel Witherall lui avait donné ordre de regagner la bourgade pour y passer la nuit, où il devait camper jusqu'au jour, et c'était justement l'église même qu'il avait choisie pour bivaquer.

Un instant après, les cavaliers vinrent s'installer sous la nef, non sans avoir pris certaines précautions contre un retour offensif. Et non seulement le détachement s'établit à l'intérieur de l'église, mais les chevaux y furent introduits. Inutile d'insister sur les profanations auxquelles se livra cette soldatesque, ivre de sang et de gin, dans un édifice consacré au culte catholique.

Jean continuait à redescendre la rue abandonnée, faisant halte parfois, afin de reprendre haleine. Et toujours cette crainte, à mesure qu'il se rapprochait de Maison-Close, de n'en trouver que les ruines!

Enfin il atteignit la route et s'arrêta devant l'habitation de sa mère. L'incendie n'avait pas gagné de ce côté. La maison était intacte, perdue dans l'ombre. Ses fenêtres ne laissaient pas filtrer un seul rayon de lumière.

Jean, portant M. de Vaudreuil, arriva devant la barrière qui clôturait la petite cour; il la repoussa, il se traîna jusqu'à la porte, il fit le signal convenu.

Un instant après, M. de Vaudreuil et Jean étaient en sûreté dans la maison de Bridget Morgaz.

III

M. DE VAUDREUIL À MAISON-CLOSE

«Ma mère, dit Jean, après avoir déposé le blessé sur le lit que son frère ou lui occupaient, lorsqu'ils venaient passer la nuit à Maison-Close, ma mère, il y va de la vie de cet homme, si les soins lui manquent!

– Je le soignerai, Jean!

– Il y va de ta vie, ma mère, si les soldats de Witherall le découvrent chez toi!

– Ma vie!... Est-ce que ma vie compte, mon fils?» répondit Bridget.

Jean ne voulut pas lui apprendre que son hôte était M. de Vaudreuil, une des victimes de Simon Morgaz. C'eût été lui rappeler d'infamants souvenirs. Mieux valait que Bridget ne le sût pas. L'homme auquel elle donnait asile était un patriote. Cela suffisait pour qu'il eût droit à son dévouement.

Tout d'abord, Bridget et Jean étaient retournés près de la porte. Ils écoutaient. Si de lointaines clameurs retentissaient encore du côté de l'église, le calme régnait sur la grande route. Les derniers reflets des incendies allumés dans le haut quartier de la bourgade commençaient à s'éteindre peu à peu, et aussi les cris des royaux. Ils avaient fini de brûler, de piller et de massacrer. En somme, une vingtaine d'habitations avaient été réduites en cendres. Maison-Close était de celles qui avaient échappé à la destruction. Mais Bridget et Jean ne pouvaient-ils tout craindre des vainqueurs, lorsque le soleil viendrait éclairer les ruines de Saint-Charles.

D'ailleurs, ils éprouvèrent plus d'une alerte pendant cette soirée. D'heure en heure, des rondes de soldats et de volontaires passaient devant Maison-Close, surveillant les abords de la bourgade au tournant de la grande route. Elles s'arrêtaient parfois. Est-ce donc que des perquisitions eussent été ordonnées, que des agents de la police fussent sur le point de frapper à la porte, en sommant de l'ouvrir? Et, alors, ce n'était pas pour lui que tremblait Jean-Sans-Nom, c'était pour M. de Vaudreuil, pour ce moribond qui eût été achevé dans la maison de sa mère!...

Ces craintes ne devaient pas se réaliser – pendant cette nuit du moins.

Bridget et son fils s'étaient placés au chevet du blessé. Tout ce qu'ils avaient pu faire pour lui, ils l'avaient fait. Mais il aurait fallu des remèdes, et comment s'en procurer? Il aurait fallu un médecin, et où en trouver un auquel il eût été prudent de confier, avec la vie d'un patriote, les secrets de Maison-Close?

La poitrine de M. de Vaudreuil, mise à nue, fut examinée. Une plaie profonde, produite par le coup de sabre, s'étendait obliquement sur la partie gauche du torse. Il semblait bien que cette plaie ne devait pas être assez profonde pour qu'un organe vital eût été atteint.

Et pourtant le blessé respirait si faiblement, il avait perdu une telle quantité de sang, qu'il pouvait mourir dans une syncope.

Ayant d'abord lavé la blessure à l'eau fraîche, Bridget en rapprocha les lèvres et la recouvrit de compresses. M. de Vaudreuil se ranimerait-il sous l'influence des pansements réitérés que lui ferait Bridget, et du repos dont il était assuré à Maison-Close, si les soldats de Witherall quittaient la bourgade? Jean et sa mère n'osaient l'espérer.

Deux heures après son arrivée, bien qu'il n'eût pas encore ouvert les yeux, M. de Vaudreuil laissa échapper quelques paroles. Évidemment il ne se rattachait plus à la vie que par le souvenir de sa fille. Il l'appelait – peut-être pour réclamer ses soins, peut-être aussi parce qu'il songeait aux périls qui la menaçaient maintenant à Saint-Denis...

Bridget, lui tenant la main, l'écoutait. Jean, debout, cherchait à empêcher sa blessure de se rouvrir dans quelque brusque mouvement. Lui aussi, il essayait de saisir ses paroles, entrecoupées de soupirs. M. de Vaudreuil allait-il dire ce que Bridget ne devait pas entendre?...

Et alors un nom fut prononcé au milieu de ces phrases incohérentes.

C'était le nom de Clary.

«Ce malheureux a donc une fille? murmura Bridget, en regardant son fils.

– Sans doute... ma mère!

– Et il la demande!... Il ne veut pas mourir sans l'avoir revue!... Si sa fille était près de lui, il serait plus tranquille!... Où est-elle en ce moment?... Ne pourrais-je essayer de la retrouver... de l'amener ici... en secret?

– Elle!... s'écria Jean.

– Oui!... Sa place est près de son père qui l'appelle et qui se meurt?»

À cet instant, dans un accès de délire, le blessé voulut se redresser sur son lit.

Puis, de sa bouche haletante s'échappèrent ces mots, qui ne disaient que trop ses angoisses:

«Clary... seule... là-bas... à Saint-Denis!»

Bridget se releva.

«Saint-Denis?... dit-elle... C'est là qu'il a laissé sa fille?... Entends-tu, Jean?

– Les royaux!... à Saint-Denis!... reprit le blessé. Elle ne pourrait leur échapper!... Les misérables se vengeront sur Clary de Vaudreuil...

– Clary de Vaudreuil?» répéta Bridget.

Puis, baissant la tête, elle ajouta:

«M. de Vaudreuil... ici!

– Oui! M. de Vaudreuil, répondit Jean, et, puisqu'il est à Maison-Close, il faut que sa fille y vienne!»

– Clary de Vaudreuil chez moi», murmura Bridget.

M. de Vaudreuil avait été renversé d'un coup de sabre.

Immobile, près du lit où gisait M. de Vaudreuil, elle regardait ce patriote dont le sang coulait pour la cause de l'indépendance, celui qui, douze ans avant, avait failli payer de sa tête la trahison de Simon Morgaz. S'il apprenait quelle maison lui avait donné asile, quelles mains l'avaient disputé à la mort, l'horreur ne l'emporterait-elle pas, et, dût-il se traîner sur ses genoux, ne se hâterait-il pas de fuir le contact de cette famille?

Dans un gémissement prolongé, M. de Vaudreuil laissa encore échapper le nom de Clary.

Une vingtaine d'habitations réduites en cendres.

«Il peut mourir, dit Jean, et il ne faut pas qu'il meure sans avoir revu sa fille...

– J'irai la chercher, répondit Bridget.

– Non!... Ce sera moi, ma mère!

– Toi que l'on poursuit dans le comté?... Veux-tu donc succomber avant d'avoir accompli ton œuvre?... Non, Jean, tu n'as pas encore le droit de mourir! J'irai chercher Clary de Vaudreuil!

– Ma mère, Clary de Vaudreuil refusera de te suivre!

– Elle ne refusera pas, quand elle saura que son père est mourant et qu'il l'appelle!

– Où Mlle de Vaudreuil est-elle, à Saint-Denis?

– Dans la maison du juge Froment... Mais c'est trop loin, ma mère!... Tu n'auras pas la force!... Pour aller et revenir, il y a douze milles!... Moi, en partant tout de suite, j'aurai le temps d'arriver à Saint-Denis et d'en ramener Clary de Vaudreuil avant le jour! Personne ne me verra sortir! Personne ne me verra rentrer à Maison-Close...

– Personne?... répondit Bridget. Et les soldats, comment les éviteras-tu?... Si tu tombes entre leurs mains, comment pourras-tu leur échapper?... Même en admettant qu'ils ne te reconnaissent pas, est-ce qu'ils te laisseront libre? Tandis que moi, une vieille femme... pourquoi m'arrêteraient-ils? Assez discuté, Jean. M. de Vaudreuil veut voir sa fille!... Il faut qu'il la voie, et il n'y a que moi qui puisse la ramener près de lui!... Je vais partir!»

Jean dut se rendre aux instances de Bridget. Bien que la nuit fût très sombre, s'aventurer sur des chemins que surveillaient les patrouilles de Witherall, c'eût été risquer de ne pouvoir accomplir sa tâche. Il importait que Clary de Vaudreuil eût franchi le seuil de Maison-Close avant le lever du soleil. Qui sait même si la vie de son père se prolongerait jusque-là! Lui, Jean-Sans-Nom, connu comme tel, maintenant qu'il avait combattu à visage découvert, pourrait-il arriver à Saint-Denis? Pourrait-il en revenir avec Clary de Vaudreuil? Ne serait-il pas risquer de la jeter plus sûrement aux mains des royaux?

Cette dernière raison le décida surtout, car il eût fait bon marché des dangers qui lui étaient personnels. Il donna à Bridget les instructions nécessaires pour qu'elle pût arriver près de la jeune fille chez le juge Froment. Il lui remit un billet, ne contenant que ces mots: «Confiez-vous à ma mère et suivez-la!» qui devait inspirer toute confiance à Clary. Cela fait, Jean entr'ouvrit la porte, il la referma sur Bridget et vint s'asseoir près du lit de M. de Vaudreuil.

Il était un peu plus de dix heures, lorsque Bridget descendit rapidement la route, déserte alors. Le froid glacial des longues nuits canadiennes, enveloppant toute la campagne, rendait le sol propice à une marche rapide. Le premier quartier de la lune, qui allait disparaître à l'horizon, laissait quelques étoiles poindre entre les nuages très élevés.

Bridget marchait d'un bon pas à travers ces solitudes obscures, sans peur ni faiblesse. Pour accomplir un devoir, elle avait trouvé son énergie d'autrefois, dont elle devait encore donner tant de preuves. Cette route de Saint-Charles à Saint-Denis, elle la connaissait, d'ailleurs, l'ayant si souvent parcourue pendant sa jeunesse. Ce qu'elle avait à redouter, c'était de se croiser avec quelque détachement de soldats.

Cela se produisit à deux ou trois reprises dans un rayon de deux milles au delà de Saint-Charles. Mais, cette vieille femme, pourquoi l'eût-on empêchée de passer? Elle en fut quitte pour les mauvais compliments de gens plus ou moins ivres, et ce fut tout. Le lieutenant-colonel Witherall n'avait point organisé de reconnaissance dans la direction de Saint-Denis. Avant d'aller châtier cette malheureuse bourgade, il voulait s'assurer des dispositions prises par les vainqueurs de l'avant-veille, et ne se souciait pas de compromettre sa victoire par une attaque inconsidérée.

Il suit de là que, pendant les deux autres tiers de la route, Bridget ne fit aucune dangereuse rencontre. Les pauvres gens qu'elle rejoignit, qu'elle dépassa même, c'étaient des fugitifs de Saint-Charles, qui se répandaient à travers les paroisses du comté, n'ayant plus d'asile depuis que leurs maisons avaient été livrées au pillage et aux flammes.

Mais – cela n'était que trop certain – où Bridget avait pu passer librement, Jean eût été dans l'impossibilité de le faire. À l'approche des détachements, il lui aurait fallu se jeter en dehors de la grande route, prendre par les chemins de traverse au prix de détours qui ne lui eussent pas permis d'être revenu à Maison-Close avant le jour. Et, si quelque piquet de cavalerie l'avait arrêté, il n'en aurait point été quitte pour des propos de caserne. Peut-être même l'aurait-on reconnu, et l'on sait trop de quelle condamnation l'eût frappé la cour de justice à Montréal.

Une demi-heure avant minuit, Bridget avait atteint la rive du Richelieu.

La maison du juge Froment, qu'elle connaissait, était située sur cette rive, un peu en dehors de Saint-Denis.

Bridget n'avait donc point à traverser le Richelieu – ce qu'elle n'aurait pu faire sans une embarcation qu'il eût fallu chercher. Il lui suffisait de descendre pendant un quart de mille pour arriver devant la porte de la maison.

Au lointain, à peine quelques lumières brillaient-elles aux fenêtres des premières habitations de la bourgade, alors plongée dans un repos que ne troublait aucune rumeur.

Fallait-il en conclure que la nouvelle de la défaite de Saint-Charles n'était pas encore arrivée à Saint-Denis?

C'est ce que pensa Bridget. Clary de Vaudreuil ne devait donc rien savoir de ce désastre, et ce serait par elle, messagère de malheur, qu'elle allait tout apprendre.

Bridget monta les marches du petit escalier, à l'angle de la maison, et frappa à la porte.

La répons se fit attendre.

Bridget frappa de nouveau.

Des pas résonnèrent à l'intérieur d'un vestibule, qui s'éclaira faiblement. Puis une voix demanda:

«Que voulez-vous?...

– Voir le juge Froment.

– Le juge Froment n'est pas à Saint-Denis, et, en son absence., je ne puis ouvrir.

– J'ai de graves nouvelles à lui communiquer, reprit Bridget en insistant.

– Vous les lui communiquerez à son retour!»

La détermination de ne point ouvrir paraissait si formelle, que Bridget n'hésita pas à se servir du nom de Clary.

«Si le juge Froment n'est pas chez lui, dit-elle, Mlle de Vaudreuil doit y être, et il faut que je lui parle.

– Mlle de Vaudreuil est partie, fut-il répondu, non sans une certaine hésitation.

– Elle est partie?...

– Depuis hier...

– Et savez-vous où elle est partie?...

– Sans doute... elle aura voulu rejoindre son père!

– Son père?... répondit Bridget. Eh Bien! c'est de la part de M. de Vaudreuil que je viens la chercher!

– Mon père! s'écria Clary, qui se tenait au fond du vestibule. Ouvrez!...

– Clary de Vaudreuil, reprit Bridget en baissant la voix, si je suis venue, c'est pour vous conduire près de votre père, et c'est Jean qui m'envoie...»

Déjà les verrous de la porte avaient été repoussés, lorsque Bridget dit à voix basse:

«Non... n'ouvrez pas!... Attendez...»

Et, redescendant les marches, elle se laissa glisser au pied de l'escalier. En effet, il importait qu'elle ne fût pas aperçue, il importait qu'on ne la vît pas entrer dans cette maison, et, en ce moment, une troupe d'hommes, de femmes, d'enfants, s'approchait, en suivant la rive du Richelieu.

C'était la première bande de fuyards, qui atteignait Saint-Denis, après avoir pris à travers la campagne pour éviter les routes. Là, il y avait des blessés que soutenaient leurs parents et leurs amis, de pauvres femmes entraînant ce qui leur restait de famille, et aussi plusieurs patriotes valides, qui avaient pu se soustraire à l'incendie et au massacre. Nombre d'entre eux devaient connaître Bridget, et Bridget tenait à ce qu'on ne sût pas qu'elle avait quitté Maison-Close. Aussi, blottie dans l'ombre du mur, voulait-elle laisser passer ce premier flot de fugitifs.

Mais, pendant ces quelques minutes, que dut penser Clary, entendant ces cris – des cris de désespoir? Depuis plusieurs heures, elle guettait les nouvelles qui devaient venir de Saint-Charles. Peut-être serait-ce son père, peut-être Jean lui-même qui se hâterait de les apporter, s'il ne se décidait pas à marcher immédiatement sur Montréal, après une nouvelle victoire!

Non! À travers cette porte que Clary n'osait plus ouvrir, des gémissements arrivaient jusqu'à elle.

Enfin, les fugitifs, après avoir passé devant la maison, continuèrent à redescendre la berge, en attendant qu'il leur fût possible de franchir ce fleuve.

La route était redevenue tranquille, bien que d'autres cris se fissent entendre en aval.

Bridget s'était relevée. Au moment où elle allait frapper de nouveau, la porte s'ouvrit et se referma sur elle.

Clary de Vaudreuil et Bridget Morgaz étaient maintenant en présence, dans une des chambres du rez-de-chaussée, éclairée d'une lampe dont la lueur ne pouvait se glisser à travers les voltes, hermétiquement fermés.

La vieille femme et la jeune fille se regardaient, tandis que la servante se tenait à l'écart.

Clary était pâle, pressentant quelque épouvantable malheur, n'osant interroger.

«Les patriotes de Saint-Charles?... dit-elle enfin.

– Vaincus! répondit Bridget.

– Mon père?...

– Blessé...

– Mourant?...

– Peut-être!»

Clary n'eut pas la force de se soutenir, et Bridget dut la recevoir dans ses bras.

«Du courage, Clary de Vaudreuil! dit-elle. Votre père demande que vous veniez près de lui... Il faut que vous partiez, que vous me suiviez sans perdre un instant.

– Où est mon père? demanda Clary, à peine remise de cette défaillance.

– Chez moi... à Saint-Charles! répondit Bridget.

– Qui vous envoie, madame?

– Je vous l'ai dit... Jean!... Je suis sa mère!...

– Vous?... s'écria Clary.

– Lisez!»

Clary prit le billet que lui tendait Bridget. C'était l'écriture de Jean-Sans-Nom qu'elle connaissait bien.

«Confiez-vous à ma mère...» écrivait-il.

Mais comment M. de Vaudreuil se trouvait-il dans cette demeure? Était-ce Jean qui l'avait sauvé, qui l'avait entraîné hors du champ de bataille de Saint-Charles, et qui l'avait transporté à Maison-Close?

«Je suis prête, madame! dit Clary de Vaudreuil.

– Partons!» répondit Bridget.

Aucun autre propos ne fut échangé.

Les détails de cette affreuse affaire, Clary les apprendrait plus tard. Elle n'en savait que trop déjà: son père mourant, les patriotes dispersés, la victoire de Saint-Denis annihilée par la défaite de Saint-Charles!

Clary s'était à la hâte enveloppée d'un vêtement sombre pour accompagner Bridget.

La porte du vestibule fut ouverte. Toutes deux descendirent sur la route.

Les seules paroles que Bridget prononça, en tendant la main dans la direction de Saint-Charles, furent celles-ci:

«Nous avons six milles à faire. Pour que personne ne sache que vous êtes venue à Maison-Close, il faut que nous y soyons rentrées cette nuit même.»

Clary et Bridget remontèrent la rive du fleuve, afin de rejoindre la route qui va directement vers le nord à travers les comtés de Saint-Hyacinthe.

La jeune fille aurait voulu marcher rapidement dans la hâte qu'elle avait d'être au chevet de son père. Mais elle dut modérer son pas, car Bridget, bien qu'elle y mit une énergie au-dessus de son âge, n'aurait pu la suivre.

D'ailleurs, il y eut des retards. Diverses bandes de fugitifs venaient en sens inverse. Se mêler à eux, c'était risquer d'être entraîné vers Saint-Denis. Mieux valait les éviter. Bridget et Clary se jetaient alors sous les fourrés à droite ou à gauche de la route. On ne les voyait pas, mais elles voyaient, elles entendaient.

Pourquoi l'eût-on empêchée de passer?

Ces pauvres gens s'avançaient misérablement. Quelques-uns laissaient des traces sanglantes sur le sol. Des femmes portaient de petits enfants entre leurs bras. Les plus valides des hommes soutenaient les vieux, qui voulaient se coucher sur le chemin pour y mourir. Puis, lorsque des cris éclataient au loin, la bande disparaissait au milieu de l'obscurité.

Est-ce que les soldats et les volontaires poursuivaient déjà ces malheureux, fuyant leur bourgade en flammes, cherchant dans les fermes un abri qu'ils ne pouvaient plus trouver à Saint-Charles? Est-ce

Il lui fallut faire face aux deux coquins.

que la colonne Witherall était déjà en marche pour surprendre, au jour naissant, les patriotes en déroute?

Non! ce n'étaient que d'autres fugitifs qui erraient au milieu de la campagne. Il en passa ainsi des centaines. Et combien eussent succombé pendant cette horrible nuit, si quelques fermes ne se fussent ouvertes pour les recevoir!

Clary, le cœur serré d'angoisses, assistait aux horreurs de cette fuite. Et pourtant, elle ne voulait pas désespérer de la cause de l'indépendance, pour laquelle son père venait d'être frappé mortellement.

Puis, dès que le chemin était libre, Bridget et elle se remettaient en marche. Pendant une heure et demie, elles allèrent dans ces conditions. À mesure qu'elles se rapprochaient de la bourgade, les retards étaient moins fréquents, parce que la route était moins encombrée. Tout ce qui avait pu s'échapper était loin déjà, du côté de Saint-Denis, ou dispersé entre les comtés de Verchères et de Saint-Hyacinthe. Ce qu'il fallait éviter dans le voisinage de Saint-Charles, c'était la rencontre des détachements de volontaires.

Aussi, à trois heures du matin, restait-il encore deux milles à faire pour atteindre Maison-Close.

À ce moment, Bridget tomba, épuisée.

Clary voulut la relever.

«Laissez-moi vous aider, lui dit-elle. Appuyez-vous sur moi... Nous ne pouvons être loin...

– Encore une heure de marche, répondit Bridget, et je ne pourrai jamais...

– Reposez-vous un instant. Après, nous repartirons!... Vous prendrez mon bras!... Ne craignez pas de me fatiguer!... Je suis forte...

– Forte!... Pauvre enfant... vous tomberiez bientôt à votre tour!»

Bridget s'était remise sur les genoux.

«Écoutez-moi, dit-elle, j'essaierai de faire quelques pas... Mais, si je tombe, vous me laisserez seule...

– Vous laisser seule?... s'écria Clary.

– Oui! ce qu'il faut c'est que vous soyez cette nuit même auprès de votre père... La route est directe... Maison-Close, c'est la première maison qui se trouve à gauche, en avant de la bourgade... Vous frapperez à la porte... Vous direz votre nom... Aussitôt Jean vous ouvrira...

– Je ne vous abandonnerai pas... répondit la jeune fille. Je n'irai pas sans vous...

– Il le faut, Clary de Vaudreuil! répondit Bridget. Et alors, lorsque vous serez en sûreté, mon fils viendra me chercher... Il me portera, lui, comme il a porté M. de Vaudreuil!

– Je vous en prie, essayer de marcher, madame Bridget!»

Bridget parvint à se remettre debout. Mais elle ne faisait plus que se traîner. Cependant, toutes deux gagnèrent près d'un mille encore.

En ce moment, l'horizon s'éclairait d'une lueur, qui se levait à l'est dans la direction de Saint-Charles. Étaient-ce les premiers rayons de l'aube, et ne serait-il pas possible d'atteindre Maison-Close avant le jour?

«Partez! murmura Bridget... Partez, Clary de Vaudreuil!... Laissez-moi!...

– Ce n'est pas le jour... répondit Clary. Il est à peine quatre heures du matin... Ce doit être le reflet d'un incendie...»

Clary n'acheva pas sa phrase. La pensée lui vint comme à Bridget que Maison-Close était peut-être la proie des flammes, que l'asile de M. de Vaudreuil avait été découvert, que Jean et lui étaient prisonniers des soldats de Witherall, à moins qu'ils n'eussent trouvé la mort en se défendant!

Cette crainte provoqua chez Bridget un suprême effort d'énergie. Clary et elle, pressant le pas, parvinrent à se rapprocher de Saint-Charles.

La route formait un coude à cet endroit, et c'est au delà de ce coude que s'élevait Maison-Close.

Clary et Bridget arrivèrent au tournant de la route.

Ce n'était pas Maison-Close qui brûlait, c'éait une ferme, située sur la droite de la bourgade, et dont le ciel reverbérait les flammes à l'horizon.

«Là... c'est là!» s'écria Bridget en montrant sa demeure d'une main tremblante.

Encore cinq ou six minutes, et ces deux femmes y auraient trouvé refuge.

À cet instant, apparut une troupe de trois hommes, qui descendaient la route – trois volontaires, chancelant sur leurs jambes, ivres d'eau-de-vie, souillés de sang.

Clary et Bridget voulurent les éviter en se jetant de côté. Il était trop tard.

Les volontaires les avaient aperçues. Ils se précipitèrent sur elles. De ces misérables, tout était à craindre. L'un d'eux avait saisi la jeune fille et cherchait à l'entraîner, tandis que les deux autres retenaient Bridget.

Bridget et Clary appelèrent à leur secours. Mais qui aurait pu entendre leurs cris, sinon d'autres soldats, moins ivres que ceux-ci, et plus dangeureux peut-être?

Soudain, un homme bondit hors du fourré, à gauche de la route, et, d'un coup vigoureux, il étendit à terre le misérable qui violentait la jeune fille.

«Clary de Vaudreuil!... s'écria-t-il.

– Vincent Hodge!»

Et Clary s'attacha au bras de Hodge qu'elle venait de reconnaître à la lueur des flammes.

Lorsque M. de Vaudreuil était tombé sur le champ de bataille de Saint-Charles, Vincent Hodge n'avait pu le secourir, ignorant que, quelques instants plus tard, Jean-Sans-Nom l'avait entraîné lors de la mêlée, il était revenu après les derniers coups de feu, et il était resté dans le voisinage de la bourgade, au risque de tomber entre les mains des royaux. Puis, la nuit venue, il avait essayé de découvrir M. de Vaudreuil parmi les blessés ou les morts, entassés à la lisière du camp. Ayant vainement cherché jusqu'à l'heure où l'aube allait paraître, il redescendait la route, lorsque des cris l'attirèrent à l'endroit où Clary se débattait pour échapper à un danger pire que la mort.

Mais Vincent Hodge n'eut pas le temps d'apprendre que M. de Vaudreuil avait été transporté dans cette maison, à quelques centaines de pas. Il lui fallut faire face aux deux coquins, qui avaient abandonné Bridget pour se jeter sur lui. Leurs cris venaient d'être entendus en amont de la route. Cinq ou six volontaires accouraient pour leur prêter assistance. Il n'était que temps pour Clary et Bridget de se réfugier à Maison-Close.

«Fuyez!... fuyez! cria Vincent Hodge. Je saurai bien leur échapper!»

Bridget et Clary remontèrent rapidement la route, tandis que Vincent Hodge, aussi résolu que vigoureux, terrassait ses agresseurs que l'ivresse rendait moins redoutables.

Et, avant que leurs camarades les eussent rejoints, il bondit vers le fourré au milieu de coups de feu qui lui furent tirés sans l'atteindre.

Bientôt, Bridget frappait à la porte de Maison-Close, qui s'ouvrait immédiatement, elle faisait entrer la jeune fille, et tombait dans les bras de son fils.

IV

LES HUIT JOURS QUI SUIVENT

Maison-Close avait donc offert un abri – précaire, sans doute – à M. et Mlle de Vaudreuil. Tous deux se trouvaient sous le toit de la «Famille-Sans-Nom», près de la femme et du fils du traître. S'ils ignoraient encore quels liens rattachaient à Simon Morgaz cette vieille femme et ce jeune homme qui risquaient leur vie en leur donnant asile, Bridget et Jean ne le savaient que trop! Et, ce qu'ils redoutaient surtout, c'était qu'un hasard ne vînt l'apprendre à leurs hôtes!

Vers le matin de ce jour – 26 novembre –, M. de Vaudreuil reprit quelque peu connaissance. La voix de sa fille l'avait réveillé de sa torpeur. Il ouvrit les yeux.

«Clary!... murmura-t-il.

– Mon père... c'est moi! répondit Clary. Je suis ici, avec vous!... Je ne vous quitterai plus!»

Jean se tenait au pied du lit, dans l'ombre, comme s'il eût cherché à ne point être vu. Le regard du blessé s'arrêta sur lui, et ses lèvres laissèrent échapper ces mots:

«Jean!... Ah!... je me souviens!...»

Puis, apercevant Bridget qui se penchait à son chevet, il semble demander quelle était cette femme.

«C'est ma mère, répondit Jean. Vous êtes dans la maison de ma mère, monsieur de Vaudreuil... Ses soins et ceux de votre fille ne vous manqueront pas...

– Leurs soins!... répéta M. de Vaudreuil d'une voix faible. Oui... le souvenir me revient!... Blessé... vaincu!... Mes compagnons en fuite... morts, qui sait?... Ah! mon pauvre pays... mon pauvre pays... plus asservi que jamais!»

M. de Vaudreuil laissa retomber sa tête, et ses yeux se refermèrent.

«Mon père!» s'écria Clary en s'agenouillant.

Elle lui avait pris la main, elle sentait une légère pression répondre à la sienne.

Jean dit alors:

«Il serait nécessaire qu'un médecin vint à Maison-Close. Où en trouver? À qui s'adresser dans la campagne occupée par les royaux?... À Montréal?... Oui, là seulement ce serait possible! Indiquez-moi le médecin dans lequel vous avez confiance, et j'irai à Montréal...

– À Montréal?... répondit Bridget.

– Il le faut, ma mère! La vie de M. de Vaudreuil vaut que je risque la mienne...

– Ce n'est pas pour toi que je crains, Jean. Mais, en allant à Montréal, tu peux être épié, et, si l'on soupçonne que M. de Vaudreuil est ici, il est perdu!

– Perdu! murmura Clary.

– Et ne l'est-il pas plus sûrement encore si les soins lui manquent! répondit Jean.

– Si sa blessure est mortelle, dit Bridget, personne ne peut la guérir. Si elle ne l'est pas, Dieu fera que sa fille et moi, nous le sauverons. Cette blessure provient d'un coup de sabre qui n'a fait que déchirer les chairs. M. de Vaudreuil est surtout affaibli par la perte de son sang. Il suffira, je l'espère, de panser sa plaie, d'y maintenir des compresses d'eau froide, pour amener une cicatrisation que nous obtiendrons peu à peu. Crois-moi, mon fils, M. de Vaudreuil est relativement en sûreté ici, et, tant qu'on pourra l'éviter, il est nécessaire que personne ne connaisse le lieu de sa retraite!»

Bridget parlait avec une assurance qui eut pour premier effet de rendre à Clary un peu d'espoir. Ce qu'il fallait avant tout, c'était que personne ne fût introduit dans Maison-Close. La vie de Jean-Sans-Nom en dépendait, et plus encore la vie de M. de Vaudreuil. En effet, à la moindre alerte, si Jean pouvait s'enfuir, se jeter à travers les forêts du comté, gagner la frontière américaine, c'était interdit à M. de Vaudreuil.

Au reste, dès ce premier jour, l'état du blessé allait justifier la confiance qu'il avait inspirée à Bridget. Depuis que l'hémorragie avait été arrêtée, M. de Vaudreuil était, sinon plus faible, du moins en possession de toute sa connaissance. Ce dont il avait besoin d'abord, c'était de calme moral, et il l'aurait maintenant que sa fille se trouvait près de lui; c'était de repos, et il semblait qu'il lui fût assuré à Maison-Close.

En effet, les soldats de Witherall ne devaient pas tarder à quitter Saint-Charles pour parcourir le comté, et la bourgade serait délivrée de leur présence.

Bridget prit donc certaines dispositions afin d'installer plus commodément ses hôtes dans son étroite demeure. M. de Vaudreuil occupait la chambre réservée à Joann ou à Jean, quand ils venaient passer une nuit à Maison-Close. L'autre chambre, celle de Bridget, devint celle de Clary. Toutes deux veilleraient alternativement au chevet du malade.

Quant à Jean, il n'y avait pas à s'inquiéter de lui ni de son frère pour le cas où, à la suite des derniers événements, l'abbé Joann se hasarderait à venir voir sa mère. Un coin dans Maison-Close, il ne leur en fallait pas davantage.

Au surplus, Jean ne comptait pas rester à Saint-Charles. Dès qu'il serait tranquillisé sur l'état de M. de Vaudreuil, dès qu'il aurait pu s'entretenir avec lui des éventualités qu'il prévoyait, il reprendrait sa tâche. La défaite de Saint-Charles ne pouvait avoir définitivement consommé la ruine des patriotes, Jean-Sans-Nom saurait les entraîner à la revanche.

La journée du 26 s'écoula paisiblement, Bridget put même, sans éveiller les soupçons, quitter Maison-Close, ainsi qu'elle en avait l'habitude, afin de se procurer des provisions supplémentaires, et aussi quelque potion calmante. Depuis que la bourgade avait été évacuée, plusieurs maisons s'étaient rouvertes. Mais quel désastre, quelles ruines, surtout dans le haut quartier incendié et dévasté, du côté du camp, là où la défense avait été poussée jusqu'à l'héroïsme! Une centaine de patriotes avaient versé leur sang dans ce funeste combat, la

Un quarantaine de patriotes étaient restés prisonniers.

plupart tués ou blessés mortellement. En outre, une quarantaine de prisonniers avaient été faits. L'aspect était lamentable, à la suite des excès commis par cette soldatesque déchaînée que son chef essayait vainement de retenir.

Heureusement – et c'est la nouvelle que Bridget rapporta à Maison-Close – la colonne prenait ses dispositions pour partir.

Pendant cette journée, M. de Vaudreuil, dont la situation ne s'aggrava point, put se reposer quelques heures. Son sommeil fut assez paisible. Plus de délire, plus de ces paroles incohérentes par lesquelles il demandait sa fille. Il avait conscience que Clary était près de lui, à l'abri des dangers auxquels l'eussent exposée la rentrée des loyalistes à Saint-Denis.

Tandis qu'il sommeillait, Jean dut faire à la jeune fille le récit des événements de la veille. Elle apprit tout ce qui s'était passé depuis que son père l'avait laissée dans la maison du juge Froment, pour rejoindre ses compagnons à Saint-Charles; comment les patriotes s'étaient battus jusqu'au dernier homme; dans quelles circonstances, enfin, M. de Vaudreuil avait été emporté lors de la mêlée et conduit à Maison-Close.

Clary écoutait, le cœur oppressé, les yeux humides, se raidissant contre le désespoir. Le malheur, semblait-il, les rapprochait plus étroitement, Jean et elle. Tous deux sentaient combien ils étaient liés l'un à l'autre.

À plusieurs reprises, Jean se leva, profondément troublé, ayant horreur de lui-même, voulant fuir cette intimité que la situation actuelle rendait plus dangereuse encore. Après les quelques jours passés près de Clary à la villa Montcalm, il avait compté sur les événements qui se préparaient pour se donner tout entier à sa tâche. Et c'étaient ces événements qui avaient amené la jeune fille dans la maison de sa mère, en même temps qu'ils le contraignaient à s'y réfugier près d'elle!

Bridget eut bientôt reconnu la nature des sentiments qu'éprouvait son fils. L'effroi qu'elle en conçut fut égal à celui de Jean. Lui!... le fils de Simon Morgaz!... Mais l'énergique femme ne laissa rien voir de ses angoisses. Et pourtant, que de souffrances elle prévoyait pour l'avenir.

Le lendemain, M. de Vaudreuil fut instruit du départ des soldats de Witherall. Se sentant moins faible, il voulut interroger Jean au sujet des conséquences de la défaite de Saint-Charles. Qu'étaient devenus ses compagnons Vincent Hodge, Farran, Clerc, Sébastien Gramont, le fermier Harcher et ses cinq fils, qui avaient si vaillamment combattu dans la journée du 25?

Bridget, Clary et Jean vinrent s'asseoir près du lit de M. de Vaudreuil.

À la demande qu'il fit, Jean répondit en le priant de ne point se fatiguer par des interrogations réitérées.

«Je vais vous apprendre ce que je sais de vos amis, dit-il. Après avoir lutté jusqu'à la dernière heure, ils n'ont été accablés que par le nombre. Un de mes braves compagnons de Chipogan, ce pauvre Rémy Harcher, a été tué presque au début de l'action, sans que j'aie pu le secourir. Puis, Michel et Jacques, blessés à leur tour, ont dû quitter le champ de bataille, emportés par leur père et leurs deux autres frères. Où se sont-ils enfuis, lorsque la résistance est devenue impossible? je l'ignore, mais j'espère qu'ils ont pu atteindre la frontière américaine. Le député Gramont, fait prisonnier, doit être maintenant dans les prisons de Montréal, et nous savons le sort que lui réservent les juges de lord Gosford. Pour MM. Farran et Clerc, je pense qu'ils se sont soustraits aux poursuites des cavaliers royaux. Étaient-ils sains et saufs? Je ne saurais l'affirmer. Quant à Vincent Hodge, il m'est impossible de le dire.

– Vincent Hodge a pu se dérober à ce massacre! répondit Clary. À la nuit tombante, il errait autour de Saint-Charles, vous cherchant, mon père. Mme Bridget et moi, nous l'avons rencontré sur la route. C'est grâce à lui que nous avons échappé aux violences de soldats ivres qui nous insultaient, et nous réfugier à Maison-Close. Sans doute, il est maintenant en sûreté dans quelque village des États-Unis.

– C'est un noble cœur, un vaillant patriote! dit Jean. Ce qu'il a fait pour Mlle de Vaudreuil et pour ma mère, il l'a fait pour moi au plus fort de la bataille! Il m'a sauvé la vie, et peut-être, eût-il mieux valu me laisser mourir!... Je n'aurais pas survécu à la défaite des Fils de la Liberté.

– Jean, dit la jeune fille, en êtes-vous donc à désespérer de notre cause?

– Mon fils désespérer!... répondit vivement Bridget. Je ne le croirai jamais...

– Non, ma mère! s'écria Jean. Après la victoire de Saint-Denis, l'insurrection allait s'étendre dans toute la vallée du Saint-Laurent. Après la défaite de Saint-Charles, c'est une campagne à reprendre, et je la reprendrai. Les réformistes ne sont pas encore vaincus. Déjà, ils doivent s'être organisés pour résister aux colonnes de sir John Colborne! Je n'ai que trop tardé à les rejoindre... Je partirai cette nuit.

– Où irez-vous, Jean? demanda M. de Vaudreuil.

– À Saint-Denis, d'abord. Là, j'espère retrouver les principaux chefs avec lesquels nous avions repoussé si heureusement les soldats de Gore...

– Pars donc, Jean! dit Bridget en jetant sur son fils un regard pénétrant. Oui, pars!... Ta place n'est pas ici!... Elle est là-bas, au premier rang...

– Oui, Jean partez! reprit Clary. Il faut rejoindre vos compagnons, reparaître à leur tête!... Que les loyalistes sachent bien que Jean-Sans-Nom n'est pas mort...»

Clary ne put en dire davantage.

M. de Vaudreuil, à demi soulevé, prit la main de Jean, et, lui aussi, répéta:

«Partez, Jean! Laissez-moi aux soins de votre mère et de ma fille! Si vous revoyez mes amis, dites-leur qu'ils me trouveront parmi eux, dès que j'aurai la force de quitter cette demeure!

– Mais, ajouta-t-il d'une voix qui indiquait son extrême faiblesse, si vous pouvez nous tenir au courant de ce qui se prépare... s'il vous est possible de revenir à Maison-Close. Ah! Jean!... J'ai tant besoin de savoir... ce que sont devenus tous ceux qui ne sont chers... et que je ne reverrai jamais peut-être!

– Vous le saurez, monsieur de Vaudreuil, répondit Jean. Reposez-vous maintenant!... Oubliez... jusqu'au moment où il faudra combattre!»

En effet, dans l'état où se trouvait le blessé, il importait que toute émotion lui fût épargnée. Il venait de s'assoupir, et cet assoupissement se prolongea jusqu'au milieu de la nuit. Aussi son sommeil durait-il encore, lorsque Jean quitta Maison-Close vers onze heures du soir, après avoir dit adieu à Clary, après avoir embrassé sa mère, dont l'énergie ne se démentit pas au moment où elle se sépara de son fils.

Au reste, les circonstances n'étaient plus les mêmes que deux jours avant, alors que Bridget empêchait Jean de se rendre à Saint-

Denis. Depuis le départ de Witherall, les dangers étaient infiniment moindres. Saint-Denis était tranquille comme Saint-Charles. Depuis la défaite des réformistes dans la journée du 25, le gouvernement temporisait. Il y avait même lieu de s'étonner qu'il ne cherchât point à compléter sa victoire en lançant ses colonnes contre les vainqueurs du 23. Sir John Colborne n'était point homme à reculer, cependant, devant les représailles que provoquerait un retour offensif, et le colonel Gore devait avoir hâte de venger sa défaite.

Quoi qu'il en soit, à Saint-Charles et, par conséquent à Maison-Close, on n'entendit parler de rien. La confiance était quelque peu revenue aux habitants de la bourgade. Après s'être dispersés au loin, la plupart avaient réintégré leurs maisons, et travaillaient déjà à réparer les désastres de l'incendie et du pillage. Dans les rares sorties que faisait Bridget, si elle n'interrogeait pas, elle écoutait, puis, elle tenait au courant M. et Mlle de Vaudreuil. Aucune grave nouvelle ne circulait dans le pays, aucune menaçante approche n'était signalée sur la route de Montréal.

Durant les trois jours qui suivirent, cette tranquillité ne fut pas troublée, ni dans le comté de Saint-Hyacinthe, ni dans les comtés voisins. Le gouvernement considérait-il la rébellion comme définitivement enrayée par l'écrasement de Saint-Charles? On pouvait le croire. Songeait-il seulement à poursuivre les chefs de l'opposition qui avaient donné le signal de la révolte? C'était assez probable. Mais, ce que personne n'aurait pu admettre, c'était que les réformistes eussent renoncé à continuer la lutte, qu'ils se reconnussent définitivement vaincus, qu'il ne leur restât plus qu'à se soumettre! Non! Et à Maison-Close comme en tout le Canada, on s'attendait à quelque nouvelle prise d'armes.

L'état de M. de Vaudreuil ne cessait de s'améliorer, grâce aux soins de Bridget et de Clary. Si sa faiblesse était toujours grande, la cicatrisation de la blessure commençait à se faire. Par malheur, la convalescence serait longue, et l'époque était encore éloignée à laquelle M. de Vaudreuil serait assez rétabli pour quitter son lit. Vers la fin du troisième jour, il put prendre un peu de nourriture. La fièvre, qui le dévorait au début, avait disparue presque entièrement. Il n'y avait plus rien de grave à redouter, si aucune complication ne se produisait.

En ces longues heures inoccupées, Bridget et Clary, assises au chevet de M. de Vaudreuil, lui rapportaient tout ce qui se disait au dehors. Le nom de Jean revenait incessamment dans leur conversation. Avait-il pu rejoindre ses compagnons à Saint-Denis? Laisserait-il sans nouvelles les hôtes de Maison-Close?

Et, tandis que Clary restait muette, les yeux baissés, sa pensée au loin, M. de Vaudreuil s'abandonnait à faire l'éloge du jeune patriote, qui symbolisait la cause nationale. Oui! Mme Bridget devait être fière d'avoir un tel fils!

Bridget, courbant la tête, ne répondait pas, ou, si elle répondait, c'était pour dire que Jean n'avait fait que son devoir, rien de plus.

On ne sera pas surpris que Clary eût ressenti une vive amitié, presque un amour filial pour Bridget, ni que son cœur se fût étroitement uni au sien. Il lui paraissait naturel de l'appeler «ma mère!» Et pourtant, lorsqu'elle voulait lui prendre les mains, il semblait que Bridget cherchait à les retirer. Quand Clary embrassait Bridget, Bridget détournait la tête. Qu'y avait-il dont la jeune fille ne pouvait se rendre compte? Ce qu'elle eût voulu connaître, c'était le passé de cette famille, qui n'avait même plus de nom! Mais Bridget restait impénétrable à ce sujet. La situation de ces deux femmes était donc celle-ci: d'un côté, abandon et affection quasi filiale; de l'autre, extrême réserve, et parfois éloignement inexplicable de la vieille mère pour la jeune fille.

Dans la soirée du 2 décembre, Saint-Charles fut alarmé par quelques nouvelles inquiétantes – si inquiétantes même que Bridget, qui les avait recueillies de part et d'autre dans la bourgade, ne voulut point les faire connaître à M. de Vaudreuil. Clary l'approuva, car il était inutile de troubler le calme dont son père avait si grand besoin encore.

Ce que l'on disait, c'était que les royaux venaient de battre à nouveau les patriotes.

En effet, le gouvernement n'avait pas voulu se contenter d'avoir vaincu l'insurrection à Saint-Charles. Il lui fallait encore venger l'échec que le colonel Gore avait subi à Saint-Denis. S'il y réussissait, il n'aurait plus rien à craindre des réformistes, traqués par les agents de Gilbert Argall, et réduits à se disperser à travers les paroisses du district. Il ne resterait plus qu'à frapper de peines terribles les chefs du parti insurrectionnel, détenus dans les prisons de Québec et de Montréal.

Deux pièces de canon, cinq compagnies d'infanterie, un escadron da cavalerie, avaient été mis sous les ordres du colonel Gore, qui était parti avec ses forces, très supérieures à celles des patriotes, et était arrivé à Saint-Denis dans la journée du 1er décembre.

La nouvelle de cette expédition, vaguement répandue d'abord, était parvenue le soir même à Saint-Charles. Quelques habitants, qui revenaient des champs, ne tardèrent pas à les confirmer. C'est dans ces conditions que Bridget en fut instruite, et, tout en les cachant à M. de Vaudreuil, elle n'avait pas hésité à les communiquer à Clary.

On imagine aisément ce que dut être l'inquiétude, ce que furent les angoisses de ces deux femmes.

C'était à Saint-Denis que Jean avait été retrouver ses compagnons d'armes, afin de réorganiser l'insurrection. Seraient-ils assez nombreux, assez bien armés, pour résister aux royaux, ce n'était pas probable. Et alors, les loyalistes, une fois entrés dans la voie des représailles, ne les poursuivraient-ils pas à outrance? N'en viendraient-ils pas à opérer des perquisitions dans les bourgades et les villages des comtés plus particulièrement compromis lors du dernier soulèvement? Saint-Charles, spécialement, ne serait-il pas soumis à des mesures de police, dont les conséquences pourraient être si graves? Le mystère de Maison-Close ne serait-il pas enfin pénétré? Que deviendrait alors M. de Vaudreuil, cloué sur son lit, et qu'il était impossible de transporter au delà de la frontière?

Dans quelles transes Bridget et Clary passèrent cette soirée! Déjà arrivaient des nouvelles de Saint-Denis, et elles étaient désespérantes.

En effet, le colonel Gore avait trouvé la bourgade abandonnée de ses défenseurs. Devant les chances d'une lutte si inégale, ceux-ci s'étaient décidés à battre en retraite. Quant aux habitants, ils avaient quitté leurs maisons, se sauvant au milieu des bois, traversant le Richelieu, cherchant un abri dans les paroisses voisines. Et alors, ce qui s'était passé, lorsque Saint-Denis avait été livré aux excès des soldats, si les fugitifs ne le savaient pas, il n'était que trop facile de l'imaginer.

Michel et Jacques blessés, emportés par leur père et leurs frères.

La nuit venue, Bridget et Clary vinrent au chevet de M. de Vaudreuil. À diverses reprises, il fallut lui expliquer pourquoi les rues de Saint-Charles, si paisibles depuis quelques jours, s'emplissaient de rumeurs. Clary s'ingéniait à donner à ces bruits une cause qui ne pût alarmer son père. Puis, sa pensée se reportant au delà, elle se demandait si la cause de l'indépendance n'avait pas reçu un dernier coup dont elle ne pourrait se relever, si Jean et ses compagnons n'avaient pas été forcés de reculer jusqu'à la frontière, si quelques-uns d'entre eux n'étaient pas tombés au pouvoir des royaux... Et lui, Jean, avait-il pu s'enfuir? Ou plutôt, ne chercherait-il pas à regagner Maison-Close?

Clary en avait le pressentiment, et, alors, il serait impossible de cacher à M. de Vaudreuil la défaite des patriotes.

Peut-être Bridget le craignait-elle aussi? Et, toutes deux, absorbées dans la même pensée, se comprenant sans échanger une parole, restaient silencieuses.

Vers onze heures et demie, trois coups furent frappés à la porte de Maison-Close.

«Lui!» s'écria la jeune fille.

Bridget avait reconnu le signal. C'était bien un de ses fils, qui était là.

Elle eut alors l'idée que ce devait être Joann qu'elle n'avait pas revu depuis plus de deux mois. Mais Clary ne s'y était pas trompée et répétait:

«C'est lui!... lui... Jean!»

Dès que la porte eut été ouverte, Jean parut et franchit rapidement le seuil.

V

PERQUISITIONS

À peine la porte fut-elle refermée, que, l'oreille contre le vantail, Jean écouta les bruits du dehors. De la main, il avait fait signe à sa mère et à Clary de ne pas dire un mot, de ne pas faire un mouvement.

Et Bridget qui allait s'écrier: «Pourquoi es-tu revenu, mon fils?» Bridget se tut.

À l'extérieur, on entendait aller et venir sur la route. Des propos étaient échangée entre une demi-douzaine d'hommes, qui avaient fait halte à la hauteur de Maison-Close.

«Par où est-il passé?

– Il n'a pu s'arrêter ici!

– Il se sera caché dans quelque maison du haut!

– Ce qui est certain, c'est qu'il nous a échappé!

– Et, pourtant, il n'avait pas sur nous cent pas d'avance!

– Avoir manqué Jean-Sans-Nom!

– Et les six mille piastres que vaut sa tête!»

En entendant la voix de l'homme qui venait de prononcer ces derniers mots, Bridget eut un tressaillement involontaire. Il lui sembla qu'elle connaissait cette voix, sans pouvoir retrouver dans son souvenir...

Mais Jean l'avait reconnu, cet homme acharné à sa poursuite! C'était Rip! Et, s'il n'en voulut rien dire à sa mère, c'est que c'eût été lui rappeler l'horrible passé qui se rattachait à ce nom!

Cependant le silence s'était fait. Les agents venaient de remonter la route, sans avoir soupçonner que Jean eût pu se réfugier à Maison-Close.

Alors, Jean se retourna vers sa mère et Clary, immobiles dans l'ombre du couloir.

À cet instant, avant que Bridget eût interrogé son fils, la voix de M. de Vaudreuil se fit entendre. Il avait compris que Jean était de retour, et il disait:

«Jean!... C'est vous?...»

Jean, Clary et Bridget durent aussitôt rentrer dans la chambre de M. de Vaudreuil, et, profondément troublés, vinrent se placer près de son lit.

«J'ai la force de tout apprendre, dit M. de Vaudreuil, et je veux tout savoir!

– Vous saurez tout», répondit Jean.

Et il fit le récit suivant, que Clary et Bridget écoutèrent sans l'interrompre.

«L'autre nuit, deux heures après avoir quitté Maison-Close, je suis arrivé à Saint-Denis. Là, j'ai retrouvé quelques-uns des patriotes qui avaient survécus au désastre, Marchessault, Nelson, Cartier, Vincent Hodge, Farran, Clerc, les avaient rejoints. Ils s'occupaient de la défense. La population ne demandait qu'à les soutenir. Mais, hier, nous apprîmes que Colborne avait fait partir de Sorel une colonne de réguliers et de volontaires, pour piller et incendier la bourgade. Cette colonne arriva dans la soirée. En vain voulûmes-nous lui opposer quelque résistance. Elle pénétra dans Saint-Denis que les habitants durent abandonner. Plus de cinquante maisons ont été détruites par les flammes. Alors mes compagnons ont dû fuir pour ne point être égorgés par ces bourreaux, et gagner du côté de la frontière, où Papineau et autres attendaient à Plattsburg, à Rouse's Point, à Swanton. Et maintenant, les soldats de Witherall et de Gore vont envahir les comtés au sud du Saint-Laurent, brûlant et dévastant, réduisant les enfants et les femmes à la mendicité, ne leur épargnant ni les mauvais traitements ni les affronts de toutes sortes, et l'on pourra suivre leurs traces à la lueur des incendies!... Voilà ce qui s'est passé, monsieur de Vaudreuil, et pourtant je ne désespère pas, je ne veux pas désespérer de notre cause!»

Un douloureux silence suivit le récit que Jean venait de faire. M. de Vaudreuil s'était laissé retomber sur son chevet.

Bridget prit la parole, et, s'adressant à son fils qu'elle regardait en face:

«Pourquoi es-tu ici? dit-elle. Pourquoi n'es-tu pas où sont tes compagnons?

– Parce que j'ai lieu de craindre que les royaux reviennent à Saint-Charles, que des perquisitions y soient faites, que l'incendie achève de dévorer ce qui me reste de...

– Et peux-tu l'empêcher, Jean?

– Non, ma mère!

– Eh bien, je le répète, pourquoi es-tu ici?

– Parce que j'ai voulu voir s'il ne serait pas possible que M. de Vaudreuil quittât Maison-Close, qui ne sera pas plus épargnée que les autres habitations...

– Ce n'est pas possible!... répondit Bridget.

– Je resterai donc, ma mère, et je me ferai tuer en vous défendant...

– C'est pour le pays qu'il faut mourir, Jean, non pour nous! répondit M. de Vaudreuil. Votre place est là où sont les chefs des patriotes...

– Là où est la vôtre, monsieur de Vaudreuil! répliqua Jean. Écoutez-moi. Vous ne pouvez demeurer dans cette maison, où vous serez bientôt découvert. Cette nuit, un demi-mille avant d'arriver à Saint-Charles, j'ai été poursuivi par une escouade d'agents de police. Il n'est pas douteux que ces hommes m'aient reconnu, puisque vous les avez entendus prononcer mon nom. On fouillera toute la bourgade, et, lors même que je n'y serais plus, Maison-Close n'échappera pas aux perquisitions. C'est vous que les agents trouveront, monsieur de Vaudreuil, c'est vous qu'ils arracheront d'ici, et vous n'avez pas de grâce à espérer!

Les habitants avaient quitté leurs maisons.

– Qu'importe, Jean, répondit M. de Vaudreuil, qu'importe si vous avez pu réunir nos amis sur la frontière!

– Écoutez-moi, vous dis-je! reprit Jean. Tout ce qu'il faudra faire pour notre cause, je le ferai. Maintenant, il s'agit de vous, monsieur de Vaudreuil. Peut-être n'est-il pas impossible que vous puissiez gagner les États-Unis. Une fois hors du comté de Saint-Hyacinthe, vous seriez en sûreté, et il ne resterait plus que quelques milles pour atteindre le territoire américain. Que vous n'ayez pas la force de vous traîner jusque-là, même si je suis là pour vous soutenir, soit! Mais,

Une partie de la colonne Witherall revenait.

étendu dans une charrette, couché sur une litière de paille comme vous l'êtes dans ce lit, n'êtes-vous pas en état de supporter ce voyage? Eh bien, que ma mère se procure cette charrette, sous un prétexte quelconque – celui de fuir après tant d'autres, de quitter Saint-Charles – ou du moins, qu'elle essaye! Et, la nuit prochaine, votre fille et vous, ma mère et moi, nous quitterons cette demeure, et nous pourrons être hors d'atteinte, avant que les massacreurs de Gore ne soient venus faire de Saint-Charles ce qu'ils ont fait de Saint-Denis, un monceau de ruines!

Le projet de Jean valait d'être pris en considération. À quelques milles au sud du comté, M. de Vaudreuil trouverait la sécurité que ne pouvait lui assurer Maison-Close, si les royaux envahissaient la bourgade et perquisitionnaient chez les habitants. Ce qui n'était que trop certain, c'est que Jean-Sans-Nom avait été signalé aux hommes de Rip. S'il leur avait échappé, ceux-ci devaient croire qu'il s'était réfugié dans quelque maison de Saint-Charles. Et, alors, tous les efforts ne seraient-ils pas faits pour découvrir le lieu de sa retraite? La situation était donc menaçante. À tout prix, il fallait que, non seulement Jean, mais M. de Vaudreuil et sa fille eussent quitté Maison-Close.

La fuite n'était pas impraticable, à la condition que Bridget pût se procurer une charrette, et que M. de Vaudreuil fût en état de supporter le transport pendant quelques heures. En admettant qu'il fût trop faible pour être conduit jusqu'à la frontière, il était assuré de trouver asile dans n'importe quelle ferme du comté de Saint-Hyacinthe.

En résumé, il y avait nécessité d'abandonner Saint-Charles, puisque la police y faisait des recherches.

Jean n'eut pas de peine à convaincre M. de Vaudreuil et sa fille. Bridget approuva. Malheureusement, on ne devait pas songer à partir cette nuit même. Le jour venu, Bridget chercherait à se procurer un véhicule quelconque. Ainsi, à la nuit prochaine l'exécution du projet.

Le jour vint. Bridget avait pensé que mieux valait agir ouvertement. Nul ne trouverait singulier qu'elle se fût décidée à fuir le théâtre de l'insurrection. Nombre d'habitants l'avaient déjà fait, et, de sa part, cette résolution ne pourrait surprendre personne.

Tout d'abord, son intention avait été de ne point accompagner M. de Vaudreuil, Clary et Jean. Mais son fils lui fit aisément comprendre que, le départ une fois annoncé, si ses voisins la revoyaient encore à Saint-Charles, ils soupçonneraient que la charrette louée avait dû servir à quelque patriote caché dans Maison-Close, que les agents de la police finiraient par l'apprendre, qu'ils s'en prendraient à elle, et que, dans son intérêt comme dans celui de M. et Mlle de Vaudreuil, il ne fallait point fournir le motif de procéder à une enquête.

Bridget dut se rendre à ces très sérieuses raisons. Lorsque la période de troubles serait achevée, elle reviendrait à Saint-Charles, et finirait sa misérable vie au fond de cette maison, dont elle avait espéré ne jamais sortir!

Ces questions définitivement résolues, Bridget s'occupa de se procurer un moyen de transport. Ne fût-ce qu'une charrette, elle suffirait pour atteindre le comté de Laprairie, que les colonnes royales ne menaçaient pas encore. Bridget quitta donc sa maison dès le matin. Elle était munie de l'argent nécessaire à la location, ou plutôt à l'acquisition du véhicule – argent qui lui avait été remis par M. de Vaudreuil.

Pendant son absence, Jean et Clary ne s'éloignèrent pas de la chambre de M. de Vaudreuil. Celui-ci avait retrouvé toute son énergie. Devant l'effort qu'il aurait à faire pour supporter ce voyage, il sentait que la force physique ne lui ferait pas défaut. Déjà même, une sorte de réaction avait modifié son état. Malgré sa faiblesse, très grande encore, il était prêt à se lever, prêt à se rendre de son lit à la route, lorsque le moment serait venu de quitter Maison-Close. Il répondait de lui – au moins pour quelques heures. Après, il en serait ce qu'il plairait à Dieu. Mais, peu importait, s'il avait pu revoir ses compagnons, s'il avait assuré la sécurité de sa fille, si Jean-Sans-Nom était au milieu des Franco-Canadiens, résolus à une lutte suprême.

Oui, ce départ s'imposait. En effet, si M. de Vaudreuil ne devait pas survivre à ses blessures, que deviendrait sa fille à Maison-Close, seule au monde, n'ayant plus que cette vieille femme pour appui? Sur la frontière, à Swanton, à Plattsburg, il retrouverait ses frères d'Armes, ses amis les plus dévoués. Et, parmi eux, il en était un dont M. de Vaudreuil approuvait les sentiments. Il savait que Vincent Hodge aimait Clary, et Clary ne refuserait pas de devenir la femme de celui qui venait de risquer sa vie pour la sauver. À quel plus généreux, à quel plus ardent patriote eût-elle pu confier son avenir? Il était digne d'elle, elle était digne de lui.

Dieu aidant, M. de Vaudreuil aurait la force d'atteindre son but. Il ne succomberait pas avant d'avoir mis le pied sur le territoire américain, où les survivants du parti réformiste attendaient le moment de reprendre les armes.

Telles étaient les pensées qui surexcitaient M. de Vaudreuil, tandis que Jean et Clary, assis à son chevet, n'échangeaient que de rares paroles.

Entre temps, Jean se levait, s'approchait de celle des fenêtres qui s'ouvrait sur la route et dont les volets étaient fermés. De là, il écoutait si quelque bruit ne troublait pas la route aux environs de la bourgade.

Bridget revint à Maison-Close après une absence de deux heures. Elle avait dû s'adresser à plusieurs habitants pour l'acquisition d'une voiture et d'un cheval. Ainsi que cela était convenu, elle n'avait point dissimulé son intention de quitter Saint-Charles – ce dont personne n'avait été surpris. Le propriétaire d'une ferme voisine, Luc Archambault, avait consenti à lui céder pour un bon prix une charrette, qui devait être amenée, toute attelée, vers neuf heures du soir, à la porte de Maison-Close.

M. de Vaudreuil éprouva un soulagement véritable, lorsqu'il apprit que Bridget avait réussi.

«À neuf heures, nous partirons, dit-il, et je me lèverai pour aller prendre place...

– Non, monsieur de Vaudreuil, répondit Jean, ne vous fatiguez pas inutilement. Je vous porterai dans cette charrette, sur laquelle nous aurons étendu une bonne litière de paille, et par-dessus un des matelas de votre lit. Puis, nous irons à petits pas, afin d'éviter les secousses, et j'espère que vous pourrez supporter le voyage. Mais, comme la température est assez basse, ayez la précaution de bien vous couvrir. Quant à craindre quelque mauvaise rencontre sur la route... Tu n'as rien appris de nouveau, ma mère?

– Non, répondit Bridget. Cependant, on s'attend toujours à une seconde visite des royaux.

– Et ces hommes de police, qui m'ont suivi jusqu'à Saint-Charles?...

– Je n'en ai vu aucun, et il est probable qu'ils se sont lancés sur une fausse piste.

– Mais ils peuvent revenir... dit Clary.

– Aussi, partirons-nous dès que la charrette sera devant la porte, répondit M. de Vaudreuil.

– À neuf heures, dit Bridget.

– Tu es sûre de l'homme qui te l'a vendue, ma mère?

– Oui! C'est un honnête fermier, et ce qu'il s'est engagé à faire, il le fera!»

En attendant, M. de Vaudreuil voulut se réconforter un peu. Bridget, aidée de Clary, eut vite préparé un frugal déjeuner, qui fut pris en commun.

Les heures s'écoulèrent sans incidents. Nul trouble au dehors. De temps à autre, Bridget entr'ouvrait la porte et jetait un rapide regard à droite et à gauche. Il faisait un froid assez vif. La teinte grisâtre du ciel indiquait le calme absolu de l'atmosphère. Il est vrai, si le vent venait à s'établir au sud-ouest, si les vapeurs se résolvaient en neige, cela rendrait très pénible le transport de M. de Vaudreuil – au moins jusqu'au limites au comté.

Malgré cela, toutes les chances semblaient être pour que le voyage s'accomplît dans des conditions supportables, lorsque, vers trois heures de l'après-midi, une première alerte se produisit à Saint-Charles.

Des sons, éloignés encore, se faisaient entendre vers le haut de la bourgade.

Jean ouvrit la porte et prêta l'oreille... Il ne put retenir un geste de colère.

«Des trompettes! s'écria-t-il. Une colonne qui se dirige sur Saint-Charles, sans doute?...

– Que faire? demanda Clary.

– Attendre, répondit Bridget. Peut-être ces soldats ne feront-ils que traverser la bourgade?...»

Jean secoua la tête.

Et pourtant, puisque M. de Vaudreuil était dans l'impossibilité de partir en plein jour, il fallait attendre, ainsi que l'avait dit Bridget, à moins que Jean ne se décidât à fuir...

En effet, s'il quittait Maison-Close à l'instant, s'il se jetait à travers les bois contigus à la route, n'aurait-il pas le temps de se mettre en sûreté, avant que Saint-Charles eût été occupé par les royaux? Mais c'eût été abandonner M. et Mlle de Vaudreuil, alors qu'ils étaient exposés aux plus graves périls. Jean n'y songea même pas. Et, cependant, comment pourrait-il les défendre, si leur retraite était découverte?

D'ailleurs, l'occupation allait être très rapidement opérée. C'était une partie de la colonne Witherall, envoyée à la poursuite des patriotes du comté, qui, après s'être rabattue le long du Richelieu, revenait bivaquer à Saint-Charles.

De Maison-Close, on entendait la sonnerie des clairons qui se rapprochait.

Cette sonnerie se tut enfin. Les troupes étaient arrivées à l'extrémité de la bourgade.

Bridget dit alors:

«Tout n'est pas perdu. La route est libre du côté de Laprairie. La nuit venue, il se peut qu'elle le soit encore. Nous ne devons rien changer à nos projets. Ma maison n'est pas de celles qui attireront les pillards. Elle est isolée, et il est possible qu'elle échappe à leur visite!»

On pouvait l'espérer.

Oui! bien d'autres habitations ne manquaient pas, où les excès des soldats de sir John Colborne trouveraient à s'exercer avec plus de profit. Et puis, en ces premiers jours de décembre, la nuit ne tarderait pas à venir, et, il ne serait pas impossible de quitter Maison-Close, sans éveiller l'attention.

Les préparatifs de départ ne furent donc pas suspendus. Il s'agissait d'être en mesure pour le moment où la charrette se présenterait devant la porte. Que la route fût libre pendant une heure, et, à trois milles de là, si l'état de M. de Vaudreuil l'exigeait, les fugitifs iraient demander asile à l'une des fermes du comté.

La nuit arriva sans nouvelle alerte. Quelques détachements de volontaires, qui s'étaient portés jusqu'au bas de la grande route, étaient revenus sur leurs pas. Maison-Close ne semblait point avoir attiré leurs regards. Quant au gros de la colonne, il était cantonné aux alentours du camp de Saint-Charles. Il se faisait là un assourdissant tumulte, qui ne présageait rien de bon pour la sécurité des habitants.

Vers les six heures, Bridget voulut que Jean et Clary prissent leur part du dîner qu'elle venait de préparer. M. de Vaudreuil mangea à peine. Surexcité par les dangers de la situation, par la nécessité d'y faire face, il attendait impatiemment le moment de se mettre en route.

Un peu avant sept heures, on heurta légèrement à la porte. Était-ce le fermier qui, devançant le moment convenu, amenait la charrette ? En tout cas, ce ne pouvait être une main ennemie qui frappait avec cette réserve.

Jean et Clary se retirèrent dans la chambre de M. de Vaudreuil dont ils laissèrent la porte entrebâillée.

Bridget gagna l'extrémité du couloir et ouvrit, après avoir reconnu la voix de Luc Archambault.

L'honnête fermier venait prévenir Mme Bridget qu'il lui était impossible de tenir son engagement, et il lui rapportait le prix de cette charrette, dont il ne pouvait opérer la livraison.

En effet, les soldats occupaient sa ferme, comme les fermes environnantes.

Quant à la bourgade, elle était cernée, et, alors même que la charrette eût été mise à sa disposition, Mme Bridget n'aurait pu en faire usage.

Il fallait attendre, bon gré mal gré, que Saint-Charles fût définitivement évacué.

Jean et Clary, de la chambre où ils se tenaient immobiles, entendaient ce que disait Luc Archambault. M. de Vaudreuil également.

Le fermier ajouta que Mme Bridget n'avait rien à craindre pour Maison-Close, que si les habits-rouges étaient revenus à Saint-Charles, ce n'était que pour prêter main-forte à la police, laquelle commençait à pratiquer des perquisitions chez les habitants... Et pourquoi ?... Parce que, d'après certains bruits, Jean-Sans-Nom avait dû se réfugier dans la bourgade, où tous les moyens seraient employés pour le découvrir.

En entendant le fermier prononcer le nom de son fils, Bridget ne fit pas un mouvement qui pût la trahir.

Luc Archambault se retira alors, et Bridget, rentrant dans la chambre, dit :

La campagne battue par des détachements de cavalerie.

«Jean, fuis! à l'instant!

– Il le faut! répéta M. de Vaudreuil.

– Fuir sans vous? répondit Jean.

– Vous n'avez pas le droit de nous sacrifier votre existence! reprit Clary. Avant nous, il y a le pays...

– Je ne partirai pas! dit Jean. Je ne vous laisserai pas exposés aux brutalités de ces misérables!...

«C'est la femme de ce brave Simon Morgaz!»

– Et que pourriez-vous faire, Jean?

– Je ne sais, mais je ne partirai pas!»

La résolution de Jean était si formelle que M. de Vaudreuil n'essaya plus de la combattre.

D'ailleurs – on le reconnaîtra – une fuite, tentée dans ces conditions, n'eût offert que de faibles chances. La bourgade était cernée, d'après le dire de Luc Archambault, la route surveillée par les soldats, la campagne par des détachements de cavalerie. Jean, déjà signalé, ne parviendrait pas à s'échapper. peut-être valait-il mieux qu'il restât à Maison-Close?

Toutefois, ce n'était pas à ce sentiment qu'il avait obéi en prenant cette résolution. Abandonner sa mère, M. et Mlle de Vaudreuil, il ne l'aurait pu.

Cette décision étant définitive, les trois chambres de Maison-Close, le grenier qui les surmontait, offriraient-ils quelque cachette, où ses hôtes parviendraient à se blottir, de manière à se soustraire aux perquisitions des agents?

Jean n'eut pas le temps de s'en assurer.

Presque aussitôt de rudes coups vinrent ébranler la porte extérieurement.

La petite cour était occupée par une demi-douzaine d'hommes de police.

«Ouvrez! cria-t-on du dehors, pendant que les coups redoublaient. Ouvrez, ou nous allons enfoncer...»

La porte de la chambre de M. de Vaudreuil fut vivement refermée par Jean et Clary qui se jetèrent dans la chambre de Bridget, d'où ils pouvaient mieux entendre.

Au moment où Bridget s'avançait dans le couloir, la porte de Maison-Close vola en éclats.

Le couloir s'éclaira vivement à la lueur de torches que tenaient les agents.

«Que voulez-vous? demanda Bridget à l'un d'eux.

– Fouiller votre maison! répondit cet homme. Si Jean-Sans-Nom s'y est réfugié, nous l'y prendrond d'abord, et nous la brûlerons ensuite!

– Jean-Sans-Nom n'est point ici, répondit Bridget d'un ton calme, et je ne sais pas...»

Soudain, le chef de l'escouade s'avança vivement vers la vieille femme.

C'était Rip – dont la voix l'avait frappée au moment où son fils était rentré à Maison-Close –, Rip qui, en le provoquant, avait entraîné Simon Morgaz au plus abominable des crimes.

Bridget, épouvantée, le reconnut.

«Eh! s'écria Rip, très surpris, c'est madame Bridget!... C'est la femme de ce brave Simon Morgaz!»

En entendant le nom de son père, Jean recula jusqu'au fond de la chambre.

Bridget, foudroyée par cette effroyable révélation, n'avait pas la force de répondre.

«Eh oui!... madame Morgaz! reprit Rip. En vérité, je vous croyais morte!... Qui se serait attendu à vous retrouver dans cette bourgade, après douze ans!»

Bridget se taisait toujours.

«Allons, mes amis, ajouta Rip, en se retournant vers ses hommes, rien à faire ici! Une brave femme, Bridget Morgaz!... Ce n'est pas elle qui cacherait un rebelle!... Venez et continuons nos recherches! Puisque Jean-Sans-Nom est à Saint-Charles, ni Dieu ni diable ne nous empêcheront de le prendre!»

Et Rip, suivi de son escouade, eut bientôt disparu par le haut de la route.

Mais le secret de Bridget et de son fils était maintenant dévoilé. Si M. de Vaudreuil n'avait rien pu entendre, Clary n'avait pas perdu une seule des paroles de Rip.

Jean-Sans-Nom était le fils de Simon Morgaz!

Et, dans un premier mouvement d'horreur, Clary, s'enfuyant de la chambre de Bridget, comme affolée, se réfugia sans celle de son père.

Jean et Bridget étaient seuls.

Maintenant, Clary savait tout.

À la pensée de se retrouver devant elle, devant M. de Vaudreuil, devant l'ami de ces patriotes dont la trahison de Simon Morgaz avait fait tomber les têtes, Jean crut qu'il allait devenir fou.

«Ma mère, s'écria-t-il, je ne resterai pas un instant ici!... M. et Mlle de Vaudreuil n'ont plus besoin de moi pour les défendre!... Ils seront en sûreté dans la maison d'un Morgaz!... Adieu...

– Mon fils... mon fils?... murmura Bridget... Ah! malheureux!... Crois-tu que je ne t'aie pas deviné!... Toi!... le fils de... tu aimes Clary de Vaudreuil!

– Oui, ma mère, mais je mourrai avant de lui avoir jamais dit!»

Et Jean s'élança hors de Maison-Close.

VI

MAÎTRE NICK À WALHATTA

Après l'affaire de Chipogan, après l'échec des agents et des volontaires, Thomas Harcher et ses fils aînés, qui avaient dû chercher refuge hors du territoire canadien, étaient revenus prendre part à la bataille de Saint-Charles. À la suite de cette funeste défaite, qui avait coûté la vie à Rémy, Thomas, Pierre, Michel, Tony et Jacques avaient pu rejoindre les réformistes à Saint-Albans, sur la frontière américaine.

En ce qui concerne le notaire Nick, on sait aussi qu'il s'était bien gardé de reparaître à Montréal. Comment eût-il expliqué son attitude à Chipogan? Quelle que fût la considération dont il jouissait, Gilbert Argall n'aurait pas hésité à le poursuivre pour rébellion envers les représentants de l'autorité. Les portes de la prison de Montréal se fussent certainement refermées sur lui, et, en sa compagnie, Lionel aurait eu tout le loisir de s'abandonner à ses inspirations poétiques - *intra muros.*

Maître Nick avait donc pris le seul parti que commandaient les circonstances: suivre les Mahogannis à Walhatta, et attendre, sous le toit de ses ancêtres, que l'apaisement des esprits lui permît de rompre avec son rôle de chef de tribu pour rentrer modestement dans son étude.

Lionel, il est vrai, ne l'entendait pas ainsi. Le jeune poète comptait bien que le notaire briserait définitivement ses panonceaux de la place du marché Bon-Secours, et perpétuerait chez les Hurons l'illustre nom des Sagamores.

C'était à deux lieues de la ferme de Chipogan, au village de Walhatta, que maître Nick s'était installé depuis plusieurs semaines. Là, une vue nouvelle avait commencé pour le placide tabellion. Si Lionel fut enthousiasmé de la réception que les hommes, les vieillards, les femmes, les enfants, firent à son patron, ce n'est pas assez de le dire, il aurait fallu le voir. Les coups de fusil qui l'accueillirent, les hommages qui lui furent rendus, les palabres qui se tinrent en son honneur, les discours emphatiques qui lui furent adressés, les réponses qu'il dut faire dans le langage imagé de la phraséologie du Far-West, cela était bien pour flatter la vanité humaine. Toutefois, l'excellent homme regrettait amèrement la malencontreuse affaire dans laquelle il s'était involontairement engagé. Et, si Lionel préférait à l'odeur de l'étude et des parchemins le grand air des Prairies, si l'éloquence des guerriers mahoganniens lui semblait supérieure au jargon de la basoche, maître Nick ne partageait point son avis.

De là, entre son clerc et lui, des discussions qui n'allaient à rien moins qu'à les brouiller l'un avec l'autre.

Et, par-dessus tout, maître Nick craignait que cela ne fût point fini. Il voyait déjà les Hurons entraînés à prendre fait et cause pour les patriotes. Et pourrait-il leur résister, s'ils voulaient les rejoindre, si Jean-Sans-Nom les appelait à son aide, si Thomas Harcher et les siens venaient réclamer son concours à Walhatta? Déjà gravement compromis, que serait-ce lorsqu'il marcherait à la tête d'une peuplade de sauvages contre les autorités anglo-canadiennes? Comment pourrait-il espérer de jamais reprendre à Montréal ses fonctions de notaire?

Et pourtant, il se disait que le temps est un grand arrangeur des choses. Plusieurs semaines s'étaient écoulées depuis l'échauffourée de Chipogan, et, comme elle se réduisait à un simple acte de résistance à la police, on la laisserait très probablement en oubli. D'ailleurs, le mouvement insurrectionnel n'avait pas encore éclaté. Rien n'indiquait qu'il fût imminent. Donc, si la tranquillité continuait à régner en Canada, les autorités se montreraient tolérantes, et maître Nick pourrait sans risque revenir à Montréal.

Mais, cet espoir, Lionel comptait bien qu'il ne se réaliserait pas. Reprendre son emploi à l'étude, grossoyer six heures sur dix?... Plutôt devenir coureur des bois ou chasseur d'abeilles! Permettre à son patron d'abandonner la haute situation qu'il occupait chez les Mahogannis?... jamais! Il n'y avait plus de maître Nick. C'était le descendant légitime de l'antique race des Sagamores! Les Hurons ne lui laisseraient pas échanger la hache du guerrier pour la plume du tabellion!

Depuis son arrivée à Walhatta, maître Nick avait dû résider dans le wigwam, d'où son prédécesseur était parti pour aller rejoindre ses ancêtres au sein des Prairies bienheureuses. Lionel eût donné tous les édifices de Montréal, hôtels ou palais, pour cette inconfortable case, où jeunes gens et jeunes femmes de la tribu, il est vrai, s'empressaient à servir son maître. Lui aussi avait bonne part de leur dévouement. Les Mahogannis le considéraient comme le bras droit du grand chef. Et, en effet, lorsque celui-ci était forcé de prendre la parole devant le feu du conseil, Lionel ne pouvait se retenir d'accompagner de ses gestes passionnés les discours de Nicolas Sagamore.

Il s'ensuit que le jeune clerc aurait été le plus heureux des mortels, si son maître ne se fût obstinément refusé jusqu'alors à réaliser le plus cher de ses vœux. Et de fait, maître Nick n'avait point encore revêtu le costume des Mahogannis. Or, Lionel ne désirait rien tant que de le voir habillé du vêtement huron, mocassins aux pieds, plumes dressées au sommet de la tête, manteau bariolé sur les épaules. Maintes fois, il avait touché cette corde – sans succès. Cependant il ne se rebutait pas devant le mauvais accueil fait à sa proposition.

«Il y viendra! se répérait-il. Je ne le laisserai pas régner sous l'habit de notaire! Avec sa longue redingote, son gilet de velours et sa cravate blanche, de quoi a-t-il l'air, je vous prie? Il n'a pas encore dépouillé le vieil homme, il le dépouillera! Lorsqu'il ouvre la bouche devant l'assemblée des notables de sa tribu, je crois toujours qu'il va dire: «Par-devant maître Nick et son collègue!...» Cela ne peut durer! J'entends qu'il prenne le vêtement des guerriers indigènes, et, s'il faut une occasion pour l'y décider, je saurai bien la faire naître!»

Et c'est alors qu'il vint à l'esprit de Lionel une idée très simple. dans les pourparlers qu'il eut avec les principaux notables de Walhatta, il s'assura que ceux-ci ne voyaient pas, sans un vif désappointement, le descendant des Sagamores vêtu à l'européenne. Sous l'inspiration du jeune clerc, les Mahogannis décidèrent donc de procéder solennellement à l'intronisation de leur nouveau chef, et arrêtèrent le programme d'une cérémonie, à laquelle seraient conviées les peuplades voisines. Il y aurait pétarades, divertissements, festins, et maître Nick ne pourrait présider sans avoir revêtu le costume national.

C'était dans la première quinzaine du mois de novembre que cette résolution avait été définitivement adoptée. Le festival étant fixé au 23 du même mois, les préparatifs durent être commencés sans retard, afin de lui donner un éclat extraordinaire.

Or, si le rôle de maître Nick se fût borné à recevoir, au jour indiqué, les hommages de son peuple, on aurait pu garder le secret sur cette cérémonie et lui en faire la surprise. Mais, comme il devait y figurer dans l'attitude et sous l'habit d'un chef huron, le jeune clerc fut obligé de le prévenir.

Et c'est à ce propos, le 22 novembre, que Lionel eut avec lui une conversation dans laquelle la question fut traitée à fond au grand déplaisir de maître Nick.

Tout d'abord, lorsque celui-ci apprit que la tribu préparait une fête en son honneur, il commença par l'envoyer au diable, en compagnie de son clerc.

«Que Nicolas Sagamore daigne se fier aux conseils d'un Visage-Pâle, lui répondit Lionel.

– De quel Visage-Pâle parles-tu? demanda maître Nick, qui ne comprenait pas.

– De votre serviteur, grand chef.

– Eh bien, prends garde que, de ton visage pâle, je ne fasse un visage rouge avec une bonne taloche!»

Lionel ne voulut pas même prêter attention à la menace et continua de plus belle:

«Que Nicolas Sagamore n'oublie pas que je lui suis profondément dévoué! S'il devenait jamais prisonnier des Sioux, des Oncidas, des Iroquois et autres sauvages, s'il était attaché au poteau du supplice, c'est moi qui viendrais le défendre contre les insultes et les griffes des vieilles femmes, et, après sa mort, c'est moi qui déposerais dans sa tombe son calumet et sa hache de guerre!»

Maître Nick résolut de laisser parler Lionel à sa fantaisie, ayant le projet bien arrêté de terminer l'entretien d'une façon dont ses oreilles porteraient longtemps la marque.

Aussi se borna-t-il à répondre:

«Ainsi il s'agit de me rendre aux vœux des Mahogannis?...

– À leurs vœux!

– Eh bien, soit! Et, s'il faut en passer par là, j'assisterai à cette fête.

– Vous n'auriez pu vous y refuser, puisque le sang des Sagamores coule dans vos veines.

– Sang des Sagamores mélangé de sang de notaire!» grommela maître Nick.

C'est alors que Lionel aborda le point délicat.

«C'est entendu, dit-il, le grand chef présidera cette cérémonie. Seulement, pour s'y présenter dans la tenue conforme à son rang, il conviendra qu'il laisse une touffe de cheveux s'allonger en pointe sur le sommet de son crâne!

– Et pourquoi?

– Par respect pour les traditions.

– Quoi!... les traditions veulent?...

– Oui! Et d'ailleurs, si le chef des Mahogannis tombe jamais sur le sentier de la guerre, ne faut-il pas que son ennemi puise brandir sa tête en signe de victoire?

– Vraiment! répondit maître Nick. Il faut que mon ennemi puisse brandir ma tête... en la tenant par cette mèche de cheveux, sans doute?

– C'est la mode indienne, et pas un guerrier ne se refuserait à la suivre. Toute autre coiffure jurerait avec le costume que Nicols Sagamore revêtira le jour de la cérémonie.

– Ah! je revêtirai...

– On y travaille, en ce moment, à cet habit de gala. Il sera magnifique, la casaque de peau de daim, les mocassins en cuir d'orignal,

Maî tre Nick à Walhatta.

le manteau que portait le prédécesseur de Nicolas Sagamore, sans compter les peintures de la face...

– Il y a aussi les peintures de la face?

– En attendant que les plus habiles artistes de la tribu aient procédé au tatouage des bras et du torse...

– Continue, Lionel, répondit maître Nick, les dents serrées, tu m'intéresses infiniment! Les peintures de la face, la mèche de cheveux, les mocassins en cuir d'orignal, le tatouage du torse!... Tu n'oublies rien?

– Rien, répondit le jeune clerc, et lorsque le grand chef se montrera à ses guerriers, drapé dans ce costume qui fera valoir ses avantages, je ne doute pas que les Indiennes se disputeront la faveur de partager son wigwam..

– Quoi! les Indiennes se disputeront la faveur?...

– Et l'honneur d'assurer une longue descendance à l'élu du Grand-Esprit!

– Ainsi il sera convenable que j'épouse une Huronne? demanda maître Nick.

– En pourrait-il être autrement pour l'avenir des Mahogannis? Aussi ont-ils déjà fait choix d'une squaw de haute naissance, qui se consacrera au bonheur du grand chef...

– Et me diras-tu quelle est cette princesse à peau rouge, qui se consacrera?...

– Oh! parfaitement! répondit Lionel. Elle est digne de la lignée des Sagamores!

– Et c'est?...

– C'est la veuve du prédécesseur...

Il fut heureux pour les joues du jeune clerc qu'il les tint alors à une distance respectueuse de maître Nick, car celui-ci lui détacha une maîtresse giffle. Mais elle n'arriva point à son adresse, Lionel ayant prudemment calculé la distance, et son patron dut se contenter de lui dire:

«Écoute, Lionel, si jamais tu reviens sur ce sujet, je t'allongerai les oreilles d'une telle longueur que tu n'auras plus rien à envier au baudet de David La Gamme!»

Sur cette comparaison, qui lui rappelait l'un des héros du *Dernier des Mohicans* de Cooper, Lionel, sa communication achevée, se retira sagement. Quant à maître Nick, il était non moins irrité contre son clerc que contre les notables de la tribu. Lui imposer le costume mahogannien pour la cérémonie! Le contraindre à se coiffer, à se vêtir, à se peindre, à se tatouer, comme l'avaient fait ses ancêtres!

Et pourtant, le très ennuyé maître Nick pourrait-il se dérober aux exigences de ses fonctions?

Oserait-il se présenter aux regards des guerriers dans cet accoutrement civil, avec cet habit de notaire qui est bien le plus pacifique de tous ceux que la tradition impose aux hommes de loi? Cela ne laissait pas de le tourmenter, à mesure que s'approchait le grand jour.

Sur ces entrefaites – heureusement pour l'héritier des Sagamores – de graves événements se produisirent, qui firent diversion aux projets des Mahogannis.

Le 23, une importante nouvelle parvint à Walhatta. Les patriotes de Saint-Denis – ainsi que cela a été raconté – avaient repoussé les royaux, commandés par le colonel Gore.

Cette nouvelle provoqua de nombreuses démonstrations de joie chez les Hurons. On a déjà vu, à la ferme de Chipogan, que leurs sympathies étaient acquises à la cause de l'indépendance, et il n'eût fallu qu'une occasion pour qu'ils se joignissent aux Franco-Canadiens.

Ce n'était pas cette victoire – maître Nick le comprenait bien – qui pourrait engager les guerriers de sa tribu à suspendre les préparatifs de la fête en son honneur. Au contraire, ils ne la célébreraient qu'avec plus d'enthousiasme, et leur chef n'échapperait point aux honneurs du couronnement.

Mais, trois jours plus tard, aux bonnes nouvelles succédèrent les mauvaises. Après la victoire de Saint-Denis, la défaite de Saint-Charles!

En apprenant à quelles sanglantes représailles s'étaient livrés les loyalistes, quels avaient été leurs excès, pillage, incendies, meurtres, ruine de deux bourgades, les Mahogannis ne purent contenir leur indignation. De là à se lever en masse pour venir au secours des patriotes, il n'y avait qu'un pas, et maître Nick put craindre qu'il fût aussitôt franchi.

C'est alors que le notaire, déjà quelque peu compromis vis-à-vis des autorités de Montréal, se demanda s'il n'allait pas l'être tout à fait. Serait-il donc contraint de se mettre à la tête de ses guerriers, de faire cause commune avec l'insurrection? En tout cas, il ne pouvait plus être question de cérémonies en ces circonstances. Mais, de quelle façon il accueillit Lionel, lorsque son jeune clerc vint lui déclarer que l'heure était venue de déterrer le tomahawk et de le brandir sur les sentiers de la guerre!

À partir de ce jour, l'unique souci de maître Nick fut de calmer ses belliqueux sujets. Lorsque ceux-ci accouraient pour le haranguer, afin qu'il se déclarât contre les oppresseurs, il s'ingéniait à ne répondre ni oui ni non. Il convenait, disait-il, de ne point agir sans mûres réflexions, de voir quelles seraient les conséquences de la défaite de Saint-Charles... Peut-être les comtés étaient-ils déjà envahis par les royaux?... Et puis, on ne savait rien de ce que préparaient les réformistes, actuellement dispersés... En quel endroit s'étaient-ils réfugiés?... Où les rejoindre?... N'avaient-ils point abandonné la partie, en attendant une meilleure occasion de la reprendre?... Les principaux chefs n'étaient-ils pas au pouvoir des bureaucrates et détenus dans les prisons de Montréal?...

C'étaient là d'assez bonnes raisons que maître Nick donnait à ses impatients prétoriens. Ceux-ci, il est vrai, ne les admettaient pas sans conteste. La colère les emporterait un jour ou l'autre, et leur chef serait tout naturellement forcé de les suivre. Peut-être eut-il l'idée de fausser compagnie à sa tribu. En vérité, c'était difficile, et on le surveillait plus qu'il ne l'imaginait.

Et puis, en quel pays aurait-il mené sa vie errante? Cela lui répugnait de quitter le Canada, son pays d'origine. Quant à se cacher en quelque village des comtés, où, très certainement, les agents de Gilbert Argall devaient être en éveil, c'eût été risquer de tomber entre leurs mains.

D'ailleurs, maître Nick ignorait ce qu'étaient devenue les principaux chefs de l'insurrection. Bien que quelques Mahogannis eussent remonté jusqu'aux rives du Richelieu et du Saint-Laurent, ils n'avaient pu se renseigner à ce sujet. Même à la ferme de Chipogan, Catherine Harcher ne savait rien de ce qui concernait Thomas et ses fils, rien de M. et Mlle de Vaudreuil, rien de Jean-Sans-Nom, rien de ce qui s'était passé à Maison-Close, après l'affaire de Saint-Charles.

Il fallait donc laisser aller les choses, et cela n'était point pour déplaire à maître Nick.

Gagner du temps, et, avec le temps, voir un certain apaisement se produire, c'est à cela que tendaient tous ses vœux.

Et, à cet égard, nouveau désaccord entre lui et son jeune clerc, qui exécrait les loyalistes. Ces dernières informations l'avaient accablé. Il n'était plus question de plaisanter, maintenant! Il ne jouait plus du sentier de la guerre, ni de la hache à déterrer, ni du sang des Sagamores, ni de tout son étalage habituel de métaphores indiennes! Il ne songeait qu'à la cause nationale, si compromise! Cet héroïque Jean-Sans-Nom, qu'était-il devenu? Avait-il succombé à Saint-Charles? Non! La nouvelle de sa mort eût circulé, et les autorités n'auraient rien négligé pour la répandre. On l'eût apprise à Chipogan comme à Walhatta. Et pourtant, s'il avait survécu, où était-il actuellement? Lionel aurait risqué sa vie pour le savoir.

Plusieurs jours s'écoulèrent. Rien de changé dans la situation. Les patriotes se préparaient-ils à reprendre l'offensive? une ou deux fois, le bruit arriva jusqu'au village des Mahogannis, mais il ne se confirma pas. D'ailleurs, par ordre de lord Gosford, les recherches se poursuivaient dans les comtés de Montréal et de Laprairie. De nombreux détachements occupaient les deux rives du Richelieu. D'incessantes perquisitions tenaient en alerte les habitants des bourgades et des fermes. Sir John Colborne avait ses colonnes prêtes à se porter en n'importe quel endroit où flotterait le drapeau de la rébellion. Si les patriotes se hasardaient à franchir la frontière américaine, ils se heurteraient à des forces considérables.

Le 5 décembre, Lionel, qui était allé aux informations du côté de Chambly, apprit que la loi martiale venait d'être proclamée dans le district de Montréal. En même temps, le gouverneur général offrait une récompense de quatre mille piastres à quiconque livrerait le député Papineau. D'autre primes étaient aussi allouées pour la capture des chefs – entre autres M. de Vaudreuil et Vincent Hodge. On disait également qu'un certain nombre de réformistes étaient détenus dans les prisons de Montréal et de Québec, que leur procès s'instruirait suivant les formes militaires, et que l'échafaud politique ne tarderait pas à faire de nouvelles victimes.

Ces faits étaient graves. Aux mesures décrétées contre eux, les Fils de la Liberté répondraient-ils par une dernière prise d'armes? Ne se décourageraient-ils pas, au contraire, devant cette impitoyable répression? C'était l'avis de maître Nick. Il savait que les insurrections, lorsqu'elles ne réussissent pas dès le début, ont peu de chances de réussir ensuite.

Il est vrai, ce n'était pas l'avis des guerriers mahogganniens, ni celui de Lionel.

«Non! répétait-il au notaire, non! La cause n'est pas perdue, et tant que Jean-Sans-Nom vivra, ne désespérons point de reconquérir notre indépendance!»

Dans la journée du 7, un incident se produisit, qui allait replacer maître Nick aux prises avec des difficultés, dont il se croyait à peu près sorti, en surexcitant jusqu'au paroxysme les instincts belliqueux des Hurons.

Depuis quelques jours, on avait signalé dans les diverses paroisses du territoire la présence de l'abbé Joann. Le jeune prêtre parcourait le comté de Laprairie, prêchant la levée en masse de la population franco-canadienne. Ses discours enflammés luttaient, non sans peine, contre le découragement dont quelques-uns des patriotes étaient atteints depuis la défaite de Saint-Charles. Mais l'abbé Joann ne s'abandonnait pas. Il allait droit son chemin, il adjurait ses concitoyens d'être prêts à reprendre les armes, dès que leurs chefs reparaîtraient dans le district.

Son frère, cependant, n'était plus là. Il ne savait ce qu'il était devenu. Avant de reprendre le cours de ses prédications, il s'était rendu à Maison-Close, pour embrasser sa mère, pour avoir des nouvelles de Jean...

Maison-Close ne s'était point ouverte devant lui.

Joann s'était mis à la recherche de son frère. Lui aussi ne pouvait croire qu'il eût succombé, car la nouvelle de sa mort aurait eu un énorme retentissement. Il se disait donc que Jean reparaîtrait à la tête de ses compagnons.

Et alors, les efforts du jeune prêtre tendirent à soulever les Indiens, particulièrement les guerriers d'origine huronne, qui ne demandaient qu'à intervenir. C'est dans ces conditions que l'abbé Joann arriva chez les Mahogannis. Il fallut bien que maître Nick lui fît bon accueil. Il n'aurait pu résister à l'entraînement de sa tribu.

Les Hurons étaient prêts à se mettre en campagne.

«Allons! se disait-il en secouant la tête, il est impossible de fuir sa destinée! Si je ne sais comment la race des Sagamores a commencé, je sais trop bien comment elle finira!... Ce sera devant la cour martiale!»

En effet, les Hurons étaient prêts à se mettre en campagne, et Lionel n'avait pas peu contribué à les y exciter.

Dès son arrivée à Walhatta, le jeune clerc s'était montré l'un des plus chaleureux partisans de l'abbé Joann. Non seulement il retrouvait en lui toute l'ardeur de son propre patriotisme, mais il avait été singulièrement frappé de la ressemblance qui existait entre le jeune prêtre et Jean-Sans-Nom: presque les mêmes yeux, le même regard de flamme, presque la même voix et les mêmes gestes. Il croyait revoir son héros sous l'habit du prêtre, il croyait l'entendre... Était-ce une illusion des sens? Il n'aurait pu le dire.

Depuis deux jours, l'abbé Joann était au milieu des Mahogannis, et ceux-ci ne demandaient qu'à rejoindre les patriotes, qui avaient concentré leurs forces à une quarantaine de lieues, vers le sud-ouest, dans l'île Navy, l'une des îles du Niagara.

Maître Nick se voyait donc condamné à suivre les guerriers de sa tribu.

Et, de fait, les préparatifs étaient achevés à Walhatta. Dès qu'ils auraient quitté leur village, les Mahogannis traverseraient les comtés limitrophes, soulèveraient les peuplades de race indienne, gagneraient les rives du lac Ontario, et, poussant jusqu'au Niagara, se mêleraient aux derniers partisans de la cause nationale.

Une nouvelle vint enrayer ce mouvement – momentanément du moins.

Dans la soirée du 9 décembre, un des Hurons, revenu de Montréal, rapporta que Jean-Sans-Nom, arrêté par les agents de Gilbert Argall sur la frontière de l'Ontario, venait d'être enfermé au fort Frontenac.

On imagine l'effet que produisit cette nouvelle. Jean-Sans-Nom était au pouvoir des royaux.

Les Mahogannis furent atterrés, et que l'on juge de l'émotion qu'ils ressentirent, lorsque l'abbé Joann, en apprenant l'arrestation de Jean s'écria:

«Mon frère!...»

Puis:

«Je l'arracherai à la mort! dit-il.

– Laissez-moi partir avec vous!... dit Lionel.

– Viens, mon enfant!» répondit l'abbé Joann.

VII

LE FORT FRONTENAC

Jean était comme fou, au moment où il avait fui Maison-Close. L'incognito de sa vie brutalement déchiré, les funestes paroles de Rip surprises par Clary, Mlle de Vaudreuil sachant que c'était chez la femme, chez le fils de Simon Morgaz que son père et elle avaient trouvé refuge, M. de Vaudreuil l'apprenant bientôt s'il ne l'avait entendu du fond de sa chambre, tout cela se confondait dans une pensée de désespoir. Rester en cette maison, il ne l'aurait pu – même un instant. Sans s'inquiéter de ce que deviendraient M. et Mlle de Vaudreuil, sans se demander si le nom infamant de sa mère les protégerait contre toute poursuite ultérieure, sans se dire que Bridget ne voudrait pas demeurer dans cette bourgade où son origine allait être connue, d'où on la chasserait sans doute, il s'était élancé à travers les épaisses forêts, il avait couru toute la nuit, ne se trouvant jamais assez loin de ceux pour lesquels il ne pouvait plus être qu'un objet de mépris et d'horreur.

Et, pourtant, son œuvre n'était pas accomplie! Son devoir, c'était de combattre, puisqu'il vivait encore! C'était de se faire tuer, avant que son véritable nom eût été révélé! Lui mort, mort pour son pays, peut-être aurait-il droit, sinon à l'estime, du moins à la pitié des hommes!

Cependant le calme reprit le dessus en ce cœur si profondément troublé. Avec le sang-froid lui revint cette énergie que nulle défaillance ne devait plus abattre.

Et, fuyant, il se dirigeait à grands pas vers la frontière, afin de rejoindre les patriotes et recommencer la campagne insurrectionnelle.

À six heures du matin, Jean se trouvait à quatre lieues de Saint-Charles, près de la rive droite du Saint-Laurent, sur les limites du comté de Montréal.

Ce territoire, parcouru par des détachements de cavalerie, infesté d'agents de la police, il importait qu'il le quittât au plus tôt. Mais atteindre directement les États-Unis lui parut impraticable. Il aurait fallu prendre obliquement par le comté de Laprairie, non moins surveillé que celui de Montréal. Le mieux était de remonter la rive du Saint-Laurent, de manière à gagner le lac Ontario, puis, à travers les territoires de l'est, de descendre jusqu'aux premiers villages américains.

Jean résolut de mettre ce projet à exécution. Toutefois, il dut procéder avec prudence. Les difficultés étaient grandes. Passer quand même, fût-ce au prix de retards plus ou moins longs, tel fut son programme, et il ne devait pas regarder à le modifier suivant les circonstances.

En effet, dans ces comtés riverains du fleuve, les volontaires étaient sur pied, la police opérait d'incessantes perquisitions, recherchant les principaux chefs des insurgés, et, avec eux Jean-Sans-Nom, qui put voir, affiché sur les murs, la somme dont le gouvernement offrait de payer sa tête.

Il arriva donc que le fugitif dut s'astreindre à ne voyager que de nuit. Pendant le jour, il se cachait au fond des masures abandonnées, sous des fourrés presque impénétrables, ayant mille peines à se procurer quelque nourriture.

Infailliblement, Jean fût mort de faim, sans la pitié de charitables habitants, qui voulaient bien ne point lui demander ni qui il était, ni d'où il venait, au risque de se compromettre.

De là, des retards inévitables. Au delà du comté de Laprairie, lorsqu'il traverserait la province de l'Ontario, Jean regagnerait le temps perdu.

Pendant les 4, 5, 6, 7 et 8 décembre, c'est à peine si Jean avait pu faire vingt lieues. En ces cinq jours – il serait plus juste de dire ces cinq nuits –, il ne s'était guère écarté de la rive du Saint-Laurent, et se trouvait alors dans la partie centrale du comté de Beauharnais. Le plus difficile était fait, en somme, car les paroisses canadiennes de l'ouest et du sud devaient être moins surveillées à cette distance de Montréal. Pourtant, Jean ne tarda pas à reconnaître que les dangers s'étaient accrus en ce qui le concernait. Une brigade d'agents était tombée sur ses traces à la limite du comté de Beauharnais. À diverses reprises, son sang-froid lui permit de les dépister. Mais, dans la nuit du 8 au 9 décembre, il se vit cerné par une douzaine d'hommes qui avaient ordre de le prendre mort ou vif. Après s'être défendu avec une énergie terrible, après avoir grièvement blessé plusieurs agents, il fut pris.

Cette fois, ce n'était pas Rip, c'était le chef de police Comeau qui s'était emparé de Jean-Sans-Nom. Cette fructueuse et retentissante affaire échappait au directeur de l'office Rip and Co. Six mille piastres qui manqueraient à la colonne des recettes de sa maison de commerce !

La nouvelle de l'arrestation de Jean-Sans-Nom s'était aussitôt répandue à travers toute la province. Les autorités anglo-canadiennes avaient un intérêt trop réel à la divulguer. C'est ainsi qu'elle arriva, dès le lendemain, jusqu'aux paroisses du comté de Laprairie, c'est ainsi qu'elle fut rapportée, dans la journée du 8 décembre, au village de Walhatta.

Sur le littoral nord de l'Ontario, à quelques lieues de Kingston, s'élève le fort Frontenac. Il domine la rive gauche du Saint-Laurent par lequel s'écoulent les eaux du lac, et dont le cours sépare en cet endroit le Canada et les États-Unis.

Ce fort était commandé à cette époque par le major Sinclair, ayant sous ses ordres quatre officiers et une centaine d'hommes du 20e régiment. Par sa position, il complétait le système de défense des forts Oswégo, Ontario, Lévis, qui avaient été créés pour assurer la protection de ces lointains territoires, exposés jadis aux déprédations des Indiens.

C'est au fort de Frontenac que Jean-Sans-Nom avait été conduit. Le gouverneur général, informé de l'importante capture opérée par l'escouade de Comeau, n'avait pas voulu que le jeune patriote fût amené à Montréal, ni en aucune autre cité importante, où sa présence eût peut-être provoqué un soulèvement populaire. De là, cet ordre, envoyé de Québec, de diriger le prisonnier sur le fort Frontenac, de l'y enfermer, de le faire passer en jugement – autant dire de le condamner à mort.

Avec des procédés aussi sommaires, Jean aurait dû être exécuté dans les vingt-quatre heures. Néanmoins, sa comparution devant le conseil de guerre, sous la présidence du major Sinclair, éprouva quelques retards.

Voici pourquoi :

Que le prisonnier fût le légendaire Jean-Sans-Nom, l'ardent agitateur qui avait été l'âme des insurrections de 1832, 1835 et 1837, nul doute à cet égard. Mais quel homme se cachait sous ce pseudonyme, sous ce nom de guerre, c'est ce que le gouvernement eût voulu savoir. Cela lui aurait permis de remonter dans le passé, d'obtenir des révélations, peut-être de surprendre certains agissements secrets, certaines complicités ignorées se rattachant à la cause de l'indépendance.

Il importait dès lors d'établir, sinon l'identité, du moins l'origine de ce personnage, dont le nom véritable n'était pas encore connu et qu'il devait avoir un intérêt supérieur à dissimuler. Le conseil de guerre attendit donc avant de procéder au jugement, et Jean fut très circonvenu à ce sujet. Il ne se livra pas : il refusa même de répondre aux questions qui lui furent posées sur sa famille. Il fallut y renoncer, et, à la date du 10 décembre, le proscrit fut traduit devant ses juges.

Le procès ne pouvait donner matière à discussion. Jean avoua la part qu'il avait prise aux premières comme aux dernières révoltes. Il revendiqua contre l'Angleterre les droits du Canada, hautement, fièrement. Il se dressa en face des oppresseurs. Il parla comme si ses paroles avaient pu franchir l'enceinte du fort et se faire entendre du pays tout entier.

Lorsque la question relative à son origine, à la famille dont il sortait, lui fut adressée une dernière fois par le major Sinclair, il se contenta de répondre :

« Je suis Jean-Sans-Nom, Franco-Canadien de naissance, et cela doit vous suffire. Peu importe comment s'appelle l'homme qui va tomber sous les balles de vos soldats ! Avez-vous donc besoin d'un nom pour un cadavre ? »

Jean fut condamné à mort, et le major Sinclair donna ordre de le reconduire dans sa cellule. En même temps, pour se conformer aux prescriptions du gouverneur général, il expédia un exprès à Québec, afin de l'informer que l'état civil du prisonnier de Frontenac n'avait pu être établie. Dans ces conditions, fallait-il passer outre ou surseoir à l'exécution?

Depuis près de deux semaines, d'ailleurs, lord Gosford faisait activement procéder à l'instruction des affaires relatives aux émeutes de Saint-Denis et de Saint-Charles. Quarante-cinq patriotes des plus marquants étaient détenus dans la prison de Montréal, onze dans la prison de Québec. La Cour de justice allait entrer en fonctions avec ses trois juges, son procureur général et le solliciteur qui représentait la Couronne. Au même titre que ce tribunal, devait fonctionner une Cour martiale, présidée par un major général, et composée de quinze des principaux officiers anglais qui avaient aidé à comprimer l'insurrection.

En attendant un jugement, entraînant l'application des peines les plus terribles, les prisonniers étaient soumis à un régime dont aucune passion politique ne pouvait excuser la cruauté. À Montréal, dans la prison de la Pointe-à-Callières, dans l'ancienne prison, située sur la place Jacques-Cartier, dans la nouvelle prison, au pied du Courant, étaient entassés des centaines de pauvres gens, souffrant du froid en cette saison si dure des hivers canadiens. Torturés par la faim, c'est à peine si la ration de pain, leur unique nourriture, était suffisante. Ils en étaient à implorer un jugement, et par suite, une condamnation, si impitoyable qu'elle fût. Mais, avant de les faire comparaître devant la Cour de justice ou la Cour martiale, lord Gosford voulait attendre que la police eût achevé ses perquisitions, afin que tous les patriotes qu'elle pourrait atteindre fussent entre ses mains.

C'est dans ces circonstances que parvint à Québec la nouvelle de la capture de Jean-Sans-Nom, incarcéré au fort Frontenac. L'opinion universelle fut que la cause de l'indépendance venait d'être frappée au cœur.

Il était neuf heures du soir, lorsque l'abbé Joann et Lionel arrivèrent, le 12 décembre, en vue du fort. Ainsi que l'avait fait Jean, ils avaient remonté la rive droite du Saint-Laurent, puis traversé le fleuve, au risque d'être arrêtés à chaque pas. Effectivement, si Lionel

Il se cachait au fond des masures abandonnées.

n'était pas particulièrement menacé pour sa conduite à Chipogan, l'abbé Joann était recherché maintenant par les agents de Gilbert Argall. Son compagnon et lui durent par suite s'astreindre à certaines précautions qui les retardèrent.

D'ailleurs, le temps était épouvantable. Depuis vingt-quatre heures, se déchaînait un de ces ouragans de neige, auquel les météorologistes du pays ont donné le nom de «blizzard». Parfois, ces tourments produisent un abaissement de trente degrés dans la

Jean fut pris.

température, c'est-à-dire une telle intensité de froid, que de nombreuses victimes périssent par suffocation[1].

Qu'espérait donc l'abbé Joann en se présentant au fort Frontenac? Quel plan avait-il formé? Existait-il un moyen d'entrer en communication avec le prisonnier? Après une entente préalable, serait-il possible de favoriser son évasion? En tout cas, ce qui lui importait, c'était d'être autorisé à pénétrer cette nuit même dans sa cellule.

1. En certaines parties du Canada, dans la vallée du Saint-Jean, ou a vu le thermomètre s'abaisser jusqu'à 40 et 45 degrés au-dessous de zéro.

Comme l'abbé Joann, Lionel était prêt à sacrifier sa vie pour sauver la vie de Jean-Sans-Nom. Mais comment tous deux agiraient-ils? Ils étaient arrivés alors à un demi-mille du fort Frontenac qu'ils avaient dû contourner afin d'atteindre un bois, dont la lisière était baignée par les eaux du lac. Là, sous ces arbres, dépouillés par les bises de l'hiver, passait le simoun glacé, dont les tourbillons couraient tumultueusement à la surface de l'Ontario.

L'abbé Joann dit au jeune clerc:

«Lionel, restez ici, sans vous montrer, et attendez mon retour. Il ne faut pas que les factionnaires de garde à la poterne puissent vous apercevoir. Je vais tenter de m'introduire dans le fort et de communiquer avec mon frère. Si j'y parviens, nous discuterons ensemble les chances d'une évasion. Si toute invasion est impossible, nous examinerons les chances d'une attaque que les patriotes pourraient entreprendre, pour le cas où la garnison de Frontenac serait peu nombreuse.

Il va de soi qu'une attaque de ce genre aurait exigé des préparatifs d'assez longue durée. Or, ce que l'abbé Joann ignorait, puisque le bruit ne s'en était pas répandu, c'est que le jugement avait été rendu deux jours avant, que l'ordre d'exécution pouvait arriver d'une heure à l'autre. Du reste, ce coup de main à tenter contre le fort Frontenac, le jeune prêtre ne le considérait que comme un moyen extrême. Ce qu'il voulait, c'était procurer à Jean les moyens de s'évader dans le plus court délai.

«Monsieur l'abbé, demanda Lionel, avez-vous quelque espoir de voir votre frère?

– Lionel, pourrait-on refuser l'entrée du fort à un ministre qui vient offrir ses consolations à un prisonnier sous le coup d'une condamnation capitale?

– Ce serait indigne!... Ce serait odieux!... répondit Lionel. Non! On ne vous refusera pas!... Allez donc, monsieur l'abbé!... J'attendrai en cet endroit.»

En moins d'un quart d'heure, il eut atteint la poterne du fort Frontenac.

Ce fort, élevé sur la rive de l'Ontario, se composait d'un blockhaus central, entouré de hautes palissades. Au pied de l'enceinte, du côté du lac, s'étendait une étroite grève dénudée, qui disparaissait alors sous la couche de neige et se confondait avec la surface du lac, glacé sur ses bords. De l'autre côté, s'agglomérait un village de quelques feux, habité principalement par une population de pêcheurs.

Et, dès lors, une évasion serait-elle possible, puis une fuite à travers la campagne? Jean pourrait-il sortir de sa cellule, franchir les palissades, déjouer la surveillance des factionnaires? C'est ce qui serait étudié entre son frère et lui, si l'accès du fort n'était pas interdit à l'abbé Joann. Une fois en liberté, tous deux se dirigeraient avec Lionel, non vers la frontière américaine, mais vers le Niagara et l'île Navy, où les patriotes s'étaient réunis pour tenter un dernier effort.

L'abbé Joann, après avoir traversé obliquement la grève, arriva devant la poterne, près de laquelle un des soldats était de faction. Il demanda à être reçu par le commandant du fort.

Un sergent sortit du poste, établi à l'intérieur de l'enceinte palissadée. Le soldat qui l'accompagnait portait un fanal, l'obscurité étant déjà profonde.

«Que voulez-vous? demanda le sergent.

– Parler au commandement.

– Et qui êtes-vous?

– Un prêtre qui vient offrir ses services au prisonnier Jean-Sans-Nom.

– Vous voulez dire au condamné!...

– Le jugement a été rendu?...

– Avant-hier, et Jean-Sans-Nom est condamné à mort!»

L'abbé Joann fut assez maître de lui pour ne rien laisser paraître de son émotion, et il se borna à répondre:

«C'est un motif de plus pour ne pas refuser au condamné la visite d'un prêtre.

– Je vais en référer au major Sinclair, commandant du fort», répliqua le sergent.

Et il se dirigea vers le blockhaus, après avoir fait entrer l'abbé Joann dans le poste.

Celui-ci s'assit en un coin obscur, réfléchissant à ce qu'il venait d'apprendre. La condamnation étant prononcée, le temps n'allait-il pas manquer pour la réussite de ses projets? Mais, puisque la sentence, rendue depuis vingt-quatre heures, n'avait point été exécutée, n'était-ce pas parce que le major Sinclair avait eu ordre de surseoir à l'exécution? L'abbé Joann se rattacha à cette espérance. Pourtant que durerait ce sursis, et suffirait-il à préparer l'évasion du prisonnier? Encore, le major Sinclair lui permettrait-il l'accès de la prison? Enfin, qu'arriverait-il s'il ne consentait à faire appeler le prêtre qu'à l'heure où Jean-Sans-Nom marcherait au supplice?

On comprend quelles angoisses torturaient l'abbé Joann, devant cette condamnation qui ne lui laissait plus le temps d'agir.

En ce moment, le sergent rentra dans le poste, et s'adressant au jeune prêtre:

«Le major Sinclair vous attend!» dit-il.

Précédé du sergent dont le fanal éclairait ses pas, l'abbé Joann traversa la cour intérieure, au milieu de laquelle se dressait le blockhaus. Autant que le permettait l'obscurité, il cherchait à reconnaître l'étendue de cette cour, la distance qui séparait le poste de la poterne – seule issue par laquelle il fût possible de sortir du fort Frontenac, à moins d'en franchir l'enceinte palissadée. Si Jean ne connaissait pas la disposition des lieux, Joann voulait pouvoir la lui décrire.

La porte du blockhaus était ouverte. Le sergent d'abord, l'abbé Joann ensuite, y passèrent. Un planton la referma derrière eux. Puis, ils prirent par les marches d'un étroit escalier qui montait au premier étage et se développait dans l'épaisseur de la muraille. Arrivé au palier, le sergent ouvrit une porte qui se trouvait en face, et l'abbé Joann entra dans la chambre du commandant.

Le major Sinclair était un homme d'une cinquante d'années, rude d'écorce, dur de manières, très anglais par sa raideur, très saxon par le peu de sensibilité que lui inspiraient les misères humaines. Et peut-être eût-il même refusé au condamné l'assistance d'un prêtre, s'il n'avait reçu à cet égard des ordres qu'il ne se serait pas permis d'enfreindre. Aussi accueillit-il peu sympathiquement l'abbé Joann. Il ne se leva pas du fauteuil qu'il occupait, il n'abandonna point sa pipe, dont la fumée emplissait la chambre, médiocrement éclairée par une seule lampe.

« Vous êtes prêtre? demanda-t-il à l'abbé Joann, qui se tenait debout à quelques pas de lui.

– Oui, monsieur le major.

– Vous venez pour assister le condamné?...

– Si vous le permettez.

– D'où arrivez-vous?

– Du comté de Laprairie.

– C'est là que vous avez connu son arrestation?...

– C'est là.

– Et aussi sa condamnation?...

– Je viens de l'apprendre en arrivant au fort Frontenac, et j'ai pensé que le major Sinclair ne me refuserait pas une entrevue avec le prisonnier.

– Soit! Je vous ferai prévenir, lorsqu'il en sera temps, répondit le commandant.

– Il n'est jamais trop tôt, reprit l'abbé Joann, lorsqu'un homme est condamné à mourir...

– Je vous ai dit que je vous ferai prévenir. Allez attendre au village de Frontenac, où l'un de mes soldats ira vous chercher...

– Pardonnez-moi d'insister, monsieur le major, reprit l'abbé Joann. Il serait possible que je fusse absent au moment où le commandant aurait besoin de mon ministère. Veuillez donc me permettre de le voir sur l'heure...

– Je vous répète que je vous ferai prévenir, répondit le commandant. Il m'est interdit de laisser communiquer le prisonnier avec qui que ce soit avant l'heure de l'exécution. J'attends l'ordre de Québec, et, lorsque cet ordre arrivera, le condamné aura encore deux heures devant lui. Que diable! ces deux heures vous suffiront, et vous pourrez les employer comme il vous conviendra pour le salut de son âme. Le sergent va vous reconduire à la poterne! »

Le temps était épouvantable.

Devant cette réponse, l'abbé Joann n'avait plus qu'à se retirer. Et, malgré tout, il ne pouvait s'y résoudre. Ne pas voir son frère, ne pas se concerter avec lui, c'était rendre impraticable toute tentative de fuite. Aussi fallait-il descendre aux supplications pour obtenir du commandant qu'il revînt sur sa décision, lorsque la porte s'ouvrit.

Le sergent parut sur le seuil.

« Sergent, lui dit le major Sinclair, vous allez reconduire ce prêtre hors du fort, et il n'y aura plus accès, avant que je l'envoie chercher.

– La consigne sera donnée, commandant, répondit le sergent. Mais je dois vous avertir qu'un exprès vient d'arriver à Frontenac.

– Un exprès expédié de Québec?...

– Oui, et il a rapporté ce pli...

– Donnez donc», dit le major Sinclair.

Et il arracha, plutôt qu'il ne prit, le pli que lui présentait le sergent.

L'abbé Joann était devenu si pâle, il se sentit si défaillant, que sa défaillance et sa pâleur eussent paru suspectes au major si celui-ci l'eût observé en ce moment.

Il n'en fut rien. L'attention du commandant était toute à cette lettre, cachetée aux armes de lord Gosford, et dont il venait de briser rapidement l'enveloppe.

Il la lut. Puis, se retournant vers le sergent:

«Conduisez ce prêtre à la cellule de Jean-Sans-Nom, dit-il. Vous le laisserez seul avec le condamné, et, quand il demandera à sortir, vous le reconduirez à la poterne.»

C'était l'ordre d'exécution que le gouverneur général venait d'envoyer au fort Frontenac.

Jean-Sans-Nom n'avait plus que deux heures à vivre.

VIII

JOANN ET JEAN

L'abbé Joann quitta la chambre du major Sinclair, plus maître de lui-même qu'il n'y était entré. Ce coup de foudre de l'exécution immédiate ne l'avait pas ébranlé. Dieu venait de lui inspirer un projet, et ce projet pouvait réussir.

Jean ne savait rien de l'ordre arrivé à l'instant de Montréal, et c'était à Joann qu'incombait cette douloureuse tâche de le lui faire connaître.

Eh bien, non! Il ne le lui apprendrait pas! Il lui cacherait que la terrible sentence devait recevoir son exécution dans deux heures! Il fallait que Jean n'en fût pas instruit pour la réalisation du projet de Joann!

Évidemment, il n'y avait plus à compter sur une évasion préparée de longue main, ni sur une attaque du fort Frontenac. Le condamné ne pouvait échapper à la mort que par une fuite immédiate. Si, dans deux heures, il se trouvait encore dans sa cellule, il n'en sortirait que pour tomber sous les balles, en pleine nuit, au pied de la palissade.

Le plan de l'abbé Joann était-il réalisable? Peut-être, si son frère acceptait de s'y conformer. En tout cas, c'était le seul moyen auquel il fût possible de recourir en ces circonstances. Mais, on le répète, il importait que Jean ignorât que le major Sinclair venait de recevoir l'ordre de procéder à l'exécution.

«Donnez donc!» dit le major Sinclair.

L'abbé Joann, guidé par le sergent, redescendit l'escalier. La cellule du prisonnier occupait un angle au rez-de-chaussée du blockhaus, à l'extrémité d'un couloir qui longeait la cour intérieure. Le sergent, éclairant cet obscur boyau avec son fanal, arriva devant une porte basse, fermée extérieurement par deux verrous.

Au moment où le sergent allait l'ouvrir, il s'approcha du jeune prêtre et lui dit à voix basse:

«Lorsque vous quitterez le prisonnier, vous savez que j'ai pour consigne de vous reconduire hors de l'enceinte?

– Je le sais, répondit l'abbé Joann. Attendez dans ce couloir, et je vous préviendrai.

La porte de la cellule fut ouverte.

À l'intérieur, au milieu d'une profonde obscurité, couché sur une sorte de lit de camp, Jean dormait. Il ne se réveilla pas au bruit que fit le sergent.

Celui-ci allait le toucher à l'épaule, lorsque, d'un geste, l'abbé Joann le pria de n'en rien faire.

Le sergent posa le fanal sur une petite table, sortit, et referma doucement la porte.

Les deux frères étaient seuls, l'un dormant, l'autre priant, agenouillé.

Alors Joann se releva, il regarda une dernière fois cet autre lui-même, auquel le crime de leur père avait fait comme à lui une vie si misérable!

Puis, il murmura ces mots:

«Mon Dieu, venez-moi en aide!»

Le temps lui était trop sévèrement mesuré pour qu'il pût en perdre, ne fût-ce que quelques minutes. Il posa sa main sur l'épaule de Jean. Jean se réveilla, ouvrit les yeux, se redressa, reconnut son frère et s'écria:

«Toi, Joann!...

– Plus bas... Jean... Parle plus bas! répondit Joann. On peut nous entendre!»

Et, de la main, il lui fit signe que la porte était gardée extérieurement.

Les pas du sergent s'éloignaient et se rapprochaient tour à tour le long du couloir.

Jean, à demi habillé sous une couverture grossière, qui ne le protégeait que bien imparfaitement contre le froid de la cellule, se leva sans bruit.

Les deux frères s'embrassèrent longuement.

Puis, Jean dit:

« Notre mère ?...

– Elle n'est plus à Maison-Close !

– Elle n'y est plus ?...

– Non !

– Et M. de Vaudreuil et sa fille, auxquels notre maison avait donné asile ?...

– La maison était vide, lorsque je suis retourné dernièrement à Saint-Charles.

– Quand ?...

– Il y a sept jours !

– Et depuis, tu n'as rien su de notre mère, de nos amis ?

– Rien ! »

Que s'était-il donc passé ? Une nouvelle perquisition avait-elle amené l'arrestation de Bridget, de M. et Mlle de Vaudreuil ? Ou bien, ne voulant pas que son père restât un jour de plus sous le toit de la famille Morgaz, Clary l'avait-elle entraîné, si faible qu'il fût, malgré tant de dangers qui le menaçaient ? Et Bridget, elle aussi, s'était-elle enfuie de Saint-Charles, où la honte de son nom était devenue publique ?

Tout cela traversa comme un éclair dans l'esprit de Jean, et il allait apprendre à l'abbé Joann les événements qui avaient marqué sa dernière visite à Maison-Close, lorsque celui-ci, se penchant à son oreille, lui dit :

« Écoute-moi, Jean. Ce n'est pas un frère qui est ici, près de toi, c'est un prêtre qui vient remplir sa mission auprès d'un condamné. C'est à ce titre que le commandant du fort m'a permis de pénétrer dans ta cellule. Nous n'avons pas un moment à perdre !... Tu vas fuir à l'instant !

– À l'instant, Joann ? Et comment ?

– En prenant mes habits, en sortant sous mon costume de prêtre. Il y a assez de ressemblance entre nous pour que personne ne puisse s'apercevoir de la substitution. D'ailleurs, il fait nuit, et c'est à peine si tu seras éclairé par la lumière d'un fanal en traversant le couloir et la cour intérieure. Ta figure cachée sous ce chapeau, il est impossible que l'on te reconnaisse. Lorsque nous aurons changé de vêtements, je me tiendrai au fond de la cellule, et j'appellerai. Le sergent viendra ouvrir, comme cela est convenu. Il a ordre de me reconduire à la poterne... C'est toi qu'il reconduira...

– Frère, répondit Jean, en prenant la main de Joann, as-tu pu croire que je consentirais à ce sacrifice?

– Il le faut, Jean! Ta présence est plus que jamais nécessaire au milieu des patriotes!

– Joann, n'ont-ils donc pas désespéré de la cause nationale après leur défaite?

– Non! Ils sont réunis au Niagara, dans l'île Navy, prêts à recommencer la lutte.

– Qu'ils le fassent sans moi, frère! Le succès de notre cause ne tient pas à un homme!... Je ne te laisserai pas risquer ta vie pour me sauver...

– Et n'est-ce pas mon devoir, Jean?... Tu sais quel est notre but? A-t-il été atteint?... Non!... Nous n'avons même pas su mourir pour réparer le mal...»

Les paroles de Joann remuaient profondément Jean; mais il ne se rendait pas.

Joann reprit:

«Écoute-moi encore! Tu crains pour moi, Jean, et, pourtant, qu'ai-je à craindre? Demain, lorsqu'on me trouvera dans cette cellule, que peut-il m'arriver? Rien!... Il n'y aura plus ici qu'un pauvre prêtre à la place d'un condamné, et que veux-tu qu'on lui fasse, si ce n'est de le laisser...

– Non!... non!... répondit Jean, qui se débattait contre lui-même et contre les instances de son frère.

– Assez discuté! reprit Joann. Il faut que tu partes, et tu partiras! Fais ton devoir comme je fais le mien! Seul tu es assez populaire pour provoquer une révolte générale...

– Et si l'on veut te rendre responsable d'avoir aidé à ma fuite?...

– On ne me condamnera pas sans jugement, répondit Joann, sans un ordre venu de Québec, ce qui demandera quelques jours!

– Quelques jours, frère?

– Oui, et tu auras le temps de rejoindre tes compagnons à l'île Navy, de les ramener au fort Frontenac pour me délivrer...

– Il y a vingt lieues du fort Frontenac à l'île Navy, Joann! Le temps me manquerait...

– Tu refuses, Jean? Eh bien, jusqu'ici, j'ai supplié!... À présent j'ordonne! Ce n'est plus un frère qui te parle, c'est un ministre de Dieu! Si tu dois mourir, que ce soit en te battant pour notre cause, ou tu n'auras rien fait de la tâche qui t'incombe! D'ailleurs, si tu refuses, je me fais connaître, et l'abbé Joann tombera sous les balles à côté de Jean-Sans-Nom!...

– Frère!...

– Pars, Jean!... Pars!... Je le veux!... Notre mère le veut!... Ton pays le veut!»

Jean, vaincu par l'ardente parole de Joann, n'avait plus qu'à obéir. La possibilité de revenir sous deux jours au fort Frontenac, avec quelques centaines de patriotes, vainquit ses dernières résistances.

«Je suis prêt», dit-il.

L'échange des vêtements se fit rapidement. Sous l'habit de l'abbé Joann, il eût été difficile de reconnaître que son frère s'était substitué à lui.

Et alors, tous deux s'entretinrent pendant quelques instants de la situation politique, de l'état des esprits depuis les derniers événements. Puis, l'abbé Joann dit:

«Maintenant, je vais appeler le sergent. Lorsqu'il aura ouvert la porte de la cellule, tu sortiras et tu le suivras en marchant derrière lui le long du couloir qu'il éclairera avec son fanal. Une fois hors du blockhaus, tu n'auras plus que la cour intérieure à traverser – une cinquantaine de pas environ. Tu arriveras près du poste, qui est à droite de la palissade. Détourne la tête en passant. La poterne sera devant toi. Quand tu l'auras franchie, descends en contournant la rive, et marche jusqu'à ce que tu aies atteint la lisière d'un bois, à un demi-mille du fort. Là, tu trouveras Lionel...

– Lionel?... Le jeune clerc?...

– Oui! Il m'a accompagné, et il te conduira jusqu'à l'île Navy. Une dernière fois, embrasse-moi!

– Frère!» murmura Jean, en se jetant dans les bras de Joann. Le moment étant venu, Joann appela à voix haute et se retira au fond de la cellule.

Le sergent ouvrit la porte, et, s'adressant à Jean, dont la tête était cachée sous son large chapeau de prêtre:

«Vous êtes prêt?» demanda-t-il.

Jean répondit d'un signe.

«Venez!»

Le sergent prit le fanal, fit sortir Jean et referma la porte de la cellule.

Dans quelles angoisses Joann passa les quelques minutes qui suivirent! Qu'arriverait-il si le major Sinclair se trouvait dans le couloir ou dans la cour au moment où Jean la traverserait, s'il l'arrêtait, s'il l'interrogeait sur l'attitude du condamné? La substitution découverte, le prisonnier serait immédiatement fusillé! Et puis, il se pouvait que les préparatifs de l'exécution fussent commencés, que le sergent, croyant voir affaire au prêtre, lui en parlât, pendant qu'il le reconduisait! Et Jean, apprenant que l'exécution allait avoir lieu, voudrait revenir dans la cellule! Il ne laisserait pas son frère mourir à sa place!

L'abbé Joann, l'oreille contre la porte, écoutait. C'est à peine si les battements de son cœur lui permettaient d'entendre les rumeurs du dehors.

Enfin, un bruit lointain arriva jusqu'à lui. Joann tomba à genoux, remerciant Dieu.

La poterne venait d'être refermée.

«Libre!» murmura Joann.

En effet, Jean n'avait pas été reconnu. Le sergent, marchant devant lui, son fanal à la main, l'avait reconduit à travers la cour intérieure jusqu'à la porte du fort, sans lui adresser la parole. Officiers et soldats ignoraient encore que le jugement devait être exécuté dans une heure. Arrivé près du poste, à peine éclairé, Jean avait détourné la tête, ainsi que le lui avait recommandé son frère. Puis, au moment où il allait franchir la poterne, le sergent lui ayant demandé:

« Reviendrez-vous assister le condamné ?...

– Oui ! » avait fait Jean d'un signe de tête.

Et, un instant après, il avait franchi la poterne.

Jean, néanmoins, ne s'éloignait que lentement du fort Frontenac, comme si un lien l'eût encore rattaché à sa prison – un lien qu'il n'osait rompre. Il se reprochait d'avoir cédé aux instances de son frère, d'être parti à sa place. Tous les dangers de cette substitution lui apparaissaient en ce moment avec une netteté qui l'épouvantait. Il se disait que, quelques heures plus tard, le jour venu, on entrerait dans la cellule, l'évasion serait découverte, les mauvais traitements accableraient Joann, en attendant que la mort, peut-être, vînt le punir de son héroïque sacrifice !

À cette pensée, Jean se sentait pris d'un irrésistible désir de revenir sur ses pas. Mais non ! Il fallait qu'il se hâtât de rejoindre les patriotes à l'île Navy, qu'il recommençât la campagne insurrectionnelle en se jetant sur le fort Frontenac, afin de délivrer son frère. Et, pour cela, pas un moment à perdre.

Jean coupa obliquement la grève, contourna la rive du lac, au pied de l'enceinte palissadée, et se dirigea vers le bois où Lionel devait l'attendre.

Le blizzard était alors dans toute sa violence. Les glaces, accumulées sur les bords de l'Ontario, s'entrechoquaient comme les icebergs d'une mer arctique. Une neige aveuglante passait en épais tourbillons.

Jean, perdu dans le remous de ces rafales, ne sachant plus s'il était sur la surface durcie du lac ou sur la grève, cherchait à s'orienter en marchant vers les massifs du bois qu'il distinguait à peine au milieu de l'obscurité.

Cependant, il arriva, après avoir employé près d'une demi-heure à faire un demi-mille.

Évidemment, Lionel n'avait pu l'apercevoir, car il se fût certainement porté au-devant de lui.

Jean se glissa entre les arbres, inquiet de ne pas trouver le jeune clerc à l'endroit convenu, ne voulant pas l'appeler par son nom, de peur de le compromettre, au cas où il serait entendu de quelque pêcheur attardé.

Le sergent l'avait reconduit à travers la cour.

Alors, les deux derniers vers de la ballade du jeune poète lui revinrent à la mémoire – ceux qu'il lui avait récités à la ferme de Chipogan. Et s'enfonçant dans la profondeur du bois, il répéta d'une voix lente :

> Naître avec toi, flamme follette,
> Mourir avec toi, feu follet !

Presque aussitôt, Lionel, sortant d'un fourré, s'élançait vers lui et s'écriait :

« Vous, monsieur Jean... vous?

– Oui, Lionel.

– Et l'abbé Joann?...

– Dans ma cellule!

– Mais vite, à l'île Navy! Il faut que dans quarante-huit heures nous soyons de retour avec nos compagnons au fort Frontenac! »

Jean et Lionel s'élancèrent hors du bois, et prirent direction vers le sud, afin de redescendre la rive de l'Ontario jusqu'aux territoires du Niagara.

C'était le chemin le plus court, et aussi l'itinéraire qui offrait le moins de dangers. À cinq lieues de là, les fugitifs, ayant franchi la frontière américaine, seraient à l'abri de toute poursuite et pourraient rapidement atteindre l'île Navy.

Cependant, suivre cette direction avait l'inconvénient d'obliger Jean et Lionel à repasser devant le fort. Par cette horrible nuit, il est vrai, au milieu des épais tourbillons de neige, ils ne risquaient pas d'être aperçus des factionnaires, même au moment où tous deux traverseraient l'étroite grève. Certainement, si la surface de l'Ontario n'eût pas été encombrée par les amas de glaces que ces rudes hivers accumulent sur ses bords, si le lac avait été navigable, mieux eût valu s'adresser à quelque pêcheur qui aurait pu promptement conduire les fugitifs à l'embouchure du Niagara. Mais c'était impossible alors.

Jean et Lionel marchaient d'un pas aussi pressé que le permettait la tourmente. Ils n'étaient encore qu'à une faible distance des palissades du fort, lorsque le vif crépitement d'une fusillade déchira l'air. Il n'y avait pas à s'y tromper: un feu de peloton venait d'éclater à l'intérieur de l'enceinte.

« Joann!... s'écria Jean.

Et il tomba, comme si c'était lui qui venait d'être frappé par les balles des soldats de Frontenac.

Joann était mort pour son frère, mort pour son pays!

En effet, une demi-heure après le départ de Jean, le major Sinclair avait donné l'ordre de procéder à l'exécution, ainsi que le portait l'ordre reçu de Québec.

Joann avait été extrait de la cellule et conduit dans la cour, à l'endroit où il devait être passé par les armes.

Le major avait lu l'ordre au condamné.

Joann n'avait rien répondu.

À ce moment, il aurait pu s'écrier:

«Je ne suis pas Jean-Sans-Nom!... Je suis le prêtre qui a pris sa place pour le sauver!»

Mais Jean devait encore être trop rapproché du fort Frontenac. Les soldats se mettraient à sa poursuite. Il serait immédiatement repris. On le fusillerait. Et il ne fallait pas que Jean-Sans-Nom mourût autrement que sur un champ de bataille!

Joann se tut, il s'appuya au mur, il tomba en prononçant les mots de mère, de frère et de patrie!

Les soldats ne l'avaient pas reconnu vivant, ils ne le reconnurent pas lorsqu'il fut mort. On l'ensevelit immédiatement dans une tombe, creusée extérieurement au pied de l'enceinte. Le gouvernement devait croire qu'il avait frappé en lui le héros de l'indépendance.

C'était la première victime offerte en expiation du crime de Simon Morgaz!

IX

L'ÎLE NAVY

Ce fut en 1668, sous les ordres de Cavalier de la Salle, que les Français firent naviguer le premier navire européen à la surface de l'Ontario. Arrivés à sa limite méridionale, où ils élevèrent le fort Niagara, leur bâtiment s'engagea sur la rivière de ce nom, dont il remonta le cours jusqu'aux rapides, à trois milles des chutes. Puis, un second navire, construit et lancé en amont des célèbres cataractes, vint déboucher dans le lac Érié et poursuivit son audacieuse navigation jusqu'au lac Michigan.

En réalité, le Niagara n'est qu'un canal naturel, long de quinze à seize milles, qui permet aux eaux de l'Érié de s'écouler vers l'Ontario. À peu près au milieu de ce canal, le sol manque brusquement de cent soixante pieds – précisément à l'endroit où la rivière se coude en décrivant une sorte de fer à cheval. L'île aux Chèvres – Goat Island – la divise en deux parties inégales. À droite, la chute américaine, à gauche, la chute canadienne, précipitant leurs eaux bruyantes au fond d'un abîme que couronnent incessamment les brumes d'une poussière aqueuse.

L'île Navy est située en amont des chutes, par conséquent du côté du lac Érié, à dix milles de la ville de Buffalo, et à trois milles du village de Niagara-Falls, bâti à la hauteur des cataractes dont il porte le nom.

C'était là que les patriotes avaient élevé le dernier boulevard de l'insurrection, comme une sorte de camp jeté entre le Canada et l'Amérique sur le cours de ce Niagara, limite naturelle des deux pays.

Ceux des chefs qui avaient échappé aux poursuites des loyalistes, après Saint-Denis, après Saint-Charles, avaient quitté le territoire canadien, et franchi la frontière pour se concentrer à l'île Navy. Si le sort des armes les trahissait, si les royaux parvenaient à traverser le bras gauche de la rivière et à les chasser de l'île, il leur resterait la ressource de se réfugier sur l'autre rive, où les sympathies ne leur manqueraient pas. Mais, sans doute, ils seraient en petit nombre, ceux qui demanderaient asile aux Américains, car cette suprême partie, ils allaient la jouer jusqu'à la mort.

Voici quelle était la situation respective des Franco-Canadiens et des troupes royales, envoyées de Québec, dans la première quinzaine de décembre.

Les réformistes – et plus spécialement ceux qu'on appelait les «bonnets bleus» – occupaient l'île Navy que la rivière ne suffisait pas à défendre.

En effet, bien que le froid fût extrêmement vif, le Niagara demeurait navigable, grâce à la rapidité de son cours. Il s'ensuivait donc que les communications étaient possibles au moyen de bateaux, entre l'île Navy et les deux rives. Aussi les Américains et les Canadiens ne cessaient-ils d'aller et venir du camp au village de Schlosser, situé sur la droite du Niagara. Fréquemment, des embarcations passaient ce bras, les unes transportant des munitions, des armes et des vivres, les autres, chargées de visiteurs accourus à Schlosser, en prévision d'une attaque prochaine des royaux.

Un citoyen des États-Unis, M. Wills, propriétaire du petit bateau à vapeur *Caroline*, l'utilisait même pour ce transport quotidien, moyennant une légère rétribution que les curieux versaient volontiers dans sa caisse.

Sur la rive opposée du Niagara, et par conséquent en face de Schlosser, les Anglais étaient cantonnés dans le village de Chippewa, sous les ordres du colonel Mac Nab. Leur effectif était assez important pour écraser les réformistes rassemblés sur l'île Navy, s'ils parvenaient à y opérer une descente. Aussi de larges bateaux avaient-ils été réunis à Chippewa en vue de ce débarquement, qui serait tenté dès que les préparatifs du colonel Mac Nab auraient pris fin, c'est-à-dire dans quelques jours. L'issue de cette dernière campagne sur les confins du Canada, en présence des Américains, était donc imminente.

On ne s'étonnera pas que les personnages qui ont plus spécialement figuré dans les diverses phases de cette histoire, se fussent retrouvés à l'île Navy. André Farran, récemment guéri de sa blessure, ainsi que William Clerc, étaient accourus au camp, où Vincent Hodge ne tarda pas à les rejoindre. Seul, le député Sébastien Gramont, alors détenu dans la prison de Montréal, n'occupait pas son rang parmi ses frères d'armes.

Après avoir assuré la retraite de Bridget et de Clary de Vaudreuil qui, grâce à son intervention, avaient pu atteindre Maison-Close, Vincent Hodge était parvenu à se dégager des soldats ivres qui l'entouraient et de ceux qui menaçaient de lui couper la route. De là, il s'était jeté à travers la forêt, et, au lever du jour, il ne courait plus le danger de tomber entre les mains des royaux. Quarante-huit heures plus tard, il atteignait Saint-Albans, au delà de la frontière. Lorsque le camp de l'île Navy eut été organisé, il s'y transporta avec quelques Américains, qui s'étaient donnés corps et âme à la cause de l'indépendance.

Là étaient aussi Thomas Harcher et quatre de ses fils, Pierre, Tony, Jacques et Michel. Après avoir échappé au désastre de Saint-Charles, retourner à Chipogan eût été non seulement se compromettre, mais compromettre Catherine Harcher. Ils s'étaient donc réfugiés au village de Saint-Albans, où Catherine avait pu les rassurer par message sur son sort et sur celui des autres enfants. Puis, dès la première semaine de décembre, ils étaient venus s'enfermer dans l'île Navy, résolus à lutter encore, ayant à cœur de venger la mort de Rémy, tombé sous les balles des loyalistes.

Quant à maître Nick, le sorcier le plus perspicace du Far-West qui lui eût fait cette prédiction: «Un jour viendra où toi, notaire royal, pacifique par caractère, prudent par profession, tu combattras à la tête d'une tribu huronne contre les autorités régulières de ton pays!», ce sorcier lui eût paru digne d'être enfermé dans l'hospice des aliénés du district.

Et voilà que maître Nick s'y trouvait pourtant, à la tête des guerriers de cette tribu. Après un solennel palabre, les Mahogannis avaient décidé de s'allier aux patriotes. Un grand chef, dont les veines ruisselaient du sang des Sagamores, ne pouvait rester en arrière. Peut-être fit-il quelques dernières objections; elles ne furent point écoutées. Et, dès le lendemain du jour où Lionel, accompagnant l'abbé Joann, avait quitté Walhatta, après que le feu du conseil eût été éteint, maître Nick, suivi – non! – précédé d'une cinquantaine de guerriers, s'était dirigé vers le lac Ontario pour gagner le village de Schlosser.

On imagine quel accueil fut fait à maître Nick. Thomas Harcher lui serra la main et si vigoureusement, que, pendant vingt-quatre heures, il lui eût été impossible de manier l'arc ou le tomahawk! Même bienvenue de la part de Vincent Hodge, de Farran, de Clerc, de tous ceux qui étaient ses amis ou ses clients à Montréal.

«Oui... oui... balbutiait-il, j'ai cru devoir... ou plutôt, ce sont ces braves gens...

– Les guerriers de votre tribu?... lui répondait-on.

– Oui... de ma tribu!» répétait-il.

En réalité, bien que l'excellent homme fît une assez piteuse contenance, dont Lionel avait honte pour lui, c'était un appoint important que les Hurons venaient d'apporter à la cause nationale en lui prêtant leur concours. Si les autres peuplades, entraînées par l'exemple, les suivaient, si leurs guerriers, animés des mêmes sentiments, s'alliaient aux réformistes, les autorités ne pourraient plus avoir raison du mouvement insurrectionnel.

Cependant, par suite des récents événements, les patriotes avaient dû passer de l'offensive à la défensive. Aussi, dans le cas où l'île Navy tomberait au pouvoir du colonel Mac Nab, la cause de l'indépendance serait-elle définitivement perdue.

Les chefs des bonnets bleus s'étaient occupés d'organiser la résistance par tous les moyens dont ils disposaient. Retranchements élevés sur les divers points de l'île, obstacles contre les tentatives de débarquement, armes, munitions et vivres, dont les arrivages s'opéraient par le village de Schlosser, tout se faisait avec hâte, avec zèle. Ce qui coûtait le plus cher aux patriotes, c'était d'être réduits à attendre une attaque qu'ils ne pouvaient provoquer, n'étant point outillés pour traverser le bras du Niagara. Faute de matériel, comment auraient-ils pu se jeter sur le village de Chippewa, donner l'assaut au camp fortement établi sur la gauche de la rivière?

On le voit, cette situation ne pouvait qu'empirer, si elle se prolongeait. En effet, les forces du colonel Mac Nab s'accroissaient, pendant que ses préparatifs pour le passage du Niagara étaient poussés activement. Relégués à la frontière, les derniers défenseurs de la cause franco-canadienne eussent vainement tenté d'entretenir des communications avec les populations des provinces de l'Ontario et de Québec. Dans ces conditions, comment les paroisses s'uniraient-elles pour courir aux armes, et quel chef prendrait la tête de la rébellion, maintenant que les colonnes royales parcouraient les comtés du Saint- Laurent?

Un seul l'eût pu faire. Un seul aurait assez d'influence pour soulever les masses populaires: c'était Jean-Sans-Nom. Mais depuis l'échec de Saint-Charles, il avait disparu. Et toutes les probabilités étaient pour qu'il eût péri obscurément, puisqu'il n'avait pas reparu sur la frontière américaine. Quant à admettre qu'il fût tombé récemment entre les mains de la police, c'était impossible; une telle capture n'aurait pas été tenue secrète par les autorités de Québec ou de Montréal.

Il en était de même de M. de Vaudreuil. Vincent Hodge, Farran et Clerc ignoraient ce qu'il était devenu. Qu'il eût été blessé à Saint-Charles, ils le savaient. Mais personne n'avait vu Jean l'emporter hors du champ de bataille, et la nouvelle ne s'était point répandue qu'il eût été fait prisonnier. En ce qui concerne Clary de Vaudreuil, depuis l'instant où il l'avait arrachée aux rôdeurs qui lui faisaient violence, Vincent Hodge n'avait pu retrouver ses traces.

Que l'on juge donc de la joie que tous les amis de M. de Vaudreuil ressentirent, quand, dans la journée du 10 décembre, ils le virent arriver à l'île Navy, avec sa fille, accompagné d'une vieille dame qu'ils ne connaissaient point.

C'était Bridget Morgaz.

Après le départ de Jean, le meilleur parti, sans doute, eût été de demeurer à Maison-Close, puisque M. de Vaudreuil ne risquerait plus d'être découvert. Où sa fille trouverait-elle un autre abri et plus sûr? La villa Montcalm, incendiée par les volontaires dans leur expédition à travers l'île Jésus, n'était plus que ruines. D'ailleurs, M. de Vaudreuil ignorait encore pour quelles raisons Rip avait épargné les perquisitions de la police à Maison-Close. Clary avait gardé le secret de cette protection infamante, et il ne savait pas qu'il fût l'hôte d'une Bridget Morgaz.

«Oui, les guerriers de ma tribu!» répétait maî tre Nick.

Craignant plus pour sa fille que pour lui les conséquences d'une nouvelle visite des agents, M. de Vaudreuil n'avait rien voulu changer à ses projets. Aussi, le lendemain soir, ayant appris que les royaux venaient de quitter Saint-Charles, il avait pris place avec Clary et Bridget dans la charrette du fermier Archambault. Tous trois s'étaient sans retard dirigés vers le sud du comté de Saint-Hyacinthe. Puis, dès qu'ils eurent connaissance de la concentration des patriotes à l'île Navy, ils firent diligence pour franchir la frontière américaine. Arrivés la veille à Schlosser, après huit jours d'un pénible et périlleux voyage, ils étaient maintenant au milieu de leurs amis.

Ainsi Bridget avait consenti à suivre Clary de Vaudreuil, qui connaissait son passé?... Oui! La malheureuse femme n'avait pu résister à ses supplications.

Voici dans quelles circonstances s'était effectué son départ.

Après la fuite de Jean, comprenant comme lui qu'elle ne pourrait plus inspirer que de l'horreur à ses hôtes, Bridget s'était retirée dans sa chambre. Quelle nuit effroyable ce fut pour elle! Clary voudrait-elle cacher à son père ce qu'elle venait d'apprendre? Non! Et le lendemain, M. de Vaudreuil n'aurait plus qu'une hâte – fuir Maison-Close. Oui! fuir... au risque de tomber entre les mains des royaux, fuir plutôt que de rester une heure de plus sous le toit des Morgaz!

D'ailleurs, Bridget n'y demeurerait pas, ni à Saint-Charles. Elle n'attendrait pas qu'elle fût chassée par la réprobation publique. Elle s'en irait au loin, ne demandant à Dieu que de la délivrer de cette odieuse existence!

Mais, le lendemain, au lever du jour, Bridget vit la jeune fille entrer dans sa chambre. Elle allait en sortir pour ne pas s'y rencontrer avec elle, lorsque Clary lui dit d'une voix tristement affectueuse:

«Madame Bridget, j'ai gardé votre secret vis-à-vis de mon père. Il ne sait, il ne saura rien de ce passé, et je veux oublier moi-même. Je me souviendrai que si vous êtes la plus infortunée, vous êtes aussi la plus honorable des femmes!»

Bridget ne releva pas la tête.

«Écoutez-moi, reprit Clary. J'ai pour vous le respect auquel vous avez droit. J'ai pour vos malheurs la pitié, la sympathie qu'ils méritent. Non!... Vous n'êtes pas responsable de ce crime que vous avez expié si cruellement. Cette abominable trahison, vos fils l'ont rachetée et au delà. Justice vous sera rendue un jour. En attendant, laissez-moi vous aimer comme si vous étiez ma mère. Votre main, madame Bridget, votre main!»

Cette fois, devant cette touchante manifestation de sentiments auxquels elle n'était plus habituée, l'infortunée s'abandonna et pressa la main de la jeune fille, tandis que ses yeux versaient de grosses larmes.

«Maintenant, reprit Clary, qu'il ne soit jamais question de cela et songeons au présent. Mon père craint que votre demeure n'échappe pas à de nouvelles perquisitions. Il veut que nous partions ensemble, le nuit prochaine, si les routes sont libres. Vous, madame Bridget, vous ne pouvez plus, vous ne devez plus rester à Saint-Charles. J'attends de vous la promesse que vous nous suivrez. Nous irons rejoindre nos amis, nous retrouverons votre fils, et je lui répéterai ce que je viens de vous dire, ce que je sens être d'une vérité supérieure aux préjugés des hommes, ce qui déborde de mon cœur!

– Ai-je votre promesse, madame Bridget?

– Je partirai, Clary de Vaudreuil.

– Avec mon père et moi?...

– Oui, et, pourtant, mieux vaudrait me laisser mourir au loin, de misère et de honte!»

Clary dut relever Bridget, agenouillée devant elle, et qui sanglotait à ses pieds.

Tous trois avaient quitté Maison-Close le lendemain soir.

Ce fut à l'île Navy, vingt-quatre heures après leur arrivée, qu'ils apprirent cette nouvelle si désespérante pour la cause nationale:

Jean-Sans-Nom, arrêté par le chef de police Comeau, venait d'être conduit au fort Frontenac.

Ce dernier coup anéantit Bridget. Ce qu'était devenu Joann, elle ne le savait pas. Ce qui attendait Jean, elle le savait!... Il allait mourir!

«Ah! du moins, que personne n'apprenne jamais qu'ils sont les fils de Simon Morgaz!» murmura-t-elle.

Seule, Mlle de Vaudreuil connaissait ce secret. Mais qu'aurait-elle pu dire pour consoler Bridget?

D'ailleurs, à la douleur qu'elle éprouva en apprenant cette arrestation, Clary sentit bien que son amour pour Jean ne s'était point altéré. Elle ne voyait plus en lui que l'ardent patriote, voué à la mort!

Cependant, la capture de Jean-Sans-Nom avait jeté un profond découragement au camp de l'île Navy, et c'est bien sur ce résultat que comptaient les autorités en répandant cette nouvelle à grand bruit. Dès qu'elle fut parvenue à Chippewa, le colonel Mac Nab donna l'ordre de la propager à travers toute la province.

Mais, comment cette nouvelle avait-elle franchi la frontière canadienne? c'est ce qu'on ignorait. Ce qui paraissait assez inexplicable, c'est qu'elle avait été connue à l'île Navy avant même de l'être au village de Schlosser. Au surplus, peu importait!

Malheureusement, l'arrestation n'était que trop certaine, et Jean-Sans-Nom manquerait à l'heure où le sort du Canada allait se jouer sur son dernier champ de bataille.

Dès que l'arrestation fut connue, un conseil fut réuni dans la journée du 11 décembre.

Les principaux chefs y assistaient avec Vincent Hodge, André Farran et William Clerc.

M. de Vaudreuil, qui commandait le camp de l'île Navy, présidait ce conseil.

Vincent Hodge porta tout d'abord la discussion sur le point de savoir s'il n'y aurait pas lieu de tenter quelque coup de force pour délivrer Jean-Sans-Nom.

«C'est à Frontenac qu'il est enfermé, dit-il. La garnison de ce fort est peu nombreuse, et une centaine d'hommes déterminés l'obligeraient à se rendre. Il ne serait pas impossible de l'atteindre en vingt-quatre heures...

– Vingt-quatre heures! répondit M. de Vaudreuil. Oubliez-vous donc que Jean-Sans-Nom était condamné avant d'avoir été pris? C'est en douze heures, c'est cette nuit même qu'il faudrait arriver à Frontenac!

– Nous y arriverons, répondit Vincent Hodge. Le long de la rive de l'Ontario, aucun obstacle ne nous arrêtera jusqu'à la frontière du Saint-Laurent, et, comme les royaux n'auront pas été prévenus de notre projet, ils ne pourront nous disputer le passage.

– Partez donc, dit M. de Vaudreuil, mais dans le plus grand secret. Il importe que les espions du camp de Chippewa ne sachent rien de votre départ!

L'expédition décidée, il ne fut pas difficile de réunir les cent hommes qui devaient y prendre part. Pour arracher Jean-Sans-Nom à la mort, tous les patriotes se fussent offerts. Le détachement, commandé par Vincent Hodge, passa sur la rive droite du Niagara, à Schlosser, et, prenant l'oblique à travers les territoires américains, il

Ils avaient pris place dans la charrette du fermier.

arriva vers trois heures du matin sur la rive droite du Saint-Laurent, dont il était aisé de franchir la surface gelée. Le fort Frontenac n'était pas à plus de cinq lieues dans le nord. Avant le jour, Vincent Hodge pouvait avoir surpris la garnison et délivré le condamné.

Mais il avait été précédé par un exprès à cheval, directement envoyé de Chippewa. Les troupes, qui surveillaient la frontière, occupaient toute la rive gauche du fleuve.

Il fallut renoncer à tenter le passage. Le détachement eût été écrasé. Les cavaliers royaux lui auraient coupé la retraite. Pas un ne fût revenu à l'île Navy.

Les troupes occupaient la rive gauche du fleuve.

Vincent Hodge et ses compagnons durent reprendre le chemin de Schlosser.

Ainsi, le coup de main, projeté contre le fort Frontenac, avait été signalé au camp de Chippewa?

Que les préparatifs, nécessités par le rassemblement d'une centaine d'hommes, n'eussent pu être tenus absolument secrets, cela était probable. Mais comment le colonel Mac Nab en avait-il eu connaissance? Se trouvait-il donc parmi les patriotes, un espion ou des espions en mesure de correspondre avec le camp de Chippewa? On avait déjà eu le soupçon que les Anglais devaient être instruits de tout ce qui se faisait sur l'île. Cette fois, le doute n'était plus permis, puisque les troupes, cantonnées sur la limite du Canada, avaient été avisées assez à temps pour empêcher Vincent Hodge de la franchir.

Du reste, la tentative, organisée par M. de Vaudreuil, n'aurait pu amener la délivrance du condamné. Vincent Hodge serait arrivé trop tard à Frontenac.

Le lendemain, dans la matinée du 12, la nouvelle se répandait que Jean-Sans-Nom avait été fusillé la veille dans l'enceinte du fort.

Et, les loyalistes s'applaudissaient de n'avoir plus rien à craindre du héros populaire, qui était l'âme des insurrections franco-canadiennes.

X

BRIDGET MORGAZ

Entre temps, deux autres coups, non moins terribles, allaient frapper le parti national et décourager ses derniers défenseurs du camp de l'île Navy.

En vérité, il était à craindre que les réformistes fussent pris de désespoir devant les échecs successifs dont la mauvaise fortune les accablait.

En premier lieu, la loi martiale, proclamée dans le district de Montréal, rendait presque impossible une entente commune entre les paroisses du Saint-Laurent. D'une part, le clergé canadien, sans rien abandonner de ses espérances pour l'avenir, engageait les opposants à se soumettre. De l'autre, il était difficile de triompher sans l'aide des États-Unis. Or, si ce n'est de la part des Américains de la frontière, il ne semblait pas que cette participation dût être effective. Le gouvernement fédéral se défendait de prendre ouvertement fait et cause pour ses voisins d'origine française. Des vœux, oui! Des actes, peu ou point! En outre, nombre de Canadiens, tout en réservant leurs droits, tout en protestant contre les abus manifestes, travaillaient à l'apaisement des esprits.

De cet état de choses, il résultait que les patriotes militants, au dernier mois de cette année de 1837, n'atteignaient plus que le chiffre d'un millier d'hommes, dispersés sur le pays. Au lieu d'une révolution, l'histoire n'aurait plus à enregistrer qu'une révolte.

Cependant, quelques tentatives isolées avaient été faites à Swanton. Sur les conseils de Papineau et de O'Callaghan, une petite troupe de quatre-vingt hommes rentra sur le territoire canadien, arriva à Moore's-Corner, et se heurta à une troupe de quatre cents volontaires, résolus à lui barrer le passage. Les patriotes se battirent avec un admirable courage, mais ils furent refoulés et durent repasser la frontière.

Le gouvernement, n'ayant plus rien à craindre de ce côté, allait pouvoir concentrer ses forces vers le nord.

Le 14 décembre, il y eut un combat à Saint-Eustache, dans le comté des Deux-Montagnes, situé au nord du Saint-Laurent. Là, au milieu de ses hardis compagnons, tels que Lorimier, Ferréol et autres, se distingua par son énergie et sa bravoure, le docteur Chénier, dont la tête était mise à prix. Deux mille soldats, envoyés par sir John Colborne, neuf pièces d'artillerie, cent vingt hommes de cavalerie, une cmpagnie de quatre-vingt volontaires, vinrent attaquer Saint-Eustache. La résistance de Chénier et des siens fut héroïque. Exposés aux boulets et aux balles, ils durent se retrancher dans le presbytère, le couvent et l'église. La plupart n'avaient même pas de fusils, et, comme ils en réclamaient:

« Vous prendrez les fusils de ceux qui seront tués! » répondit froidement Chénier.

Mais le cercle des assaillants se rétrécissait autour du village, et l'incendie vint en aide aux royaux.

Chénier se vit contraint d'abandonner l'église. Une balle le jeta à terre. Il se releva, il fit feu. Une seconde balle l'atteignit à la poitrine. Il tomba, il était mort.

Soixante-dix de ses compagnons périrent avec lui.

On voit encore les mutilations de l'église où ces désespérés combattirent, et les Canadiens n'ont jamais cessé de visiter l'endroit où succomba le courageux docteur. Dans le pays, on dit toujours: Brave comme Chénier.

Après l'impitoyable répression des insurgés à Saint-Eustache, sir John Colborne dirigea ses troupes sur Saint-Benoît, où elles arrivèrent le lendemain.

C'était un beau et riche village, situé à quelques milles du nord dans le comté des Deux-Montagnes.

Là, il y eut un massacre de gens sans armes, qui consentaient à se rendre. Comment auraient-ils eu la possibilité de se défendre contre les troupes venant de Saint-Eustache, et les volontaires venant de Saint-Andrew, soit plus de six mille hommes, ayant à leur tête le général en personne?

Dévastations, destructions, pillages, incendies, vols, tous les excès d'une soldatesque furieuse, qui ne respectait ni l'âge ni le sexe, profanation des églises, vases sacrés employés aux plus odieux usages, vêtements sacerdotaux attachés au cou des chevaux, tels furent les actes de vandalisme et d'inhumanité dont cette paroisse devint le théâtre. Et, il faut bien le dire, si les volontaires prirent la plus grande part à ces crimes, les soldats de l'armée régulière ne furent que peu ou point retenus par leurs chefs. À plusieurs reprises, ceux-ci ordonnèrent l'ordre de livrer aux flammes les maisons des notables.

Le 16 décembre, lorsque ces nouvelles arrivèrent à l'île Navy, elles y produisirent une effervescence extrême. Les bonnets bleus voulaient passer le Niagara pour attaquer le camp de Mac Nab. C'est à grand-peine que M. de Vaudreuil parvint à les retenir.

Mais, après ce premier mouvement de fureur, il se produisit un profond découragement. Et même quelques désertions éclaircirent les rangs des patriotes, dont une centaine regagnèrent la frontière américaine.

D'ailleurs, les chefs voyaient diminuer leur influence et se divisaient entre eux. Vincent Hodge, Farran et Clerc étaient souvent en désaccord avec les autres partisans. Seul, M. de Vaudreuil aurait peut-être pu modérer les rivalités, nées de cette situation désespérante. Malheureusement, s'il n'avait rien perdu de son énergie morale, mal remis de blessures mal soignées, il sentait ses forces diminuer chaque jour, il comprenait bien qu'il ne survivrait pas à une dernière défaite.

Aussi, au milieu des appréhensions que lui causait l'avenir, M. de Vaudreuil se préoccupait-il de l'abandon dans lequel sa fille resterait après lui.

Cependant, André Farran, William Clerc et Vincent Hodge ne cessaient de lutter contre le découragement de leurs compagnons. Si la partie était perdue, cette fois, répétaient-ils, on attendrait l'heure de la reprendre. Après avoir laissé derrière eux les ferments d'une insurrection future, les patriotes se retireraient sur le territoire des États-Unis, où ils se prépareraient à une nouvelle campagne contre les oppresseurs.

Non! il ne fallait pas désespérer de l'avenir, et c'est ce que pensait maître Nick lui-même, lorsqu'il disait à M. de Vaudreuil:

«Si la rébellion n'a pas encore pu réussir, les réformes demandées se réaliseront par la force des choses. Le Canada recouvrera ses droits tôt ou tard, il conquerra son autonomie, il ne dépendra plus que nominativement de l'Angleterre. Vous vivrez assez pour voir cela, monsieur de Vaudreuil. Nous nous retrouverons un jour avec votre chère Clary à la villa Montcalm, relevée de ses ruines. Et moi, j'y compte bien, j'aurai enfin dépouillé le manteau des Sagamores, qui ne va guère à mes épaules de notaire, pour retourner à mon étude de Montréal!»

Puis, lorsque M. de Vaudreuil, dévoré d'inquiétudes au sujet de sa fille, en parlait à Thomas Harcher, le fermier lui répondait:

«Ne sommes-nous pas de votre famille, notre maître? Si vous craignez pour Mlle Clary, pourquoi ne la faites-vous pas conduire près de ma femme Catherine? Là, à la ferme de Chipogan, elle serait en sûreté, et vous l'y rejoindrez, quand les circonstances le permettraient!»

Mais M. de Vaudreuil ne se faisait plus d'illusion sur son état. Aussi, se sachant mortellement atteint, il résolut d'assurer l'avenir de Clary dans les conditions qu'il avait toujours désirées.

Comme il connaissait l'amour de Vincent Hodge pour sa fille, il devait croire que cet amour serait partagé. Jamais il n'eût soupçonné que le cœur de Clary fût rempli de la pensée d'un autre. Sans doute, en songeant à l'abandon où la laisserait la mort de son père, elle sentirait la nécessité d'un appui en ce monde. Et en était-il un plus sûr que l'amour de Vincent Hodge, déjà uni à elle par les liens du patriotisme?

M. de Vaudreuil résolut dès lors d'agir dans ce sens, afin d'arriver à la réalisation de son vœu le plus cher. Il ne doutait pas des sentiments de Vincent Hodge, il ne pouvait douter des sentiments de Clary. Il les mettrait en présence l'un de l'autre, il leur parlerait, il joindrait leurs mains. Et alors, au moment de mourir, il n'aurait plus qu'un seul regret – le regret de n'avoir pu rendre l'indépendance à son pays.

Vincent Hodge fut prié de venir dans la soirée du 16 décembre.

C'était une petite maison, bâtie sur la berge orientale de l'île, en face du village de Schlosser, que M. de Vaudreuil occupait avec sa fille.

Bridget y demeurait aussi; mais elle n'en sortait jamais pendant le jour. Le plus souvent, cette pauvre femme s'en allait à la nuit tombante, absorbée dans le souvenir de ses deux fils, Jean, mort pour la cause nationale, Joann, dont elle n'avait plus de nouvelles, et qui attendait peut-être, dans les prisons de Québec ou de Montréal l'heure de mourir à son tour!

Au surplus, personne ne la voyait dans cette maison, où M. de Vaudreuil et sa fille lui rendaient l'hospitalité qu'ils avaient reçue à Maison-Close. Non qu'elle eût la crainte d'être reconnue et qu'on lui jetât son nom à la face! Qui aurait pu soupçonner en elle la femme de Simon Morgaz? Mais c'était déjà trop qu'elle vécût sous le toit de M. de Vaudreuil, et que Clary lui témoignât l'affection et le respect d'une fille pour sa mère!

Vincent Hodge fut exact au rendez-vous qui lui avait été donné. Lorsqu'il arriva, il était huit heures du soir.

Bridget, déjà sortie, errait à travers l'île.

Vincent Hodge vint serrer la main de M. de Vaudreuil, et se retourna vers Clary qui lui tendit la sienne.

«J'ai à vous parler de choses graves, mon cher Hodge, dit M. de Vaudreuil.

– Je vous laisse, mon père, répondit Clary en se dirigeant vers la porte.

– Non, mon enfant, reste. Ce que j'ai à dire vous concerne tous les deux.

Il fit signe à Vincent Hodge de s'asseoir devant son fauteuil. Clary prit place sur une chaise près de lui.

«Mon ami, dit-il, il ne me reste que peu de temps à vivre. Je le sens, je m'affaiblis chaque jour davantage. Cela étant, écoutez-moi comme si vous étiez au chevet d'un mourant, et que vous eussiez à recueillir ses dernières paroles.

– Mon cher Vaudreuil, répondit vivement Vincent Hodge, vous exagérez...

– Et vous nous faites bien de la peine, mon père! ajouta la jeune fille.

– Vous m'en feriez bien plus encore, reprit M. de Vaudreuil, si vous refusiez de me comprendre.»

Il les regarda longuement tous deux. Puis, s'adressant à Vincent Hodge:

«Mon ami, reprit-il, jusqu'ici, nous n'avons jamais parlé que de la cause à laquelle, vous et moi, avons voué toute notre existence. De ma part, rien n'était plus naturel, puisque je suis de sang français et que c'est pour le triomphe du Canada que j'ai combattu. Vous, qui ne teniez pas à notre pays par les liens d'origine, vous n'avez pas hésité, cependant, à vous mettre au premier rang des patriotes...

– Les Américains et les Canadiens ne sont-ils pas frères? répondit Vincent Hodge. Et qui sait si le Canada ne fera pas un jour partie de la confédération américaine!...

– Puisse ce jour venir! répondit M. de Vaudreuil.

– Oui, mon père, il viendra, s'écria Clary, il viendra et vous le verrez...

– Non, mon enfant, je ne le verrai pas.

– Croyez-vous donc notre cause à jamais perdue, parce qu'elle a été vaincue cette fois? demanda Vincent Hodge.

– Une cause qui repose sur la justice et le droit finit toujours par triompher, répondit M. de Vaudreuil. Le temps, qui me manquera, ne vous manquera pas pour voir ce triomphe. Oui, Hodge, vous verrez cela, et, en même temps, vous aurez vengé votre père... votre père mort sur l'échafaud par la trahison d'un Morgaz!»

À ce nom, inopinément prononcé, Clary se sentit comme frappée au cœur. Craignait-elle de laisser voir la rougeur qui lui monta au visage? Oui, sans doute, car elle se leva et alla prendre place près de la fenêtre.

«Qu'avez-vous, Clary?... demanda Vincent Hodge, en se dirigeant vers la jeune fille.

«Vous prendrez les fusils de ceux qui seront tués!» répondit Chénier.

– Tu es souffrante? ajouta M. de Vaudreuil, qui fit un effort pour quitter son fauteuil.

– Non, mon père, ce n'est rien!... Un peu d'air suffira à me remettre!»

Vincent Hodge ouvrit un des battants de la fenêtre, et retourna vers M. de Vaudreuil.

Celui-ci attendit quelques instants. Puis, Clary étant revenue près de lui, il lui prit la main, en même temps qu'il s'adressait à Vincent Hodge:

Là, il y eut massacre de gens sans armes.

«Mon ami, dit-il, bien que le patriotisme ait rempli votre existence entière, il a cependant laissé place dans votre cœur à un autre sentiment! Oui, Hodge, je le sais; vous aimez ma fille, et je sais quelle estime elle a pour vous. Je mourrais plus tranquille si vous aviez le droit et le devoir de veiller sur elle, seule au monde après moi! Si elle y consent, l'accepterez-vous pour femme?

Clary avait retiré sa main de la main de son père, et, regardant Vincent Hodge, elle attendit sa réponse.

«Mon cher Vaudreuil, répondit Vincent Hodge, vous m'offrez de réaliser le plus grand bonheur que j'aie pu rêver, celui de me rattacher à vous par ce lien. Oui, Clary, je vous aime, et depuis longtemps, et de toute mon âme. Avant de vous parler de mon amour, j'aurais voulu voir triompher notre cause. Mais les circonstances sont devenues graves, et les derniers événements ont modifié la situation des patriotes. Quelques années peut-être s'écouleront avant qu'ils puissent reprendre la lutte. Eh bien, ces années, voulez-vous les passer dans cette Amérique, qui est presque votre pays? Voulez-vous me donner le droit de remplacer votre père près de vous, lui donner cette joie de m'appeler son fils?... Dites, Clary, le voulez-vous?»

La jeune fille se taisait.

Vincent Hodge, baissant la tête devant ce silence, n'osait plus renouveler sa demande.

«Eh bien, mon enfant, reprit M. de Vaudreuil, tu m'as entendu?... Tu as entendu ce qu'à dit Hodge!... Il dépend de toi que je puisse être son père, et, après toutes les douleurs de ma vie, que j'aie cette suprême consolation de te voir à un patriote digne de toi et qui t'aime!»

Et alors Clary, d'une voix très émue, fit cette réponse qui ne devait laisser aucun espoir.

«Mon père, dit-elle, j'ai pour vous le plus profond respect! Hodge, j'ai pour vous plus qu'une profonde estime, une amitié de sœur! Mais je ne puis être votre femme!

– Tu ne peux... Clary? murmura M. de Vaudreuil, qui saisit le bras de sa fille.

– Non, mon père?

– Et pourquoi?...

– Parce que ma vie est à un autre!

– Un autre?... s'écria Vincent Hodge, qui ne fut pas maître de ce mouvement de jalousie.

– Ne soyez pas jaloux, Hodge! répondit la jeune fille. Pourquoi le seriez-vous, mon ami? Celui que j'aime et à qui je n'ai jamais rien dit de mon affection, celui qui m'aimait et qui jamais ne me l'a dit, celui-là n'est plus! Peut-être, même s'il eût vécu, n'aurais-je pas été sa femme! Mais il est mort, mort pour son pays, et je resterai fidèle à sa mémoire...

– C'est donc Jean?... s'écria M. de Vaudreuil.

– Oui, mon père, c'est Jean...»

Clary n'avait pu achever sa réponse.

«Morgaz!... Morgaz!...» tel fut le nom qui retentit en ce moment au milieu de clameurs encore éloignées. En même temps, il se faisait un tumulte de foule. Cela venait du nord de l'île, et précisément le long de la rive du Niagara sur laquelle s'élevait la maison de M. de Vaudreuil.

À ce nom bruyamment jeté, qui complétait celui de Jean, Clary devint effroyablement pâle.

«Quel est ce bruit? dit M. de Vaudreuil.

– Et pourquoi ce nom?» demanda Vincent Hodge.

Il se leva, et, se dirigeant vers la fenêtre encore ouverte, il se pencha au dehors.

La rive s'éclairait de vives clartés. Une centaine de patriotes, dont quelques-uns portaient des torches d'écorce de bouleau ou de hêtre, s'avançaient sur la berge.

Il y avait là des hommes, des femmes, des enfants. Tous, hurlant le nom maudit de Morgaz, se pressaient autour d'une vieille femme, qui ne pouvait échapper à leurs insultes, car elle avait à peine la force de se traîner.

C'était Bridget.

En ce moment, Clary se précipita vers la fenêtre, et, apercevant la victime de cette manifestation dont elle ne comprit que trop la cause:

«Bridget!...» s'écria-t-elle.

Elle revint vers la porte, elle l'ouvrit brusquement, elle s'élança au dehors, sans même répondre à son père, qui la suivit avec Vincent Hodge.

La foule n'était pas à cinquante pas de la maison. Les clameurs redoublaient. On jetait de la boue au visage de Bridget. Des mains furieuses se tendaient vers elle. On ramassait des pierres, pour l'en frapper.

En un instant, Clary de Vaudreuil fut près de Bridget, et elle la couvrit de ses bras, tandis que ces cris retentissaient avec plus de violence :

« C'est Bridget Morgaz!... C'est la femme de Simon Morgaz!... À mort!... À mort! »

M. de Vaudreuil et Vincent Hodge, qui allaient s'interposer entre elle et ces forcenés, s'arrêtèrent soudain. Bridget, la femme de Simon Morgaz!... Bridget portant ce nom... ce nom odieux!

Clary soutenait l'infortunée qui venait de tomber sur les genoux. Ses vêtements étaient déchirés et souillés. Ses cheveux blancs, en désordre, lui cachaient la figure.

« Tuez-moi!... Tuez-moi! murmurait-elle.

– Malheureux! s'écria Clary, en se retournant vers ceux qui la menaçaient, respectez cette femme!

– La femme du traître Simon Morgaz! répétèrent cent voix furieuses.

– Oui... la femme du traître, répondit Clary, mais aussi la mère de celui...

Elle allait prononcer le nom de Jean – le seul, peut-être, qui put protéger Bridget...

Mais Bridget, retrouvant toute son énergie, s'était relevée et murmurait :

– Non... Clary... Non!... Par pitié pour mon fils... par pitié pour sa mémoire! »

Et alors, les cris de reprendre avec une nouvelle violence, les menaces aussi. La foule avait grossi, en proie à un de ces délires irrésistibles, qui poussent aux plus lâches attentats.

M. de Vaudreuil et Vincent Hodge voulurent essayer de lui arracher sa victime. Quelques-uns de leurs amis, attirés par le tumulte, vinrent à leur aide. Mais en vain tentèrent-ils de dégager Bridget, et avec elle Clary, qui s'attachait à elle.

« À mort!... à mort... la femme de Simon Morgaz! » hurlaient ces voix affolées.

Tout à coup, à travers la foule qu'il repoussa, un homme apparut. Soudain, arrachant Bridget aux bras qui se levaient pour lui porter les derniers coups:

«Ma mère!» s'écria cet homme.

C'était Jean-Sans-Nom, c'était Jean Morgaz!

XI

EXPIATION

Voici dans quelles circonstances le nom de Morgaz avait été révélé aux défenseurs de l'île Navy.

On ne l'a pas oublié, à plusieurs reprises déjà, les préparatifs de résistance, les points que l'on fortifiait pour repousser une attaque des royaux, quelques tentatives faites en vue de forcer le passage du Niagara, avaient été signalées au camp de Mac Nab. Évidemment, un espion s'était glissé dans les rangs des patriotes et tenait l'ennemi au courant de tout ce qui se faisait sur l'île. Cet espion, en vain avait-on cherché à le découvrir pour en tirer justice sommaire. Il avait toujours échappé aux recherches faites jusque dans les villages de la rive américaine.

Cet espion n'était autre que Rip.

Irrité de ses derniers insuccès, qui se traduisaient par des pertes considérables au détriment de sa maison de commerce, le chef le l'agence Rip and Co. avait tenté de remonter ses affaires par un coup audacieux avec l'espoir de balancer ses récentes déconvenues. Elles étaient graves, en effet. Il avait échoué à l'engagement de la ferme de Chipogan, où son escouade avait dû battre en retraite. À Saint-Charles, on sait comment il avait laissé à Jean-Sans-Nom, alors caché dans Maison-Close, la possibilité de s'enfuir. Enfin, ce n'était pas ses hommes, c'étaient ceux du chef de police Comeau qui avaient opéré la capture du proscrit.

Rip, décidé à prendre sa revanche, n'ayant plus à s'occuper de «l'affaire Jean-Sans-Nom», puisque l'on avait toutes les raisons de croire que le condamné avait été exécuté au fort Frontenac, imagina de se rendre sous un déguisement à l'île Navy. Là, au moyen de signaux convenus, il se faisait fort d'indiquer au colonel Mac Nab quels étaient les travaux de défense et en quel point il serait possible de tenter une descente sur l'île. C'était évidemment risquer sa vie que de s'aventurer ainsi au milieu des patriotes. Si on le reconnaissait, il n'aurait aucune grâce à espérer. On le tuerait comme un chien. Mais aussi, une somme considérable devait lui être attribuée, s'il parvenait à faciliter la prise de l'île – ce qui amènerait nécessairement, avec la disparition de ses principaux chefs, la fin de cette période insurrectionnelle de 1837.

Dans ce but, Rip gagna la rive américaine du Niagara. Puis, à Schlosser, il prit passage sur la *Caroline* comme un simple visiteur et s'introduit au camp de l'île Navy.

En réalité, grâce à son déguisement, à sa barbe qu'il portait entière, aux modifications introduites dans son attitude habituelle, au son de sa voix qu'il avait changée, ce hardi policier était méconnaissable. Et pourtant, il se trouvait là des gens qui auraient pu le reconnaître – M. de Vaudreuil et sa fille, Thomas Harcher et ses fils, avec lesquels il s'était rencontré à Chipogan, et aussi maître Nick, qu'il ne s'attendait guère à rencontrer sur l'île. Mais, très heureusement pour lui, son déguisement était si parfait que personne n'eut de suspicion à son égard. Il put ainsi, sans se compromettre, faire son métier d'espion, et, quand cela était nécessaire, correspondre avec Chippewa. C'est ainsi qu'il avait prévenu le colonel Mac Nab de l'attaque projetée par Vincent Hodge contre le fort Frontenac.

Une circonstance devait le perdre.

Depuis huit jours qu'il était arrivé, vêtu comme les bonnets bleus, s'il s'était souvent trouvé en présence de Thomas Harcher, de maître Nick et autres, Rip n'avait pas encore rencontré Bridget. Et, même, comment eût-il pu soupçonner sa présence à l'île Navy? La femme de Simon Morgaz, au milieu des patriotes, c'eût été la chose du monde à laquelle il se fût le moins attendu. Ne l'avait-il pas laissée à Maison-Close, après lui avoir épargné les abominables représailles qui furent exercées contre les habitants de Saint-Charles? En outre, depuis douze ans – depuis l'époque où il avait été en rapport avec sa famille et elle à Chambly –, tous deux ne s'étaient trouvés face à face qu'une seule fois, le soir de la perquisition. Aussi Bridget, pas plus que maître Nick ou Thomas Harcher, n'aurait pu le reconnaître.

Bridget ne le reconnut pas, à la vérité. Ce fut lui qui se trahit dans des circonstances que toute sa méticuleuse circonspection n'avait pu prévoir.

Ce soir-là – 16 décembre – Bridget avait quitté la maison où Vincent Hodge s'était rendu sur la demande de M. de Vaudreuil. Une nuit profonde enveloppait la vallée du Niagara. Aucun bruit, ni dans le village occupé par les troupes anglaises, ni au camp des réformistes. Quelques sentinelles allaient et venaient sur la berge, surveillant le bras gauche de la rivière.

Sans se rendre compte de sa marche machinale, Bridget était arrivée à la pointe en amont de l'île. Là, après une halte de quelques instants, elle se préparait à revenir, lorsque son œil fut frappé par une lueur qui s'agitait au pied de la berge.

Surprise et inquiète, Bridget s'avança jusqu'aux roches qui dominent le Niagara à cet endroit.

Là, un homme balançait un fanal, dont la lumière devait aisément être vue de la rive de Chippewa. Et, en effet, une lueur, partie du camp, lui répondit presque aussitôt.

Bridget ne put retenir un cri, en voyant cet échange de signaux suspects.

D'un bond, cet homme, mis en éveil par le cri de Bridget, eut gravi les roches, et, se trouvant en face de cette femme, il lui porta vivement la lumière de son fanal en pleine figure.

«Bridget Morgaz!» s'écria-t-il.

Interdite, au premier abord, devant cet homme qui savait son nom, Bridget recula. Mais sa voix, qu'il n'avait pas eu la précaution de changer, venait de trahir l'identité de l'espion.

«Rip!... balbutia Bridget, Rip... ici!

– Oui, moi!

– Rip... faisant ce métier...

– Eh bien, Bridget, reprit Rip à voix basse, ce que je fais ici, n'est-ce pas ce que vous y êtes venue faire? Pourquoi la femme de

Simon Morgaz serait-elle au camp des patriotes, si ce n'est pour communiquer...

– Misérable! s'écria Bridget.

– Ah! taisez-vous, dit Rip en la saisissant violemment par le bras. Taisez-vous, ou sinon...»

Et rien que d'une poussée, il pouvait la précipiter dans le courant du Niagara.

«Me tuer? répondit Bridget en reculant de quelques pas. Ce ne sera pas, du moins, avant que j'aie appeler, avant que je vous aie dénoncé!...»

Puis:

«À moi!... À moi!» cria-t-elle.

Presque aussitôt un bruit indiqua que les sentinelles se rabattaient du côté où le cri avait été jeté.

Rip comprit qu'il n'aurait plus le temps de se débarrasser de Bridget, avant qu'on se fût porté à son secours.

«Prenez garde, Bridget, lui dit-il! Si vous dites qui je suis, je dirai qui vous êtes!...

– Dites-le donc!» répondit Bridget, qui n'hésita pas même devant cette menace.

Puis, d'une voix plus forte:

À moi!... À moi!» répéta-t-elle.

Une dizaine de patriotes l'entouraient alors. D'autres accouraient de divers points de la berge.

«Cet homme, dit Bridget, c'est l'agent Rip, c'est un espion au service des royaux...

– Et cette femme, dit Rip, c'est la femme du traître Simon Morgaz!»

L'effet de ce nom abhorré fut immédiat. Celui de Rip s'effaça devant lui. Les cris de: «Bridget Morgaz!... Bridget Morgaz!...» dominèrent le tumulte. Ce fut vers cette femme que se tournèrent instantanément les menaces et les injures. Rip en profita. N'ayant rien perdu de son sang-froid, voyant que l'attention était détournée de

«À moi!... À moi!» cria Bridget.

lui, il disparut. Et sans doute, le soir même, il parvint à traverser le bras droit du Niagara pour regagner Schlosser et se réfugier au camp de Chippewa, car aucune recherche ultérieure ne put le faire découvrir.

On sait, actuellement, pourquoi Bridget, entraînée au milieu d'une foule ameutée, était poursuivie dans la direction de la maison de M. de Vaudreuil.

Et c'est au moment où elle allait tomber sous les coups que Jean venait d'apparaître, et rien que par ces mots: «Ma mère!» il avait révélé le secret de sa naissance!...

Jean-Sans-Nom était le fils de Simon Morgaz.

Comment le fugitif se trouvait-il alors à l'île Navy, le voici en quelques mots.

Au bruit de cette détonation partie de l'enceinte du fort Frontenac, Jean était tombé sans mouvement entre les bras de Lionel. Il avait compris. Joann venait de mourir à sa place. Il fallut les soins de son jeune compagnon pour le ranimer. Après avoir traversé le Saint-Laurent sur la glace, tous deux avaient suivi la rive de l'Ontario, et ils étaient déjà loin du fort, au lever du jour.

Se rendre à l'île Navy, rallier les insurgés contre les troupes royales, se faire tuer enfin, s'il échouait dans cette suprême tentative, c'est ce qu'avait résolu Jean. En parcourant les territoires limitrophes du lac, où s'était répandue la nouvelle de son exécution, il put constater que les Anglo-Canadiens croyaient en avoir fini avec lui. Eh bien! il reparaîtrait à la tête des patriotes, il tomberait comme la foudre sur les soldats de Colborne. Peut-être cette réapparition, pour ainsi dire miraculeuse, jetterait-elle l'épouvante dans leurs rangs, en même temps qu'elle provoquerait un élan irrésistible chez les Fils de la Liberté.

Mais, quelque hâte que Jean et Lionel eussent d'arriver au Niagara, ils durent faire de longs détours – cause de longs retards. Les risques qu'ils coururent furent très grands jusqu'à la limite des territoires américains, et il leur fallut se résoudre à ne voyager que la nuit. Aussi, ce ne fut que le soir du 16 décembre qu'ils atteignirent le village de Schlosser, puis le campement de l'île Navy.

Et maintenant, Jean faisait face à la foule hurlante, qui s'était refermée derrière lui.

Mais telle était l'horreur inspirée par le nom de Simon Morgaz, que les cris ne cessèrent pas. On l'avait reconnu... C'était bien Jean-Sans-Nom, le héros populaire, que l'on croyait tombé sous les balles anglaises!... Et malgré cela, la légende s'évanouit. Aux menaces qui s'adressaient à Bridget, s'en joignirent d'autres qui s'adressaient à son fils.

Jean était resté impassible. Soutenant sa mère d'un bras, il repoussait de l'autre cette multitude déchaînée. MM. de Vaudreuil, Farran, Clerc et Lionel essayaient en vain de la contenir. Quant à Vincent Hodge, en se retrouvant en face du fils du dénonciateur de son père, de l'homme qu'il savait aimé de Clary de Vaudreuil, il avait senti un flux de colère et de haine lui monter à la tête. Mais, refoulant ses instincts de vengeance, il ne songeait plus qu'à défendre la jeune fille contre les dispositions hostiles que lui valait son dévouement à Bridget Morgaz.

Certes, que de pareils sentiments se fussent manifestés à l'égard de cette malheureuse femme, que l'on fit remonter jusqu'à elle la responsabilité des trahisons de Simon Morgaz, c'était d'une révoltante injustice. Cela ne pouvait se comprendre que de la part d'une foule qui, toute à son premier mouvement, ne réfléchissait plus. Mais que la présence de Jean-Sans-Nom ne l'eût pas arrêtée dans son affolement, après ce que l'on savait de lui, cela dépassait toutes limites.

L'indignation que Jean éprouva de cet acte abominable fut telle que, pâle de colère, et non plus rouge de honte, il s'écria d'une voix qui domina tout le tumulte:

«Oui! je suis Jean Morgaz, et voici Bridget Morgaz!... Frappez-nous donc!... Nous ne voulons pas plus de votre pitié que de votre mépris!... Mais, toi, ma mère, relève la tête, et pardonne à ceux qui t'outragent, toi, la plus respectable des femmes!»

Devant cette attitude, les bras s'étaient abaissés. Et, pourtant, les bouches vociféraient encore:

«Hors d'ici, la famille du traître!... Hors d'ici, les Morgaz!»

Et la foule serra de plus près les victimes de son odieux emportement pour les expulser de l'île.

Clary se jeta au-devant.

«Malheureux, vous l'écouterez, avant de chasser sa mère et lui!» s'écria-t-elle.

Et, surpris par l'énergique protestation de la jeune fille, tous s'arrêtèrent.

Alors, Jean, d'une voix où le dédain se mêlait à l'indignation:

«Tout ce que l'infamie de son nom a fait souffrir à ma mère, dit-il, il est inutile que j'y insiste. Mais, ce qu'elle a fait pour racheter cette infamie, il faut que vous le sachiez. Ses deux fils, elle les a élevés dans l'idée du sacrifice et d'un renoncement à tout bonheur sur terre. Leur père avait livré la patrie canadienne: ils ne vécurent plus que pour lui rendre son indépendance. Après avoir renié un nom qui leur faisait horreur, l'un alla à travers les comtés, de paroisses en paroisses susciter des partisans à la cause nationale, tandis que l'autre se jetait au premier rang des patriotes dans toutes les insurrections. Celui-ci est devant vous. Celui-là, l'aîné, c'était l'abbé Joann, qui a pris ma place dans la prison de Frontenac, qui est tombé sous les balles des exécuteurs...

– Joann!... Joann... mort! s'écria Bridget.

– Oui, ma mère, mort comme tu nous as fait jurer de mourir – mort pour son pays!»

Bridget s'était agenouillée près de Clary de Vaudreuil, qui, l'entourant de ses bras, mêlait ses larmes aux siennes.

De la foule, impressionnée par cette émouvante scène, il ne se dégageait plus qu'un sourd murmure, où l'on sentait frémir cependant son insurmontable horreur pour le nom de Morgaz.

Jean reprit d'une voix plus animée:

«Voici ce que nous avons fait, non dans le but de réhabiliter un nom qui est à jamais flétri, au nom que le hasard vous a fait connaître et que nous espérions ensevelir dans l'oubli avec notre famille maudite! Dieu ne l'a pas voulu! Et, après que je vous ai tout dit, répondrez-vous encore par des paroles de mépris ou des cris de haine?»

Oui! Telle était l'horreur provoquée par le souvenir du traître que l'un des plus forcenés osa répondre:

«Jamais nous ne souffrirons que la femme et le fils de Simon Morgaz souillent de leur présence le camp des patriotes!

– Non!... Non!... répondirent les autres, dont la colère reprit le dessus.

– Misérables!» s'écria Clary.

Bridget s'était relevée.

«Mon fils, dit-elle, pardonne!... Nous n'avons pas le droit de ne pas pardonner!

– Pardonner! s'écria Jean, dans l'exaltation qui suscitait tout son être contre cette injustice. Pardonner à ceux qui nous rendent responsables d'un crime qui n'est pas le nôtre, et malgré ce que nous avons pu faire pour le racheter! Pardonner à ceux qui poursuivent la trahison jusque dans la femme, jusque dans les enfants, dont l'un a déjà donné son sang, dont l'autre ne demande qu'à le verser pour eux! Non!... Jamais! C'est nous qui ne resterons pas avec ces patriotes, qui se disent souillés par notre contact! Viens, ma mère, viens!

– Mon fils, dit Bridget, il faut souffrir!... C'est notre part ici-bas!... C'est l'expiation!...

– Jean!» murmura Clary.

Quelques cris retentissaient encore. Puis, ils se turent. Les rangs s'étaient ouverts devant Bridget et son fils. Tous deux se dirigeaient vers la berge.

Bridget n'avait même plus la force de faire un pas. Cette horrible scène l'avait anéantie. Clary, aidée de Lionel, la soutenait, mais ne pouvait la consoler.

Tandis que Vincent Hodge, Clerc et Farran étaient restés au milieu de la foule pour la calmer, M. de Vaudreuil avait suivi sa fille. Comme elle, il sentait son cœur se révolter contre ce flot d'injustice, contre l'abomination de ces préjugés qui poussent au delà de toutes limites les responsabilités humaines. Pour lui comme pour elle, le passé du père s'effaçait devant le passé de ses fils. Et, lorsque Bridget et Jean furent arrivés près de l'une des embarcations qui faisaient le service de Schlosser, il dit:

«Votre main, madame Bridget!... Votre main, Jean!... Ne vous souvenez plus de ce que ces malheureux vous ont jeté d'outrages!... Ils reconnaîtront que vous êtes au-dessus de ces opprobres!... Ils vous demanderont un jour de leur pardonner...

– Jamais! s'écria Jean, en se dirigeant vers l'embarcation, prête à quitter la rive.

– Où allez-vous? lui demanda Clary.

– Là où nous ne risquerons plus d'être en butte aux insultes des hommes!

– Madame Bridget, dit alors la jeune fille d'une voix qui fut entendue de tous, je vous respecte comme une mère! Il y a quelques instants, croyant que votre fils n'était plus, je jurais de rester fidèle à la

«Oui, je suis Jeam Morgaz. Frappez-nous donc!...»

mémoire de celui auquel j'aurais voulu vouer ma vie!... Jean, je vous aime!... Voulez-vous de moi?...»

Jean, pâle d'émotion, faillit tomber aux pieds de cette noble fille.

«Clary, dit-il, vous venez de me donner la seule joie que j'aie ressentie depuis que je traîne cette existence maudite! Mais, vous l'avez vu, rien n'a pu diminuer l'horreur que notre nom inspire, et cette horreur, je ne vous la ferai jamais partager!

– Non! ajouta Bridget. Clary de Vaudreuil ne peut devenir la femme d'un Morgaz!

Vers onze heures du matin, les préliminaires de l'attaque commencè-

– Viens, ma mère, dit Jean, viens!»

Et, entraînant Bridget, il la déposa dans l'embarcation qui s'éloigna, tandis que le nom de traître retentissait encore au milieu de clameurs.

Le lendemain, au fond d'une hutte isolée, en dehors du village de Schlosser, où il avait transporté sa mère, Jean, agenouillé près d'elle, recevait ses dernières paroles.

Personne ne savait que cette hutte renfermait la femme et le fils de Simon Morgaz. D'ailleurs, ce ne serait pas pour longtemps.

Bridget se mourait. Dans quelques heures allait finir cette existence où s'étaient accumulées toutes les souffrances, toutes les misères, qui peuvent accabler une créature humaine.

Lorsque sa mère ne serait plus, quand il lui aurait fermé les yeux, lorsqu'il aurait vu la terre recouvrir son misérable corps, Jean était résolu à fuir ce pays qui le repoussait. Il disparaîtrait, en n'entendrait plus parler de lui – pas même après que la mort serait venue le délivrer à son tour.

Mais les dernières recommandations de sa mère allaient le faire revenir sur ce projet d'abandonner cette tâche qu'il s'était donnée de réparer le crime de son père.

Et voici ce que lui dit Bridget, d'une voix dans laquelle passa son dernier souffle:

«Mon fils, ton frère est mort, et moi, je vais mourir, après avoir bien souffert! Je ne me plains pas! Dieu est juste! C'était l'expiation! Jean, pour qu'elle soit complète, il faut que tu oublies l'outrage! Il faut que tu reprennes ton œuvre! Tu n'as pas le droit de déserter!... Le devoir, mon Jean, c'est de te sacrifier pour ton pays jusqu'à ce que tu tombes...»

L'âme de Bridget s'était exhalée avec ces mots.

Jean embrassa la morte et ferma ces pauvres yeux qui avaient tant pleuré.

XII

DERNIERS JOURS

La situation des patriotes à l'île Navy était alors extrêmement critique et ne pouvait se prolonger. Ce ne devait plus être qu'une question de jours – d'heures peut-être.

En effet, si le colonel Mac Nab hésitait à tenter le passage du Niagara, il allait rendre intenable le camp des assiégés. Une batterie, installée sur la berge de Chippewa, venait d'être achevée, et les bonnets bleus seraient dans l'impossibilité de lui répondre, puisqu'ils ne possédaient pas une seule bouche à feu. Quelques centaines de fusils – les seules armes dont ils puissent faire usage à distance, pour empêcher un débarquement – seraient impuissantes contre l'artillerie des royaux.

Si les Américains s'intéressaient au succès de l'insurrection franco-canadienne, il était fort regrettable que, dans un intérêt politique, le gouvernement des États-Unis, eût voulu garder la plus stricte neutralité depuis les débuts de la lutte. Lui seul aurait pu fournir les canons qui manquaient aux réformistes; mais c'eût été provoquer les récriminations de l'Angleterre, à une époque où le moindre incident risquait d'amener une rupture, ainsi que cela se produisit quelques mois plus tard. Les moyens défensifs de l'île Navy étaient par suite extrêmement limités. Même les munitions et les vivres pouvaient lui faire défaut, bien qu'elle fût ravitaillée – autant que les ressources du pays le permettaient – par Schlosser, Buffalo et Niagara-Falls. De là, un incessant va-et-vient d'embarcations, petites ou grandes, à travers le bras droit de la rivière. Aussi le colonel Mac Nab avait alors disposé quelques pièces au-dessus et au-dessous de Chippewa, afin de les prendre d'écharpe en amont comme en aval de l'île.

On le sait, l'une de ces embarcations, le petit bateau à vapeur *Caroline*, établissait une communication rapide entre le camp et la rive de Schlosser. Il était surtout affecté au transport des curieux, qui se hâtaient de rendre visite aux défenseurs de l'île Navy.

En de telles conditions, il fallait aux chefs de cette poignée d'hommes une énergie vraiment extraordinaire pour ne point abandonner la lutte. Malheureusement, le nombre des combattants diminuait de jour en jour, et des groupes découragés se faisaient conduire à Schlosser pour ne plus revenir.

Depuis la scène lamentable, terminée par le départ de Jean à laquelle il avait assisté, M. de Vaudreuil n'était plus sorti de sa maison. C'est à peine s'il pouvait se soutenir. Sa fille ne le quittait pas d'un instant. Il leur semblait, à tous deux, qu'ils avaient été, pour ainsi dire, souillés par cette boue d'outrages jetée à la face de Bridget et de son fils. Personne plus qu'eux n'avait souffert des insultes dont leurs compagnons accablaient cette misérable famille, courbée sous l'opprobre d'un nom qu'elle avait renié! Et pourtant, lorsqu'ils songeaient au crime de Simon Morgaz, à ces héroïques victimes que les agissements du traître avaient envoyées à l'échafaud, tous deux courbaient la tête sous le poids d'une fatalité contre laquelle nulle justice ne pouvait prévaloir.

Dans cette maison, d'ailleurs, où se réunissaient chaque jour les amis de M. de Vaudreuil, aucun d'eux ne faisait jamais allusion à ce qui s'était passé. Vincent Hodge, par une discrétion digne de son caractère, se tenait sur une extrême réserve, ne voulant rien laisser paraître de ce qui aurait pu ressembler à un blâme pour les sentiments manifestés par Clary. Est-ce qu'elle n'avait pas eu raison, cette vaillante jeune fille, de protester contre ces préjugés odieux, qui étendent jusqu'aux innocents la responsabilité des coupables, qui veulent qu'un héritage de honte se transmette des pères aux enfants, comme la ressemblance physique ou morale!

Et, c'est en songeant à cette épouvantable situation que Jean, désormais seul au monde, sentait tout son être se révolter. Joann, mort pour le pays, Bridget, morte sous l'outrage, tout cela ne suffisait-il pas à établir une balance avec le passé?... Eh bien non! Et, lorsqu'il s'écriait: «C'est injuste!» il semblait que la voix de sa conscience répondait: «Ce n'est peut-être que justice!»

Alors Jean revoyait Clary, bravant les insultes de cette foule qui le poursuivait! Oui! elle avait eu ce courage de défendre un Morgaz! Elle avait été jusqu'à lui offrir de lier son existence à la sienne! Mais lui s'y était refusé, il s'y refuserait toujours! Pourtant, quel amour il lui portait! Et, alors, il errait sur les rives du Niagara, comme le Nathaniel Bumpo des *Mohicans*, qui eût préféré s'engloutir dans ses cataractes plutôt que de se séparer de Mabel Denham!

Pendant toute la journée du 18, Jean resta près du cadavre de sa mère, enviant ce repos dont elle jouissait enfin. Son vœu suprême aurait été de la rejoindre. Mais il se rappelait ses dernières paroles, il n'avait le droit de succomber qu'à la tête des patriotes. C'était son devoir... il le remplirait.

Lorsque la nuit fut venue, une nuit sombre, à peine éclairée par le «blinck» des neiges – sorte de réverbération blanchâtre dont s'emplit le ciel des régions polaires –, Jean quitta la cabane où gisait le corps de Bridget. Puis, à quelques centaines de pas, sous le couvert des arbres chargés de givre, il alla creuser une tombe avec son large couteau canadien. Sur la lisière de ce bois, perdu dans l'obscurité, personne ne pouvait le voir, et il ne voulait pas être vu. Personne ne saurait où Bridget Morgaz serait enterrée. Aucune croix n'indiquerait sa tombe. Si Joann reposait en quelque coin inconnu au pied du fort Frontenac, sa mère, du moins, serait ensevelie dans ce sol américain, qui était le sol de sa terre natale. Jean, lui, se ferait tuer à la prochaine attaque, et sa dépouille disparaîtrait, entraînée avec tant d'autres, par les rapides du Niagara.

Alors il ne resterait plus rien – pas même le souvenir – de ce qui avait été la famille Morgaz!

Lorsque le trou fut assez profond pour qu'un cadavre n'eût rien à craindre de la griffe des fauves, Jean revint à la cabane, il prit le corps de Bridget entre ses bras, il l'emporta sous les arbres, il mit un dernier baiser sur le front de la morte, il la déposa au fond de la tombe, enveloppée dans son manteau en étoffe du pays, il la recouvrit de terre. Alors, s'agenouillant, il pria, et ses derniers mots furent ceux-ci:

«Repose en paix, pauvre mère!»

La neige, qui commençait à tomber, eut bientôt caché l'endroit où dormait celle qui n'était plus, qui n'aurait jamais dû être!

Et malgré tout, lorsque les soldats de Mac Nab tenteraient de débarquer sur l'île Navy, Jean serait au premier rang des patriotes pour y chercher la mort.

Il ne devait pas longtemps attendre.

En effet, le lendemain, 19 décembre, dès les premières heures de la matinée, il fut manifeste que le colonel Mac Nab préparait une attaque directe. De grands bateaux plats étaient rangés le long de la berge, au-dessous du camp de Chippewa. Faute d'artillerie, les bonnets bleus n'auraient aucun moyen de détruire ces bateaux avant qu'ils se fussent mis en marche, ni de les arrêter, lorsqu'ils tenteraient le passage. Leur unique ressource serait de s'opposer à un débarquement par la force, en se concentrant sur les endroits menacés. Mais quelle résistance pourrait opposer quelques centaines d'hommes contre la masse des assaillants, s'ils accostaient l'île sur plusieurs points à la fois? Ainsi, dès que les royaux auraient pris pied, l'envahissement du camp suivrait de près, et ses défenseurs, trop nombreux pour trouver place dans les quelques embarcations de Schlosser, seraient massacrés avant d'avoir pu se réfugier sur la terre américaine.

C'est de ces éventualités dont s'inquiétaient surtout M. de Vaudreuil et ses amis. Ils comprenaient les dangers d'une telle situation. Pour y échapper, il est vrai, il leur eût suffi de regagner Schlosser, pendant que le passage du Niagara était libre. Mais pas un n'aurait voulu battre en retraite, sans s'être défendu jusqu'à la dernière heure.

Peut-être, après tout, se croyaient-ils assez forts pour opposer une sérieuse résistance, et se faisaient-ils illusion sur les difficultés d'un débarquement.

En tout cas, l'un d'eux ne s'y méprenait guère. C'était maître Nick, si malencontreusement engagé dans cette lutte. Mais sa situation à la tête des guerriers mahoganniens ne lui permettait pas d'en rien dire. Quant à Lionel, son patriotisme n'admettait aucune hésitation.

Le jeune clerc, d'ailleurs, ne revenait pas des surprises que lui avait causées la réapparition si inattendue de son héros. Quoi! Jean-

Sans-Nom était le fils d'un Simon Morgaz!... L'abbé Joann était le fils d'un traître!

Eh bien! se répétait-il, en sont-ils moins deux bons patriotes? Et Mlle Clary n'a-t-elle pas eu raison de défendre Jean et sa mère?... Ah! la brave jeune fille!... C'est bien cela!... C'est noble!... C'est digne d'une Vaudreuil!»

Ainsi raisonnait Lionel, qui ne marchandait pas son enthousiasme, et ne pouvait croire que Jean eût quitté l'île Navy pour n'y plus remettre les pieds. Oui! Jean-Sans-Nom reparaîtrait, ne fût-ce que pour mourir en défendant la cause nationale!

Et bientôt, le jeune clerc en arrivait à faire cette réflexion fort judicieuse, en somme:

«Pourquoi les enfants de Simon Morgaz ne seraient-ils pas les plus loyaux des hommes, puisque le dernier descendant d'une race belliqueuse n'avait plus rien des qualités de ses ancêtres, puisque la race des Sagamores finissait en notaire!»

Ce que Lionel pensait de Jean-Sans-Nom, c'est aussi ce que pensaient Thomas Harcher et ses fils. Ne l'avaient-ils pas vu à l'œuvre depuis nombre d'années. En risquant cent fois sa vie, Jean n'avait-il pas racheté le crime de Simon Morgaz? Vraiment, s'ils eussent été présents à cette odieuse scène, ils n'auraient pu se contenir, ils se seraient jetés sur la foule, ils auraient fait justice de ces abominables outrages! Et, s'ils savaient en quel endroit Jean s'était retiré, ils iraient le chercher, ils le ramèneraient au milieu des bonnets bleus, ils le mettraient à leur tête!

Il faut le dire à l'honneur de l'humanité, depuis l'expulsion de Jean et Bridget, un revirement s'était fait dans les esprits. Les sentiments de Lionel et de la famille Harcher étaient présentement partagés par la majorité des patriotes.

Vers onze heures du matin, les préliminaires de l'attaque commencèrent. Les premiers boulets des batteries de Chippewa sillonnèrent la surface du camp. Des obus portèrent le ravage et l'incendie à travers l'île. Il eût été impossible de s'abriter contre ces projectiles, sur un terrain presque ras, semé de groupes d'arbres, coupé de haies sans épaisseur, n'ayant que quelques épaulements, construits en terre gazonnée du côté de la rive. Le colonel Mac Nab cherchait à déblayer les berges, avant de tenter le passage du Niagara – opération qui n'était pas sans difficultés, malgré le nombre restreint des défenseurs.

Ceux-ci s'étaient réunis autour de la maison de M. de Vaudreuil, moins exposée aux coups de l'artillerie par sa situation sur la rive droite, en face de Schlosser.

Dès les premières détonations, M. de Vaudreuil avait donné l'ordre à tout ce qui était non combattant de repasser sur le territoire américain. Les femmes, les enfants, dont on avait jusqu'alors toléré la présence, durent s'embarquer, après avoir dit adieu à leurs maris, à leurs pères, à leurs frères, et furent transportés sur l'autre rive. Ce transport ne se fit pas sans danger, car les bouches à feu, placées en amont et en aval de Chippewa, menaçaient de les atteindre par un tir oblique. Quelques boulets vinrent même frapper la frontière des États-Unis – ce qui devait provoquer de très justes réclamations de la part du gouvernement fédéral.

M. de Vaudreuil avait voulu obtenir de sa fille qu'elle se réfugiât à Schlosser, afin d'y attendre l'issue de cette attaque. Clary refusa de le quitter.

«Mon père, dit-elle, je dois rester près de vous, j'y resterai. C'est mon devoir.

– Et si je tombe entre les mains des royaux?...

– Eh bien! ils ne me refuseront pas de partager votre prison, mon père.

– Et si je suis tué, Clary?...»

La jeune fille ne répondit pas, mais M. de Vaudreuil ne put parvenir à vaincre sa résistance. Aussi était-elle près de lui, lorsqu'il vint prendre place au milieu des patriotes, rassemblés devant la maison.

Les détonations éclataient alors avec une extrême violence. La position du campement allait devenir intenable. Cependant la tentative de débarquement ne s'effectuait pas encore. Autrement, ceux des bonnets bleus qui étaient postés derrière les épaulements en eussent donné avis.

Devant la maison se trouvaient Vincent Hodge, Clerc et Farran, Thomas, Pierre, Michel et Jacques Harcher. Là aussi, maître Nick et Lionel, les guerriers mahoganniens, froids et calmes, comme toujours.

M. de Vaudreuil prit la parole:

«Mes compagnons, dit-il, nous avons à défendre le dernier rempart de notre indépendance. Si Mac Nab s'en rend maître, l'insurrection est vaincue, et qui sait quand de nouveaux chefs et de nouveaux soldats pourront recommencer la lutte! Si nous repoussons les assaillants, si nous parvenons à nous maintenir, des secours arriveront de tous les points du Canada. Nos partisans reprendront espoir, et nous ferons de cette île une imprenable forteresse, où la cause nationale trouvera toujours un point d'appui.

– Êtes-vous décidés à la défendre?

– Jusqu'à la mort! répondit Vincent Hodge.

– Jusqu'à la mort» répétèrent ses compagnons.

En ce moment, quelques boulets vinrent frapper le sol à une vingtaine de pas, et ricochèrent au loin en faisant voler une poussière de neige.

Pas un des habits bleus ne fit un mouvement. Ils attendaient les ordres de leur chef.

M. de Vaudreuil reprit:

«Il est temps de se porter sur la rive. L'artillerie de Chippewa ne tardera pas à se taire, car les royaux vont essayer de forcer le passage. Dispersez-vous le long de la berge, à l'abri des roches, et attendez que les bateaux soient à bonne portée. Il ne faut pas que les soldats ne Mac Nab débarquent...

– Ils ne débarqueront pas, dit William Clerc, et, s'ils y parvenaient, nous les rejetterions dans le Niagara!

– À notre poste, mes amis! s'écria Vincent Hodge.

– Je marcherai avec vous, dit M. de Vaudreuil, tant que la force ne me manquera pas...

– Reste ici, Vaudreuil, dit André Farran. Nous serons toujours en communication avec toi...

– Non, mes amis, répondit M. de Vaudreuil. Je serai là où je dois être!... Venez...

– Oui! venez, patriotes!... Les bateaux ont déjà quitté la rive canadienne!»

Il eût été impossible de s'abriter.

Tous se retournèrent, en entendant ces paroles jetées d'une voix éclatante.

Jean était là. Pendant la nuit précédente, une embarcation l'avait passé sur l'île. Personne ne l'avait reconnu. Après s'être caché du côté qui regardait Chippewa, il avait observé les préparatifs du colonel Mac Nab, sans prendre souci des projectiles qui frappaient la berge. Puis, voyant que les assaillants se disposaient à forcer le passage, il était venu – ouvertement – reprendre sa place parmi ses anciens compagnons.

«Je le savais bien!» s'écria Lionel.

Clary de Vaudreuil s'était avancée au-devant du jeune patriote, en même temps que Thomas Harcher et ses fils, qui se rangèrent autour de lui.

M. de Vaudreuil offrit la main à Jean...

Jean ne la prit pas.

«Défenseurs de l'île Navy, dit-il, ma mère est morte, accablée par les insultes que vous lui avez fait subir! Maintenant, il ne reste plus que moi de cette famille vouée à l'horreur et au mépris! Soumettez-vous à la honte de voir un Morgaz combattre à vos côtés, et allons mourir pour la cause franco-canadienne!»

À ces paroles répondit un tonnerre d'acclamations. Toutes les mains se tendirent vers Jean. Cette fois encore, il refusa de les toucher de la sienne.

«Adieu, Clary de Vaudreuil! dit-il

– Adieu, Jean! répondit la jeune fille.

– Oui, et pour la dernière fois!»

Cela dit, précédant M. de Vaudreuil, ses compagnons, tous ceux qui voulaient comme lui marcher à la mort, il s'élança vers la rive gauche de l'île.

XIII

NUIT DU 20 DÉCEMBRE

Trois heures du soir sonnaient, en ce moment, au clocher de la petite église de Schlosser. Une brume grisâtre et glaciale emplissait l'humide vallée du Niagara. Il faisait un froid très sec. Le ciel était couvert de nuages immobiles, que le moindre relèvement de la température eût condensés en neige sous l'influence des vents d'est.

Le ronflement des canons de Chippewa déchirait l'air. Dans l'intervalle des détonations, on entendait distinctement le mugissement lointain des cataractes.

Un quart d'heure après avoir quitté la maison de M. de Vaudreuil, les patriotes, cheminant entre les massifs d'arbres, se défilant le long des haies et des clôtures, étaient arrivés sur le bras gauche de la rivière.

Plusieurs manquaient. Les uns, frappés par des éclats d'obus, avaient dû revenir en arrière. Les autres, étendus sur la neige, ne devaient plus se relever. En tout, une vingtaine à déduire des deux cents qui restaient alors.

Les pièces, établies à Chippewa, avaient déjà fait de grands ravages à la surface de l'île. Les épaulements gazonnés, qui auraient permis aux bonnets bleus de tirer à couvert, étaient détruits presque entièrement. Il fut donc nécessaire de prendre position au bas de la berge, entre les roches à demi baignées par l'impétueux courant. C'est de là que Jean et les siens essaieraient d'arrêter le débarquement jusqu'à complet épuisement de leurs munitions.

Cependant le mouvement avait été vu du camp de Chippewa. Le colonel Mac Nab, antérieurement renseigné par les signaux de Rip, et, en ce moment même, par le rapport de cet espion qui se trouvait au camp, redoubla ses feux en les concentrant sur les points fortifiés. Autour de Jean, une trentaine de ses compagnons furent atteints par les éclats de roches que le choc des projectiles dispersait le long des rives.

Jean allait et venait sur la berge, observant les manœuvres de l'ennemi, malgré les boulets qui butaient à ses pieds ou coupaient l'air au-dessus de sa tête.

En ce moment, de larges bateaux plats, garnis d'avirons, se détachèrent l'un après l'autre de la rive canadienne.

Dans un dernier effort pour dégager la place, trois ou quatre volées, passant au-dessus des bateaux, s'abattirent sur l'île et ricochèrent au loin.

Jean ne fut même pas effleuré.

« Patriotes, cria-t-il, soyez prêts! »

Tous attendaient que les embarcations fussent à portée pour commencer le feu.

Les assaillants, couchés à bord, afin d'offrir le moins de prise aux balles, devaient être de quatre à cinq cents, tant volontaires que soldats de l'armée royale.

Quelques instants après, les bateaux, se trouvant à mi-rivière, furent assez rapprochés de l'île pour que l'artillerie de Chippewa dût suspendre ses décharges.

Aussitôt les premiers coups de fusil partirent de derrière les roches. Les embarcations y répondirent presque immédiatement. Mais, comme elles étaient très exposées au feu des berges, les longs avirons furent manœuvrés avec vigueur.

Quelques minutes suffirent pour accoster, et il fallut se préparer, de part et d'autre, pour une lutte corps à corps.

Jean commandait, au milieu d'une grêle de balles qui tombait aussi drue qu'une mitraille.

«Abritez-vous! lui cria Vincent Hodge.

– Moi ? » répondit-il.

Et, d'une voix éclatante, il cria aux assaillants qui allaient sauter sur la berge :

« Je suis Jean-Sans-Nom ! »

Ce nom fut accueilli avec une véritable stupeur, car les royaux devaient croire que Jean-Sans-Nom avait été passé par les armes au fort Frontenac.

Et alors, se précipitant vers les premières embarcations, Jean s'écria :

« En avant, les bonnets bleus !... Sus aux habits rouges ! »

L'engagement devint alors extrêmement vif. Les premiers débarqués sur l'île furent repoussés. Quelques-uns tombèrent dans le courant qui les emporta vers les cataractes. Les patriotes, quittant l'abri des roches, se répandirent sur la berge et se battirent avec une telle impétuosité que l'avantage fut d'abord pour eux. Il y eut même un instant où les embarcations durent reculer. Mais, aussitôt, d'autres arrivèrent à leur aide. Plusieurs centaines d'hommes purent prendre pied sur l'île. Le passage était forcé, et le nombre allait avoir raison du courage.

En effet, devant cet ennemi de beaucoup supérieur, les défenseurs furent contraints d'abandonner la berge. S'ils ne cédèrent pas sans avoir infligé des pertes importantes aux assaillants, ils en subirent de cruelles aussi.

Parmi eux, Thomas Harcher, Pierre et Michel, tombés sous les balles, furent achevés par ces féroces volontaires qui ne faisaient point de quartier. William Clerc et André Farran, blessés tous deux, furent pris, après avoir tracé un cercle de sang autour d'eux. Sans l'intervention d'un officier, ils auraient eu le sort du fermier et de ses deux fils. Mais le colonel Mac Nab avait recommandé d'épargner les chefs autant que possible, le gouvernement voulant les traduire devant les conseils de guerre de Québec et de Montréal. C'est à cette recommandation que Clerc et Farran durent d'échapper au massacre.

Il était d'ailleurs impossible de résister au nombre. Les bonnets bleus, après s'être battus en désespérés, les Mahogannis, après s'être défendus avec ce courage froid, ce mépris de la mort qui distingue les Indiens de leur race, durent fuir à travers les massifs de l'île, poursuivis de clôture en clôture, débordés sur leurs flancs, écrasés en arrière. Ce fut un miracle si Lionel ne fut pas tué vingt fois, et si maître Nick échappa au carnage. Quant aux Hurons, combien d'entre eux ne devaient jamais rentrer à leurs wigwams de Walhatta! En arrivant près de la maison de M. de Vaudreuil, maître Nick voulut décider Clary à se jeter dans l'une des embarcations qui allait le transporter à Schlosser.

«Tant que mon père sera sur l'île, dit-elle, je ne l'abandonnerai pas!»

Oui, son père! et peut-être aussi Jean, bien qu'elle sût qu'il n'était revenu que pour mourir!

Vers cinq heures du soir, M. de Vaudreuil comprit que la résistance n'était plus possible contre plusieurs centaines d'assaillants, maîtres d'une grande partie de l'île. Si les survivants voulaient sauver leur vie, ils ne le pouvaient plus qu'en se réfugiant sur la rive droite du Niagara.

Mais c'est à peine si M. de Vaudreuil pouvait se tenir debout, s'il aurait le force de regagner la maison où l'attendait sa fille et de s'embarquer avec elle.

Vincent Hodge essaya de l'entraîner. À ce moment, M. de Vaudreuil, frappé en pleine poitrine, ne put que murmurer ces mots:

«Ma fille!... Hodge!... Ma fille|»

Jean, qui venait d'accourir, l'entendit.

«Sauvez Clary!» cria-t-il à Vincent Hodge.

À ce cri, une douzaine de volontaires se jetèrent sur lui. Ils l'avaient reconnu. S'emparer du célèbre Jean-Sans-Nom, le ramener vivant au camp de Chippewa, quel coup de fortune ce serait pour eux!

Dans un dernier effort, Jean abattit deux des volontaires qui cherchaient à le saisir, et il disparut au milieu d'une décharge qui ne l'atteignit pas.

Quant à Vincent Hodge, blessé grièvement, il avait été fait prisonnier près du cadavre de M. de Vaudreuil.

Où allait Jean-Sans-Nom? Avait-il donc la pensée de survivre, après que les meilleurs patriotes avaient succombé ou étaient entre les mains des royaux?

Non! Le dernier mot de M. de Vaudreuil n'avait-il pas été le nom de sa fille?...

Eh bien! Puisque Vincent Hodge ne pouvait plus la sauver, lui la sauverait, il l'obligerait à fuir, il la conduirait sur la rive américaine, et il reviendrait au milieu de ses compagnons qui luttaient encore.

Clary de Vaudreuil, seule devant sa maison, entendait les bruits du combat – cris de fureur, cris de douleur, mêlés aux détonations de la mousqueterie.

Tout ce tumulte se rapprochait avec la lueur plus intense des armes à feu.

Déjà une cinquantaine de patriotes, blessés pour la plupart, s'étaient jetés dans les embarcations et se dirigeaient vers le village de Schlosser.

Il ne restait plus que le petit bateau à vapeur *Caroline*, déjà encombré de fugitifs, qui se disposait à traverser le bras du Niagara.

Soudain Jean apparut, couvert de sang – du sang des royaux – sain et sauf, après avoir en vain cherché la mort, après l'avoir vingt fois donnée.

Clary s'élança vers lui.

«Mon père?... dit-elle.

– Mort!»

Jean lui répondit ainsi, sans ménagements: il fallait que Clary consentît à quitter l'île.

Jean la reçut dans ses bras, inanimée, au moment où les volontaires tournaient la maison pour s'opposer à sa fuite. Bondissant avec son fardeau, il courut vers la *Caroline*, il y déposa la jeune fille; puis, se relevant:

«Adieu, Clary!» dit-il.

Et il mit le pied sur le plat-bord du bateau pour s'élancer sur la berge.

Avant qu'il eût sauté à terre, Jean frappé de deux balles fut renversé sur le pont, à l'arrière, tandis que la *Caroline* s'éloignait à toute vapeur.

Cependant, à la lueur des coups de feu, Jean avait été reconnu des volontaires qui l'avaient poursuivi à travers l'île, et ces cris retentirent :

« Tué, Jean-Sans-Nom !... Tué ! »

À ces cris, Clary reprit connaissance et se releva.

« Mort !... » murmura-t-elle en se traînant vers lui.

Quelques minutes plus tard, la *Caroline* était amarrée au quai de Schlosser. Là, les fugitifs, qui se trouvaient à bord, pouvaient se croire en sûreté, sous la protection des autorités fédérales.

Quelques-uns débarquèrent aussitôt ; mais, comme l'unique auberge du village fut bientôt remplie et qu'il fallait faire trois milles pour atteindre les hôtels de Niagara-Falls en descendant la rive droite, la plupart préférèrent demeurer dans les cabines du bateau à vapeur.

Il était alors huit heures du soir.

Jean, étendu sur le pont, respirait encore. Clary, agenouillée, soutenait sa tête, lui parlait... Il ne répondait pas... Peut-être ne l'entendait-il plus ?

Clary regarda autour d'elle. Où chercher des secours, dans ce désarroi, au milieu de ce village empli de tant de fugitifs, encombré de tant de blessés, auxquels les médecins manquaient comme les remèdes ?

Alors Clary vit toute sa vie repasser dans son souvenir. Son père tué pour la cause nationale !... Celui qu'elle aimait mourant entre ses bras, après avoir lutté jusqu'à la dernière heure. Maintenant, elle était seule au monde, sans famille, sans patrie, désespérée...

Après avoir abrité Jean sous une toile de capot, afin de le protéger contre les rigueurs du froid, Clary, penchée sur lui, cherchait si son cœur ne battait pas faiblement, si un souffle ne s'exhalait pas de ses lèvres...

Au loin, de l'autre côté de la rivière, éclataient encore les derniers coups de feu, dont les vives lueurs fusaient entre les arbres de l'île Navy.

Tout se tut enfin, et la vallée niagarienne s'endormit dans un morne silence.

Le passage était forcé.

Inconsciemment, la jeune fille murmurait le nom de son père, et aussi celui de Jean, se disant que, suprême angoisse! le jeune patriote mourait peut-être avec cette pensée qu'il serait poursuivi au delà du tombeau par la malédiction des hommes! Et elle priait pour l'un et pour l'autre.

Soudain, Jean tressaillit, son cœur battit un peu plus vite. Clary l'appela...

Jean ne répondit pas.

Deux heures s'écoulèrent. Tout reposait à bord de la *Caroline*.

Aucun bruit ne venait ni des cabines ni du pont. Seule à veiller, Clary de Vaudreuil était là, comme une sœur de charité au chevet d'un mourant.

La nuit était très obscure. Les nuages commençaient à se dérouler lourdement au-dessus de la rivière. De longues brumes s'accrochaient au squelette des arbres, dont les branches, chargées de givre, grimaçaient sur la berge.

Personne ne vit alors quatre bateaux qui, contournant la pointe de l'île par l'amont, manœuvraient de manière à rallier sans bruit la rive de Schlosser.

Ces bateaux étaient montés par une cinquantaine de volontaires, commandés par le lieutenant Drew, de la milice royale. Sur l'ordre du colonel Mac Nab, cet officier, au mépris du droit des gens, venait accomplir un acte révoltant de sauvagerie jusque dans les eaux américaines.

Parmi ses hommes se trouvait un certain Mac Leod, dont les cruautés devaient amener de graves complications internationales quelques mois plus tard.

Les quatre bateaux, mus silencieusement par leurs avirons, traversèrent le bras gauche du Niagara et vinrent accoster le flanc de la *Caroline*.

Aussitôt, les volontaires, se glissant sur le pont, descendirent dans les cabines, et commencèrent leur épouvantable œuvre d'égorgement.

Les passagers, blessés ou endormis, ne pouvaient se défendre. Ils poussaient des cris déchirants. Ce fut en vain. Rien n'aurait pu arrêter la furie de ces misérables, au milieu desquels Mac Leod, le pistolet d'une main, la hache de l'autre, poussait des hurlements de cannibale.

Jean n'avait pas repris connaissance. Clary, épouvanté, s'était hâtée de ramener sur elle la toile qui les recouvrit tous deux.

Cependant quelques passagers avaient pu s'enfuir, soit en sautant sur le quai de Schlosser, soit en se jetant par-dessus bord, afin de gagner quelque point de la berge, où Mac Leod et ses égorgeurs n'oseraient pas les poursuivre. D'ailleurs, l'alarme avait été donnée dans le village, et les habitants sortaient déjà des maisons pour porter secours.

Ce massacre n'avait duré que quelques minutes, et nombre de victime auraient pu échapper au massacre, si ce Mac Leod n'eût été à la tête des assassins.

En effet, ayant emporté une certaine quantité de substances incendiaires à bord de son bateau, ce misérable les fit entasser sur le pont de la *Caroline*. En quelques secondes, coque et gréement furent en feu.

En même temps, les amarres ayant été coupées, le bateau, vigoureusement repoussé au large de la rive, déborda en prenant le fil du courant.

La situation était épouvantable.

À trois milles en aval, le Niagara s'engouffrait dans l'abîme de ses cataractes.

C'est alors que cinq ou six malheureux, affolés, se précipitèrent dans la rivière. Mais, c'est à peine si quelques-uns purent atteindre la berge en luttant contre les glaçons charriés à la surface des eaux.

On ne sut jamais quel fut le nombre des victimes égorgées par les massacreurs du lieutenant Drew, ou noyées en voulant échapper aux flammes.

Cependant la *Caroline* filait entre deux rires, comme un brûlot en feu. L'incendie gagnait l'arrière. Clary, debout, au comble de l'épouvante, appelait...

Jean l'entendit enfin, il ouvrit les yeux, il se souleva à demi, il regarda.

À la lueur des flammes, les berges de la rivière se déplaçaient rapidement.

Jean aperçut la jeune fille près de lui.

«Clary!» murmura-t-il.

S'il en avait eu la force, il l'eût prise dans ses bras, il se serait jeté dans le courant avec elle, il aurait tenté de la sauver!... Mais, ne pouvant plus se soutenir, il retomba sur le pont. Le mugissement des cataractes se faisait entendre maintenant à moins d'un demi-mille.

C'était la mort pour elle et pour lui, comme pour les autres victimes que la *Caroline* entraînait en aval du Niagara.

«Jean, dit Clary, nous allons mourir... mourir ensemble!... Jean, je vous aime... J'aurais été fière de porter votre nom!... Dieu ne l'a pas voulu!...»

Jean eut la force d'étreindre la main de Clary. Puis, ses lèvres répétèrent le dernier mot murmuré par sa mère:

«Expiation!... Expiation!»

Le bateau dérivait avec une vitesse effrayante, en contournant Goat-Island, qui sépare la chute américaine de la chute canadienne. Et, alors, vers le milieu du fer à cheval, là où le courant se creuse en une gorge verdâtre, la *Caroline*, se penchant sur l'abîme, disparut dans le gouffre des cataractes.

XIV

DERNIÈRES PHASES DE L'INSURRECTION

L'acte commis par les Anglais, en violation du droit des gens et des droits de l'humanité, eut un énorme retentissement dans les deux mondes. Une enquête fut ordonnée par les autorités de Niagara-Falls. Mac Leod avait été reconnu de quelques-uns de ceux qui avaient pu échapper au massacre et à l'incendie. D'ailleurs, ce misérable ne tarda pas à se vanter ouvertement d'avoir «mené l'affaire contre ces damnés de Yankees!»

Il n'était question, cependant, que d'une indemnité à demander à l'Angleterre, lorsque, au mois de novembre 1840, Mac Leod fut arrêté dans les rues de New-York.

Le représentant anglais, M. Fox, le réclama: le gouvernement fédéral refusa de le rendre. Aussi, à la Chambre des lords comme à la Chambre des communes, le ministère fut-il mis en demeure de rendre Mac Leod à la liberté, comme ayant agi d'après les ordres de la reine. Le congrès répondit à cette prétention en publiant un rapport qui justifiait les droits de l'État de New-York. Ce rapport ayant été considéré comme un véritable *casus belli*, le Royaume-Uni prit ses mesures en conséquence.

De son côté, après avoir renvoyé l'assassin devant les Assises sous prévention de meurtre, le parlement fédéral vota des subsides. Et, sans doute, la guerre eût été déclarée, lorsque Mac Leod, excipant

Clary, agenouillée, soutenant sa tête, lui parlait...

d'un alibi peut justifié, mais qui permettrait aux Anglais comme aux Américains d'étouffer cette affaire, fut renvoyé des fins de la plainte.

C'est ainsi que devaient être vengées les victimes de l'horrible attentat de la *Caroline* !

Après la défaite des insurgés à l'île Navy, lord Gosford reçut avis que les réformistes ne chercheraient plus à se révolter contre les autorités régulières. D'ailleurs, leurs principaux chefs étaient dispersés ou renfermés dans les prisons de Québec et de Montréal, et Jean-Sans-Nom n'était plus.

La *Caroline*, se penchant sur l'abîme, disparut dans le gouffre.

Cependant, en 1838, quelques soulèvements se produisirent encore sur divers points des provinces canadiennes.

Au mois de mars, première tentative, provoquée par Robert Nelson, frère de celui qui commandait à Saint-Denis, et qui échoua dès le début. À Napierville, seconde tentative, dans laquelle deux mille patriotes, luttant contre six cents réguliers de sir John Colborne, sans compter cinq cents Indiens et quatre cents volontaires, furent mis en déroute à la journée d'Odelltown.

Au mois de novembre, troisième tentative d'insurrection. Les réformistes des comtés de Chambly, Verchères, Laprairie, l'Acadie,

Terrebonne et Deux-Montagnes, dirigés par Brière, les Lorimier, les Rochon, etc., se divisèrent en deux bandes de cent hommes. L'une attaqua un manoir seigneurial, qui fut inutilement défendu par les volontaires. L'autre s'empara d'un bateau à vapeur au quai de la bourgade de Beauharnais. Puis, à Châteauguai, Cardinal, Duquet, Lepailleur, Ducharme, voulant obliger les sauvages de Caughnawaga à livrer leurs armes, entreprirent une campagne qui avorta. Enfin, Robert à Terrebonne, les deux Sanguinet à Sainte-Anne, Bouc, Gravelles, Roussin, Marie, Granger, Latour, Guillaume Prévost et ses fils, organisèrent les derniers mouvements qui marquèrent la fin de cette période insurrectionnelle des années 1837 et 1838.

C'était maintenant l'heure des représailles. Le gouvernement métropolitain allait procéder avec une énergie si impitoyable qu'elle touchait à la cruauté.

Le 4 novembre, sir John Colborne, alors investi de l'autorité supérieure, avait proclamé la loi martiale et suspendu l'*habeas corpus* dans toute la province. La cour martiale ayant été constituée, ses jugements furent rendus avec une partialité et même une légèreté révoltante. Cette cour envoya à l'échafaud Cardinal, Duquet, Robert, Hamelin, les deux Sanguinet, Decoigne, Narbonne, Nicolas, Lorimier, Hindelang et Daunais, dont les noms ne s'effaceront jamais du martyrologe de l'histoire franco-canadienne.

À ces noms, il convient de joindre ceux de quelques-uns des personnages qui ont figuré dans cette histoire, l'avocat Sébastien Gramont, puis Vincent Hodge, qui mourut comme était mort son père, avec le même courage et pour la même cause.

William Clerc, ayant succombé à ses blessures sur la terre américaine, André Farran, qui s'était réfugié aux États-Unis, survécut seul à ses compagnons.

Puis vint la liste des exilés. Elle comprit cinquante-huit des patriotes les plus marquants, et bien des années devaient s'écouler avant qu'ils puissent rentrer dans leur patrie.

Quant au député Papineau, l'homme politique, dont la personnalité avait dominé toute cette période de revendications nationales, il parvint à s'échapper. Une longue existence lui a permis de voir le Canada en possession de son autonomie, sinon de sa complète indépendance. Papineau est mort dernièrement aux limites d'une vieillesse justement honorée.

Il reste à dire ce qu'est devenue Catherine Harcher. De ses cinq fils, qui avaient accompagné leur père à Saint-Charles et à l'île Navy, deux seulement revinrent à la ferme de Chipogan, après quelques années d'exil, et, depuis cette époque, ils ne l'ont plus quittée.

Quant aux Mahogannis, qui avaient pris part au dénouement de l'insurrection, le gouvernement voulut les oublier, comme il oublia l'excellent homme, entraîné malgré lui à se mêler de choses dont il ne se souciait guère.

Aussi maître Nick, dégoûté des grandeurs que, d'ailleurs, il n'avait point cherchées, revint-il à Montréal, où il reprit sa vie d'autrefois. Et, si Lionel retourna à son pupitre de second clerc dans l'étude du marché Bon-Secours, sous la férule d'un Sagamore, ce fut le cœur plein du souvenir de celui pour lequel il eût volontiers fait le sacrifice de sa vie!

Chacun d'eux devait conserver le souvenir de la famille de Vaudreuil, et celui de Jean-Sans-Nom, réhabilité par la mort, et l'un des héros légendaires du Canada.

Cependant, si les insurrections avaient avortée, elles avaient semé des germes à plein sol. Avec le progrès que le temps impose, ces germes devaient fructifier. Ce n'est pas en vain que des patriotes versent leur sang pour recouvrer leurs droits. Que cela ne soit jamais oublié de tout pays à qui incombe le devoir de reconquérir son indépendance.

Les gouverneurs, envoyés successivement à la tête de la colonie, Sidenham, Bagot, Metcalfe, Elgin, Monck, cédèrent peu à peu quelques parcelles des prétentions de la Couronne. Puis, la constitution de 1867 établit sur d'inébranlables bases la confédération canadienne. Ce fut à cette époque que s'agita la question de capitale au profit de Québec, finalement tranché en faveur d'Ottawa.

Aujourd'hui, le relâchement des liens avec la métropole est pour ainsi dire complet. Le Canada est, à proprement parler, une puissance libre, sous le nom de *Dominion of Canada,* où les éléments franco-canadiens et anglo-saxons se coudoient dans une égalité parfaite. Sur cinq millions d'habitants, près du tiers appartient encore à la race française.

Chaque année, une touchante cérémonie réunit les patriotes de Montréal, au pied de la colonne, élevée sur la côte des Neiges, aux victimes politiques de 1837 et 1838. Là, le jour de l'inauguration, un discours fut prononcé par M. Euclide Roy, président de l'Institut, et ses derniers mots peuvent résumer l'enseignement qui ressort de cette histoire:

«Glorifier le dévouement, c'est créer des héros!»

FIN DE LA DEUXIÈME ET DERNIÈRE PARTIE

TABLE DES MATIÈRES

PREMIÈRE PARTIE

DEUXIÈME PARTIE